Le maître des illusions

SUZANN LEDBETTER

Le maître des illusions

BEST SELLERS
HARLEQUIN®

*Cet ouvrage a été publié en langue anglaise
sous le titre :*
NORTH OF CLEVER

Traduction française de
YVES CRAPEZ

HARLEQUIN®

est une marque déposée du Groupe Harlequin
et Les Best-Sellers® est une marque déposée d'Harlequin S.A.

Photo de couverture :
© WILLIAM WHITEHURST / CORBIS

*Toute représentation ou reproduction, par quelque procédé que ce soit, constituerait
une contrefaçon sanctionnée par les articles 425 et suivants du Code pénal.*
© 2001, Suzann Ledbetter. © 2004, Traduction française : Harlequin S.A.
83-85, boulevard Vincent-Auriol, 75013 PARIS — Tél. : 01 42 16 63 63
Service Lectrices — Tél. : 01 45 82 47 47
ISBN 2-280-08613-1 — ISSN 1248-511X

1.

Si on lui avait posé la question cinq minutes plus tôt, Hannah Garvey aurait juré vouloir une vraie famille, elle dont la parentèle tenait dans un dé à coudre. Mais voilà, les parents de son amant venaient de débarquer alors qu'elle se trouvait sous la douche avec lui, et cette fâcheuse intrusion avait considérablement modifié son opinion sur la question.

Elle se remémora un des dictons de son grand-oncle Mort Garvey : « La vie est faite de moments drôles et de drôles de moments. »

C'était dans cette seconde catégorie que Hannah rangeait le fait d'avoir été abandonnée sous la douche, nue et brûlante de désir, par David Hendrickson, shérif de Kinderhook, quand celui-ci avait été contraint d'aller ouvrir à ses parents.

Ed et June Hendrickson n'avaient fait aucune remarque en découvrant leur shérif de fils ruisselant, les reins ceints d'une serviette humide fortement tendue au niveau du bas-ventre, le regard assassin. Ils ne s'étaient pas non plus lancés dans de longues explications pour justifier leur arrivée aux premières lueurs de l'aube dans ce coin perdu du Missouri, non loin des monts Ozark.

Tout en s'affairant dans la salle de bains, Hannah tendit l'oreille et nota avec soulagement que David n'avait pas tiré sur ces gêneurs qui venaient d'interrompre leur tête-à-tête torride sous la douche.

Elle aurait été fâchée que ce bel homme de trente-six ans qu'elle avait dans la peau en arrive à une telle extrémité.

Rassurée sur le sort des intrus, Hannah enfila le pull et le pantalon noirs qu'elle portait la veille au soir, quand elle avait fracturé et dégradé un véhicule qui ne lui appartenait pas avant de se rendre coupable, au volant de son 4x4 Blazer, d'une tentative d'agression.

— Dire que j'ai enfreint la loi pour innocenter David !

Celui-ci était accusé de meurtre. A tort, bien sûr. Dans le feu de l'action, Hannah avait bousculé règlements et représentants de l'ordre, et elle ne s'était pas sortie sans peine de toutes ces péripéties : l'avant de son 4x4, complètement cabossé, en disait long sur sa nuit. Par miracle, c'était le seul dommage.

A ce souvenir, une vague d'émotion la submergea.

Debout dans la salle de bains, elle effaça d'une main la buée qui couvrait le miroir. Suite à un essuyage express à la serviette-éponge, ses longs cheveux brun-roux avaient foncé. Elle remarqua sous ses yeux de larges cernes dus au manque de sommeil. Ses traits tirés trahissaient un désir sexuel contrarié et, pour ne rien arranger, son mascara avait coulé, formant deux rigoles sinistres sur ses joues qui lui donnaient l'air d'une fan de musique gothique en phase de périménopause.

Résignée, elle s'accroupit afin d'examiner le contenu du placard de toilette, sous le lavabo. Qu'espérait-elle trouver ? Un shérif, surtout coiffé en brosse, ne s'encombre pas d'un sèche-cheveux. Et quand ledit shérif est divorcé et sans enfants, l'huile adoucissante ne fait pas partie de ses priorités.

Du moins, remarqua-t-elle avec satisfaction la boîte de préservatifs toujours intacte ; elle se félicita aussi du fait qu'aucune femme n'ait stocké tampons, diaphragmes, chaînes ou fouet sur les étagères de son soupirant.

Après de nouvelles recherches, Hannah découvrit une lotion grasse qui brûlait comme l'enfer mais retirait miraculeusement ce mascara à l'épreuve de la douche.

Elle achevait de se rendre présentable quand on tapota à la porte.

— Tu es en tenue décente ? demanda David de sa belle voix grave.

— Non, pas vraiment.

— Je peux quand même entrer ?

Elle jeta un coup d'œil au miroir.

— Tu peux, mais je te préviens : j'ai la tête d'un vampire.

Moulé dans son T-shirt et son jean, David investit la salle de bains de son mètre quatre-vingt-dix. On aurait dit le frère jumeau d'Apollon. Hannah soupira : elle le préférait nu, bien sûr, mais même habillé, il était diablement sexy.

Malgré ses bonnes résolutions, après une énième histoire au goût de désastre, elle avait jeté aux orties son vœu de chasteté pour lui. Comment résister ? Tendrement lové contre le dos et les reins de Hannah, il pressa son visage contre le sien tout en admirant leur image dans le miroir.

— Je t'adore avec les cheveux humides. Tu es encore plus désirable…

Hannah avait d'autres préoccupations en tête.

— Tu devrais échanger Rambo contre un vrai chien de garde, tu sais !

Rambo était le nom du rottweiler de David. En principe, le molosse était dressé pour défendre le territoire de son maître et faire ses crocs sur tout intrus.

— Peut-on savoir pourquoi ce sacré toutou n'a pas jugé bon d'aboyer quand tes parents ont débarqué ?

Elle eut la vision fugitive, mais réjouissante, d'un Rambo pourchassant M. et Mme Hendrickson à travers le jardin et les forçant à trouver refuge dans les branches du pommier.

— Hum ! je suis sûr que Rambo a fait autant de raffut qu'une meute. Mais nous étions si occupés, n'est-ce pas…

Hannah sentit une vague de chaleur lui embraser le visage. Elle revit David à travers la vapeur de la douche, nu, la peau constellée de gouttelettes scintillantes. Elle ressentit de nouveau son étreinte puissante, ses muscles bandés, son baiser brûlant, l'eau du jet qui cascadait sur leurs corps ardents. Enflammée par ce souvenir, elle se cambra dans ses bras.

— Tu penses à la même chose que moi ? interrogea-t-elle d'une voix rauque.

David relâcha son étreinte et recula d'un pas.

— Bien sûr ! Maman a probablement fini de préparer le petit déjeuner, maintenant.

Elle lui décocha un coup d'œil noir. D'ordinaire, David avait le chic pour lire dans ses pensées. Soit son radar de campagne était hors d'usage, soit Mme Hendrickson brouillait les signaux aussi sûrement que les œufs.

Passant du coq à l'âne, elle demanda d'un air pensif :

— Tu sais ce qui manque à cette salle de bains ?

— Quoi ?

— Une fenêtre qui laisserait entrer des flots de lumière.

Elle se fit véhémente.

— Si c'était ma maison, David, il y a belle lurette que j'aurais attrapé la scie pour la découper, cette fenêtre ! Est-ce que ça prendrait du temps ?

— La question n'est pas là. Les murs de la salle de bains ne donnent pas sur l'extérieur. Tu comprends ?

— Dommage. Et le plafond, il donne sur l'extérieur ?

— Non, ces vieilles fermes ont des toits en tôle ondulée : pas l'idéal pour aménager une lucarne.

Il la saisit doucement par les épaules.

— Ecoute, je comprends que tu sois embarrassée…

— C'est peu de le dire !

12

— ... mais tu as du répondant. Une fille mêlée à deux meurtres, une agression à main armée, un trafic de marijuana et une prétendue tentative de meurtre contre un shérif, moi en l'occurrence, est en mesure d'affronter n'importe quoi.

— Figure-toi, Hendrickson, que je brûle de sortir d'ici pour filer jusqu'à mon Blazer et prendre la poudre d'escampette.

— Ne panique pas. Après tout, nous sommes adultes.

— Et alors ? J'ai beau avoir sept ans de plus que toi, je me sens dans la peau d'une lycéenne prise la cigarette au bec.

— Et moi donc ! conclut-il en lui déposant un baiser sur le front. Mes oncles, tantes, cousins et mes trois frères vont me chambrer jusqu'à la fin des temps en apprenant que M. Hendrickson senior et la Reine mère nous ont surpris dans le feu de l'action, ou presque.

— Tu sais, je voudrais bien avoir une famille pour en dire autant. Enfin, puisqu'il le faut, montons à l'assaut !

— Bonne fille ! murmura David en la guidant à travers le hall, le salon et jusqu'à la cuisine d'où s'échappait une délicieuse odeur de bacon grillé.

Hannah était crispée. Il lui semblait qu'une nuée de ptérodactyles se bousculait dans son estomac, et elle aurait donné toute sa fortune pour pouvoir avaler un Maalox antiacide ! Et puis, soulagement, les parents Hendrickson l'accueillirent chaleureusement. June, la mère, une femme grande et bien charpentée, lui rappela l'actrice Maureen O'Hara. Quant à Ed, le père, il avait tout de David, en plus tassé et avec des cheveux blancs.

M. Hendrickson replia le journal qu'il lisait pour désigner une chaise à Hannah.

— Asseyez-vous, je vous en prie.

— Café noir ? proposa June. Demandez et c'est servi.

Deux tasses fumantes se matérialisèrent comme par magie devant Hannah et David. June se resservit, remplit la tasse de son mari, puis prépara une nouvelle tournée de café.

— Désolée pour ce petit déjeuner minimaliste, expliqua-t-elle, mais le frigo ne contenait que du bacon et un malheureux œuf solitaire. Et sans farine, je ne peux pas vous préparer de biscuits.

Hannah aurait donné cher pour se débrouiller aussi bien que June en cuisine.

Sa crainte de passer pour une vamp en goguette chez le fils des Hendrickson se dissipa. Elle se sentait en famille, avec eux. Ses nerfs tendus à craquer firent relâche. Jusqu'au moment où elle remarqua les coups d'œil aussi appréciateurs qu'insistants d'Ed.

— Vous travaillez pour mon fils, non ?

Elle avala sa gorgée de café de travers et se mit à tousser.

— Pardon ? fit-elle en se tapotant la poitrine.

David vola à son secours.

— Hannah n'appartient pas à la police, papa. Elle est responsable d'un village-résidence pour retraités à Valhalla Springs.

— Ah oui ! ce lotissement du troisième âge qu'on a construit non loin de la nationale, répondit Ed Hendrickson en fronçant ses sourcils broussailleux. Comment une jeune et jolie fille peut-elle vouloir s'encombrer d'un régiment de têtes blanches ?

Hannah s'était elle-même posé la question à l'époque où Jack Clancy lui avait proposé le poste, après qu'elle eut démissionné sur un coup de tête de l'agence publicitaire Friedlich et Friedlich, à Chicago. Elle l'avait intégrée vingt-cinq ans auparavant, comme réceptionniste, et avait peu à peu gravi les échelons pour s'occuper à la fin d'importants budgets publicitaires.

C'était dans le cadre de son travail qu'elle avait rencontré Jack Clancy. Au fil des ans et des rendez-vous professionnels, cet as de la promotion immobilière qui avait établi son siège social à Saint-Louis était devenu son ami.

Quand elle lui avait annoncé sa décision de partir, Jack s'était bien gardé de la critiquer et l'avait persuadée de s'occuper du village de retraite qu'il venait d'implanter à trente-cinq kilomètres au sud de Sanity, le chef-lieu du comté de Kinderhook, dans le Missouri.

Encore songeuse, Hannah finit par répondre :

— J'en avais assez de mener une vie de cadre stressé à Chicago. L'offre de Jack Clancy tombait à pic.

June posa sur la table une grande assiette de toasts beurrés et de bacon grillé. Puis elle interrogea son mari.

— Jack Clancy ? IdaClare et Patrick Clancy n'avaient-ils pas un garçon prénommé Jack ?

David prit Hannah de court.

— Vous connaissez IdaClare ?

— Bien sûr ! répondit Ed. J'ai rencontré son mari, Patrick, lors de ventes de bétail. A l'époque, les éleveurs voyaient d'un sale œil qu'un petit pharmacien propriétaire d'un maigre troupeau d'une dizaine de Herefords vienne jouer dans leur cour. Mais Clancy père n'a jamais refusé mes offres, du moment que je payais en bel et bon argent.

— Dire que nous ignorions sa mort, intervint June. Jusqu'au jour où Ed a remarqué que son ranch était à vendre.

Elle soupira en tapotant la main de Hannah.

— Ainsi va la vie. Vous travaillez pour son fils et couchez avec le nôtre.

— Maman, je t'en prie ! protesta David, gêné.

Un morceau de toast se coinça dans la gorge de Hannah. Elle crut que sa dernière heure était arrivée, puis parvint à évacuer l'obstacle en avalant une lampée de café.

— Voyons, les enfants, ne le prenez pas mal, déclara June. Ce que je veux dire, c'est que le monde est tout petit.

— Bien sûr, maman, soupira David en se massant les tempes. Mais tu sais, Hannah et moi, nous ne sommes pas ce que…

Hannah lui décocha un coup de pied sous la table qui le fit taire.

Ed explorait du bout de sa fourchette la pile de bacon grillé posée devant lui. Il trouva enfin une tranche à son goût et déclara d'un ton réprobateur :

— Ainsi, vous étiez dans la publicité, Hannah… Je ne sais pas si David vous l'a dit, mais June et moi avons eu six pharmacies. Avant, nous nous occupions d'un petit drugstore à Saint-Joseph, la ville où David et ses frères ont vu le jour. Par la suite, nous nous sommes installés ici et avons acheté nos premières boutiques à des propriétaires qui faisaient faillite… ou à qui nous faisions les yeux doux !

Hannah comprenait maintenant à qui David devait, outre ses yeux bleus et son visage carré, son sens de la repartie.

— Les grandes enseignes de supermarchés se sont implantées dans la région entre 1970 et 1980, poursuivit Ed Hendrickson. Et notre clientèle nous a faussé compagnie pour aller acheter chez eux médicaments, parapharmacie et tout le reste.

Hannah ironisa.

— Par tout le reste, vous entendez ces crèmes à bronzer, à épiler, ces vitamines, cartes de vœux et autres cadeaux qu'on trouve en drugstore ? Le plat de résistance de la profession en somme… les médicaments faisant office de sauce.

— On ne peut rien vous cacher ! lança joyeusement le père de David en brandissant sa fourchette pour saluer la perspicacité de Hannah. Afin de regagner notre clientèle, June et moi avons eu l'idée de nous adresser à une agence de publicité de Kansas City dont j'ai oublié le nom. Si j'avais su dans quoi je m'engageais, j'aurais préféré fourrer mon argent dans un nid de serpents à sonnette plutôt que de leur remplir les poches.

— Toutes les agences ne sont pas à mettre dans le même sac, plaida Hannah. Que vous ont-ils proposé comme thème de campagne ?

David éclata de rire.

— Ils ont voulu tourner un spot publicitaire montrant papa déguisé en pharmacien d'autrefois — tu sais, avec nœud papillon, bretelles, serre-manches et chapeau melon.

— Dans notre métier, la nostalgie paie toujours, mais ces ficelles sont un peu grossières… remarqua Hannah.

Elle avait toujours refusé de recourir à ce genre d'astuces, ce qui lui avait coûté quelques budgets publicitaires et l'avait privée de plusieurs clients. Un dicton de sa grand-mère lui revint à la mémoire : « Femme à conviction prospère, femme sans conviction se perd. » Au chapitre des proverbes, la vieille bique ajoutait que Hannah et sa mère Caroline « ne valaient pas plus qu'un crachat au milieu du désert. »

June posa d'un geste décidé le pot de café sur la table et renoua le fil de la conversation.

— Ces publicités ternissaient l'image d'Ed et ridiculisaient notre clientèle en suggérant que la région était peuplée de paysans débiles et arriérés. Pour un peu, ces messieurs m'auraient bien vue déguisée en danseuse de cancan, levant la jambe sur le comptoir de la pharmacie.

Ed Hendrickson prit son meilleur accent sudiste pour lancer d'une voix traînante :

— Sûr, chérie, d'autant que t'as des gambettes extra !

Il mastiqua son bacon et reprit :

— L'eau a coulé sous les ponts. L'agence de ces escrocs a fait faillite. Nos comptes étaient dans le rouge. Et malgré un chiffre d'affaires en vrille, on s'en est bien sorti en vendant nos boutiques avec un certain bénéfice.

Ed haussa les épaules, comme si cette vente forcée lui pesait encore.

June s'adressa à Hannah :

— Vous avez bien dit que votre agence était à Chicago. C'est votre ville natale ?

— Non, je suis née à Effindale, une petite bourgade du sud de l'Illinois.

Un panneau délavé planté sur le bas-côté de la route annonçait ce bourg perdu rassemblant quelques lugubres habitations. Hannah avait dix-huit ans quand elle avait fui l'endroit après la mort de sa mère. Officiellement, celle-ci était décédée d'un cancer — en réalité, elle s'était suicidée à petit feu durant les trente-six ans de son existence.

June prit la parole.

— Ed et moi sommes allés plusieurs fois à Chicago à l'occasion de congrès pharmaceutiques. Je n'aurais jamais pu vivre dans cette jungle, mais qu'est-ce que j'aimais faire mon shopping dans State Street ou passer des heures au Field Museum ! J'aurais adoré y être enfermée durant plusieurs jours : un vrai rêve !

Ed sauta sur l'occasion.

— Moi aussi j'ai rêvé qu'on t'y enfermait, dans ce sacré musée… et pour plus que quelques jours !

— Je te signale que sans mes indications, mon cher, tu serais encore en train de tourner dans le Loop de Chicago. Jamais tu n'aurais trouvé la route pour rejoindre Saint Joseph.

— Et voilà ! s'exclama Ed en adressant un sourire complice à Hannah. Depuis quarante-trois ans que nous sommes mariés, June est persuadée que je ne suis pas fichu de distinguer le nord du sud. Un comble ! Mais puisqu'elle se sent une âme de skipper et que les enfants ont pris leur indépendance, je la laisse tenir les cartes routières pendant que je conduis. Ça l'occupe.

David intervint.

— Quand maman était sur le point d'accoucher de Dillon, tu nous as conduits, Daniel, Darren et moi, chez tante Mary et oncle Pete, dans le Nebraska. Seulement, tu es passé par Sioux City, dans l'Iowa — ce qui faisait un sacré détour.

Ed laissa aller contre le dossier de son fauteuil et croisa les bras avant de demander d'un ton sentencieux :

18

— Dis-moi, es-tu retourné dans l'Iowa, depuis ?

— Ma foi, non, répondit David.

— Alors ? Tu vois que mes « erreurs de navigation » ont du bon.

— Touché, papa.

— Eh oui, fils, j'ai encore une bonne allonge.

Ce duel à fleurets mouchetés, plein de verve, fit sourire Hannah. En même temps, elle éprouva un pincement au cœur. Elle aurait tant voulu un papa en chair et en os ; une maman qui, comme toutes les mamans, aurait passé l'aspirateur et partagé une tasse de café avec ses voisines...

Enfant, elle s'était ainsi composé une famille virtuelle, sortie tout droit des feuilletons télévisés. Cela lui permettait d'oublier les coups durs. Certains jours, quand sa mère avait dépensé tout l'argent pour boire, Hannah allait en classe les poches vides. Elle avait ainsi passé des heures à se cacher, affamée, dans les coins secrets de la bibliothèque de l'école, pendant que les autres élèves déjeunaient au réfectoire.

Plus tard, au lycée, Hannah avait adopté la devise du philosophe allemand Friedrich Nietzsche : « Ce qui ne tue pas rend plus fort. » Par malchance, le professeur qui lui avait fait découvrir cette maxime avait été renvoyé pour opinions subversives. Le credo de Nietzsche n'annonçait pas une partie de plaisir, mais rendait des points à la devise en vigueur dans la famille de Hannah : « Vivre pour souffrir à en crever ».

Elle en était là de ses réflexions quand la sonnerie aigrelette du téléphone mural retentit et fit sursauter tout le monde. David se leva et attrapa le combiné.

— Hendrickson, j'écoute.

Au fur et à mesure de la conversation, il étira le cordon du téléphone pour aller s'isoler dans le salon. Hannah se leva et en profita pour prendre congé des Hendrickson.

— J'ai été ravie de faire votre connaissance, mais je dois retourner à Valhalla Springs. Certains de ces retraités me donnent du fil à retordre, conclut-elle en adressant un clin d'œil à Ed Hendrickson.

— Avoir des cheveux blancs sur le crâne ne signifie pas qu'on n'a rien plus rien dans le ventre ! trancha le père de David.

— C'est vrai. Un retraité des postes de ma connaissance a dû se faire tatouer cela quelque part.

David raccrocha, les traits tendus. Hannah guetta un début d'explication qui ne vint pas. Il la raccompagna jusqu'à son 4x4.

Pourquoi être déçue par son silence ? David lui plaisait, elle lui plaisait : point. Et si c'était grâce à elle qu'il avait été innocenté d'une accusation de meurtre, huit heures plus tôt, rien ne l'obligeait à la tenir informée de toutes les affaires en cours dans le comté.

Mais si l'appel en question concernait un meurtre particulièrement sordide ou une invasion de Martiens, les commères de Valhalla Springs la mettraient vite au courant.

— Tes parents restent longtemps ?

— Question épineuse, répondit David en lui ouvrant la portière du Blazer. En tout cas, je sais pourquoi ils ont échoué chez moi au lieu de filer à Toronto.

Il s'accouda à la vitre baissée.

— Figure-toi que ma chère mère a eu un pressentiment alors qu'ils franchissaient la frontière entre la Floride et la Georgie. Elle se faisait du souci pour moi. Alors que c'était à elle de conduire et que papa roupillait, elle en a profité pour bifurquer à gauche à Savannah. Ils ont continué par Nashville et ensuite, jusqu'à chez moi.

Sur le siège haut placé de son véhicule, Hannah ne voyait pas le pare-chocs et les phares cabossés ; en revanche, les images de ses carambolages nocturnes étaient encore très présentes dans son esprit.

— Tu vas mettre ta mère au courant de nos aventures mouvementées ?

— Comment faire autrement ? Un pauvre homme ne pèse pas lourd face à l'intuition d'une femme.

— C'est pour moi que tu dis ça ?

— Mais non, ma jolie, rétorqua David en passant sa tête par la fenêtre ouverte pour coller ses lèvres aux siennes.

Hannah frémit de désir, car David maîtrisait parfaitement l'art du baiser. Pour elle, le baiser profond était le summum de l'excitation sexuelle.

Peu lui importait un mâle champion du Kama-Sutra s'il embrassait comme un polichinelle. David, lui, s'y prenait divinement bien.

Ses lèvres auraient pu être répertoriées au nombre des armes fatales par le FBI.

Encore pantelante, Hannah effectua un demi-tour dans le jardin et salua David de la main. Par la vitre ouverte, l'air frais chargé d'humidité déferlait sur son visage. Elle regarda au passage la prairie pleine de fleurs sauvages et de bourdons, puis le tertre sur lequel David érigeait la charpente en A d'un futur promontoire. Une fois achevée, la construction autoriserait, en toutes saisons, un point de vue à couper le souffle sur les alentours.

Le chemin grimpait en serpentant, puis plongeait en ligne droite dans un tunnel végétal composé par deux rangées d'arbres formant écran au soleil. Hannah déboucha un peu plus loin dans Turkey Creek Road, une route à deux voies au bitume rapiécé empruntée généralement par des camions à lait et des ramasseuses-presses.

Dans sa tête résonnaient les paroles de Ruby Amy, la tenancière du café local : « Vous imaginez un peu, ce shérif vit en pleine cambrousse, loin de tout ! »

Ruby avait raison. Hannah n'avait plus envie de rire en songeant que, dans ce coin reculé, ses ébats avec David l'avaient empêchée d'entendre Rambo aboyer. Il est vrai qu'être en permanence à l'affût n'était pas un réflexe naturel chez une femme qui avait vécu à Chicago, où chacun s'abritait chez lui derrière des barreaux d'acier et des grilles anti-intrusion.

Dans combien de films voyait-on les méchants armés de fusils automatiques donner l'assaut au héros qui a trouvé refuge dans une maison isolée en bord de lac, au fin fond d'une immense forêt ou dans un ranch du bout du monde ?

Pour se rassurer, Hannah se répéta que David avait été pendant dix ans représentant de l'ordre à Tulsa avant d'être nommé shérif du comté de Kinderhook.

Tulsa et Chicago étaient des villes féroces. En comparaison, avec ses trois feux rouges, son salon de coiffure et son magasin de meubles démodés, Sanity avait tout de la villégiature.

Quant aux méchants des films, c'était à peine s'ils blessaient le héros à la cuisse ou à l'épaule. Et ce dernier, quoique saignant abondamment, trouvait toujours la force de se relever et d'abattre les malfrats, fût-ce à l'aide d'un pistolet de petit calibre.

« J'ai tort de me faire du souci, raisonna-t-elle. Les "bons" du monde entier ont toujours le dessus, même s'ils sont systémati-quement pris à partie par les "méchants" à la Brad Pitt. »

Bien sûr, tout dépendait du « bon », et Hannah s'inquiétait de savoir si David l'était suffisamment pour se tirer de n'importe quel guêpier.

Plongée dans ses spéculations, elle freina de justesse devant le portail de brique et de fer forgé défendant Valhalla Springs. Son 4x4 se cabra, et des morceaux de schiste siliceux coincés sous le châssis furent éjectés sur le sol avec un bruit métallique.

Elle évita de peu le bus qui emmenait sa cargaison de retraités hors du centre. Les passagers, visages collés aux vitres, lui jetè-rent leurs habituels regards ébahis, comme s'ils la voyaient pour la première fois au volant de son 4x4. Prudente, Hannah leva le pied afin de respecter la vitesse limitée à vingt-cinq kilomètres à l'heure et imposée à tout véhicule circulant dans le centre, y compris dans le raidillon qui menait à la maison de style colonial qu'elle habitait.

Elle vit enfin émerger le toit en bardeaux irréguliers et la façade en brique colorée qu'ornait un porche aux colonnades de cèdre fauve.

Soudain, elle tressaillit en remarquant plusieurs voitures garées devant chez elle. Qui pouvait lui rendre visite ? Encore eux ? Non, ce n'était pas possible.

Hannah maudit les importuns et invoqua tous les diables de l'enfer. Elle ferma les yeux et compta jusqu'à trois.

Hélas ! ni la Lincoln d'IdaClare Clancy, ni l'Edsel turquoise de Delbert Bisbee, ni l'extravagante décapotable orange de Leo Schnur ne se désintégrèrent.

Hannah se posa alors *la* question à mille dollars : où étaient passés les propriétaires de ces coquets véhicules ?

La réponse, à vrai dire, n'était pas bien dure à trouver : Delbert transportait toujours dans le coffre arrière de son vieux tacot un rossignol de serrurier capable d'ouvrir n'importe quelle porte. Y compris celle de Hannah.

2.

Hannah allait rentrer son Blazer dans le garage attenant à sa maison quand elle changea d'avis et décida, par prudence, de stationner à l'extérieur. Avec IdaClare et compagnie dans les parages, mieux valait se ménager une retraite rapide.

Elle mit pied à terre et respira avec bonheur l'odeur d'herbe fraîchement coupée qui flottait dans l'air. Ses yeux se plissèrent pour affronter la lumière éclatante du jour, si différente de celle, opaque et polluée, des grandes villes. Le chant des oiseaux nichés au-dessus de sa tête, dans les frondaisons, la berça un moment, puis elle identifia le sifflement caractéristique d'une balle de golf, depuis le green voisin.

Une imposante masse de muscles et de poils vint alors à sa rencontre. Un airedale posa ses grosses pattes sur ses épaules et lui lécha tendrement le visage en poussant des grognements de bienvenue.

— Toi aussi, tu m'as manqué, grand fou ! affirma Hannah en titubant sous les assauts de ce géant à quatre pattes qui frisait les quarante kilos. Il faut être sage, maintenant. Au pied !

Mais l'animal n'en avait pas fini de distribuer ses affectueux coups de langue, obligeant Hannah à se protéger derrière ses bras.

— C'est assez, Malcolm ! lui dit-elle. J'ai dit : « Couché ! »

Sans trop comprendre ce qu'elle lui ordonnait, l'animal se laissa tomber sur l'asphalte de l'allée et remua allégrement son arrière-train moucheté en agitant sa queue fournie et mordorée.

Avec son oreille noire à la traîne et l'autre dressée, son museau piqué d'une moustache noire, sa crinière de poils blonds contrastant avec un pelage gris et brun clair, Malcolm donnait l'impression d'avoir été assemblé par un savant fou à partir de différentes espèces canines.

Mais son regard de chien perdu aurait touché l'âme la plus endurcie.

Hannah perdait prise sur son chien depuis qu'il fréquentait Itsy et Bitsy, deux horribles caniches nains de couleur rose bonbon, petites pestes caractérielles qu'IdaClare aimait d'un amour maternel. Et, de fait, la mère de Jack Clancy n'hésitait pas à gâter outrageusement ces petits roquets aux vilains yeux de fouines et aux pattes montées sur ressorts.

Après avoir avalé un grand bol d'air, Hannah tenta, une nouvelle fois, de raisonner son chien.

— Arrête de bondir à tort et à travers ! Ce n'est pas parce que ces deux infernales boules de poils font n'importe quoi qu'il faut les imiter.

Malcolm répondit par un grognement amical qui pouvait signifier tout et son contraire, et qu'elle eut la faiblesse de prendre pour un assentiment. L'animal l'escorta jusqu'au porche et gravit les marches devant elle, la bousculant régulièrement à coups d'arrière-train.

Hannah se résigna. Elle savait bien que la laisse achetée pour juguler les débordements de l'animal n'était d'aucune utilité.

Elle se souvenait avec émotion de ses premières heures passées en compagnie de Malcolm. Ne l'avait-elle pas arraché tout jeune à l'enfer d'un chenil dont les épouvantables propriétaires élevaient les animaux pour les vendre à des laboratoires de vivisection ?

Depuis, l'airedale ne la quittait plus, sauf pour se reposer dans sa niche, derrière la maison. Si Malcolm n'avait rien d'un chien de garde, il pouvait s'attaquer à tout imprudent qui aurait la mauvaise idée de s'en prendre à sa maîtresse adorée.

— Reste dehors, lui ordonna Hannah. Je préfère affronter seule l'équipe des fins limiers.

Malcolm laissa échapper un long soupir, se cala contre le mur extérieur de la maison et, l'air abattu, s'affala sur le porche. Pas dupe, Hannah gravit les deux marches qui menaient chez elle. Une odeur sucrée de cannelle la prit à la gorge quand elle entra dans le salon. Seul bon point à l'actif de cette bande de détectives du troisième âge qui venaient régulièrement squatter chez elle : les délicieux gâteaux hypercaloriques qu'ils ne manquaient jamais d'apporter.

Une autre que Hannah aurait, sans égard, mis ces fâcheux à la porte. Mais elle ne pouvait s'empêcher de les trouver sympathiques. Résignée, elle fit glisser son sac de son épaule et le projeta d'une main sûre par-dessus la balustrade qui isolait son coin bureau. Elle se dirigeait avec appréhension vers la cuisine quand la voix sonore d'IdaClare la cueillit de plein fouet :

— C'est vous, chère Hannah ? Venez vite nous rejoindre.

Leo Schnur, le meilleur ami de Delbert et portrait craché du personnage Monsieur Patate, lui adressa un signe de la main par-dessus le comptoir.

— C'est vous qu'on attend pour la petite fête, annonça-t-il avec un fort accent yiddish.

Sur la table de style bistrot de Hannah trônait une assiette remplie de rouleaux à la cannelle piqués de bougies allumées. Et, soigneusement disposés tout autour, il y avait des tasses à café, des verres à pied remplis de jus d'orange, des assiettes, serviettes et couverts.

Les fins limiers responsables de cette réception impromptue se tenaient en rang d'oignon derrière la table. Ne manquait plus qu'un photographe officiel pour immortaliser l'événement.

Delbert, en plus de ses chaussettes orange criardes et de ses sandales, portait une invraisemblable chemise lavande à rayures et un bermuda écossais rouge-brun. A son air renfrogné, Hannah comprit qu'il la désapprouvait d'avoir fugué la nuit dernière avec David ; s'il ne tenait qu'à lui, elle aurait été condamnée à un mois d'arrêts de rigueur.

IdaClare souriait d'un air contraint, le visage aussi rose que ses cheveux permanentés et que son ensemble à pois années 60.

Marge Rosenbaum portait son pantalon de golf favori, un tricot de marin et, en guise de casquette, une visière anti-reflets. Contrairement à IdaClare, elle semblait toute guillerette.

Rosemary Marchetti avait pour sa part troqué son look de religieuse sur le retour pour celui d'une drôle de vamp aux cheveux en pétard et aux lobes d'oreilles lestés d'anneaux. Son caleçon serré boudinait à l'excès sa taille imposante tandis qu'un chemisier échancré moulait son impressionnante poitrine.

Avec sa chemise de sport et son pantalon de détente, Leo semblait avoir fait un voyage dans le temps depuis les années Nixon. Il braquait sur Rosemary des yeux ronds, démesurément grossis par d'épais verres correcteurs.

Hannah jaugea l'assemblée du regard.

— Que se passe-t-il ? Un anniversaire ?

Leo éclata de rire, lançant son ventre rond dans un cha-cha-cha endiablé.

— C'est plus que ça ! Les anniversaires, ils reviennent chaque année si Dieu le veut. Mais ce qu'on fête est…

Un ululement l'interrompit, si insupportable que chacun se plaqua les mains sur les oreilles. Delbert s'empara d'une des chaises disposées autour de la table et grimpa dessus.

Juché sur la pointe des pieds, il étira ses 175 centimètres de façon à atteindre le boîtier d'alarme incendie fixé au plafond. Après avoir ouvert le couvercle de plastique, il fourragea à l'intérieur pour déconnecter la pile.

L'appareil était mal scellé et une averse de plâtre s'abattit sur la pièce. Des millions de micro-particules dansèrent entre les rais de lumière filtrant par la porte-fenêtre du porche.

— Attention ! s'écria Hannah.

Delbert, la tête rentrée dans les épaules, tenta de se protéger avec les bras tandis que la pile, le couvercle du boîtier et les différents composants de l'alarme entamaient leur chute. Une fois le déluge passé, il inspecta du regard le champ de bataille et laissa échapper un « Oups ! » déconfit.

Les mains de Hannah passèrent de ses oreilles à son front, qu'elle entreprit de masser fébrilement en sentant venir la migraine.

L'incident lui rappelait le jour où Delbert avait voulu changer l'ampoule de la salle de bains, provoquant un court-circuit général dans toute la maison.

Delbert descendit de son perchoir.

— Je le répète sans arrêt : ces engins ne sont plus fabriqués aussi bien qu'autrefois !

Leo renchérit.

— La main-d'œuvre, elle n'est plus performante.

L'air décidé, IdaClare slaloma entre les hauts tabourets du comptoir et la table.

— Je vais chercher le balai et la pelle. Pendant ce temps, Marge et Rosemary, débarrassez les assiettes de tout ce plâtre. Toi, Leo, va secouer les serviettes sur le porche.

Se dirigeant vers le débarras, elle apostropha Delbert.

— Excuse-toi auprès de Hannah ! C'est bien le moins que tu puisses faire.

Delbert sourit à Hannah.

— Pas d'inquiétude, ma puce. Dès que les autres seront partis, j'irai chercher mes outils dans l'Edsel et…

— Non !

Hannah se reprit et tapota affectueusement le bras de Delbert.

— Je… euh, je veux dire que nous avons un service de maintenance, à Valhalla Springs. Si vous faites le travail à sa place, le pauvre Bob Davies va imaginer qu'il n'est pas à la hauteur.

— Mouais, maugréa Delbert en secouant le plâtre qui couvrait ses épaules, ce qui lui attira un regard courroucé d'IdaClare. Encore de la diplomatie, toujours de la diplomatie ! Si on ne peut même plus rendre service sans que cela crée des problèmes…

— Malheureusement, les choses se passent ainsi, approuva hypocritement Hannah.

— Quand même, poursuivit Delbert en fixant d'un œil intéressé le trou béant, au plafond, passez-moi un coup de fil quand Bob viendra réparer, histoire que je surveille son boulot. Vous autres femmes n'êtes pas fichues de faire la différence entre un niveau de maçon et une canne à pêche.

Sensible au charme suranné de Delbert, Hannah supportait sans presque s'en offusquer les remarques sexistes de ce personnage ronchon aux jambes arquées et au cœur d'or.

Elle allait demander à IdaClare la raison de cette fête impromptue quand celle-ci la devança.

— J'aimerais avoir votre attention, les amis ! Leo et Rosemary ont quelque chose d'important à dire.

Leo, qui avait posé la main sur la hanche de Rosemary, leva son verre à pied rempli de jus d'orange.

— Quand un homme a passé la plus belle nuit de sa vie, il a envie d'annoncer la bonne nouvelle aux amis et de…

Rosemary l'interrompit d'une bourrade et, minaudant, exhiba sa main droite où brillait un énorme diamant.

— Leo et moi allons nous marier, voilà.

Rayonnant de bonheur, ce dernier apporta quelques précisions :

— Pas moyen de mettre un genou en terre pour la demander en mariage. La faute à mes articulations, n'est-ce pas ? Mais le cœur y était. Et ma Rosemary, elle m'a dit : « Oui ! »

Hannah applaudit avec les autres, notant toutefois qu'IdaClare, occupée à moucher les bougies puis à les tremper dans un bol d'eau, semblait un ton au-dessous de la liesse générale. Sans doute était-elle au courant depuis longtemps ?

Delbert attrapa la main de Leo.

— Quel vieux fou ! Pourquoi passer la bague au doigt de ta Rosie adorée alors qu'à Valhalla Springs, on compte dix poulettes pour un coq ?

— Et c'est toi le roi du poulailler ? riposta Leo.

Delbert rit bruyamment.

— Evidemment, et je ne crains pas ta concurrence !

Rosemary intervint pour couper court à l'affrontement.

— Je suis tout excitée à l'idée de me marier en grande pompe. C'était mon rêve depuis toujours. Et je ne manque pas de respect à la mémoire de feu mon mari en disant cela. Que voulez-vous, c'était la guerre. Ilario et moi avons à peine eu le temps de se marier qu'on l'a envoyé au front. Et pour Leo, c'était pareil : sa femme et lui ont réussi de peu à fuir l'Allemagne nazie.

— Pour nous, c'est une nouvelle chance à saisir, conclut Leo en couvrant sa promise de petits baisers. Tout ce que ma Rosemary demandera, elle l'obtiendra.

Hannah avait les yeux humides. La jeune génération manquait de romantisme et ne croyait plus à l'amour ? Cet adorable vieux couple offrait un modèle de premier ordre !

— Longue vie et prospérité ! lança Delbert en levant son verre.

Puis il s'empara d'une assiette et la remplit de nourriture.

Sa désinvolture choqua Marge qui le flagella d'une phrase bien sentie :

— Bisbee, tu es aussi romantique qu'une vieille souche.

— Ah oui ? Ce n'est pas ce que tu disais en d'autres temps.

Muette et gênée, Marge tourna les talons et alla s'emparer d'une chaise pivotante dans le coin bureau de Hannah.

Sa réaction établissait clairement qu'elle avait appartenu, avec d'autres, au harem du seigneur Delbert Bisbee, postier en chef à la retraite, divorcé cinq fois et toujours vert à l'âge de soixante-sept ans. En témoignait un tableau de chasse aussi impressionnant que celui de Georges Clooney.

Laissant les joyeux détectives grisonnants s'installer à leur place habituelle autour de *sa* table, Hannah se jucha, résignée, sur un tabouret, au côté d'IdaClare. De son perchoir, elle avait une vue plongeante sur le crâne rose et lisse de Leo.

Marge s'installa près de Rose, et le plus loin possible de Delbert.

Entre deux bouchées de gâteau qui semblaient lui tomber directement sur les hanches, Hannah demanda à Rose et à Leo :

— Vous avez fixé la date du mariage ?

Rosemary essuya ses lèvres parsemées de sucre glace.

— Nous nous marions dimanche soir, devant le lac de Valhalla Springs, juste avant le coucher du soleil. Après, il y aura une réception au centre de loisirs du domaine.

— Très romantique, commenta Marge d'un ton appréciateur.

Abasourdie, Hannah laissa tomber son roulé à la cannelle dans son assiette.

— Vous voulez dire dimanche… dans trois jours ?

Les fiancés hochèrent tous deux la tête. Leo prit la parole :

— Il nous faut être patients. Demain soir, il y a tournoi de bingo ; et samedi, c'est dîner dansant « à la fortune du pot ».

Hannah voulut protester, mais IdaClare prit les devants.

— Ne gaspillez pas votre salive, mon petit. Je leur ai déjà dit tout le mal que m'inspirait tant de précipitation !

Fidèle à ses habitudes, la joyeuse confrérie des fins limiers se chamaillait en chœur. Chamaillerie ? En réalité, le ton d'IdaClare était nettement agressif. Se pouvait-il qu'elle fût jalouse de Leo ? Cette pensée attrista Hannah. Veuve depuis dix ans, IdaClare avait juré de le rester jusqu'à sa mort. Quelque chose la rongeait, à l'évidence, mais quoi ? Sûrement pas un amour sans espoir pour Leo, cet ancien assureur myope et replet.

Rosemary riposta.

— Tu nous as *aussi* dit qu'il fallait publier les bans trois jours ouvrés avant le mariage, n'est-ce pas ? Eh bien, j'ai appelé ce matin le bureau des mariages, et le juge m'a donné une autorisation exceptionnelle pour qu'on se marie quand même dimanche.

IdaClare piqua un fard.

— Le fait qu'un juge ait cru bon de tourner la loi en ta faveur ne change rien à l'affaire. Je maintiens ce que j'ai dit.

— Maintiens tout ce que tu veux, tu n'as pas raison, crois-moi !

Avisant un raisin sec oublié sur le bord de son assiette, IdaClare voulut le saisir entre le pouce et l'index pour le lancer sur Rose, mais Delbert fut plus prompt. Il piqua la friandise du bout de sa fourchette, l'avala et déclara calmement :

— Drapeau blanc, les filles ! J'ordonne un cessez-le-feu immédiat.

Hannah sauta sur l'occasion pour faire diversion.

— Vous avez choisi le prêtre qui vous mariera ? Et les fleurs ? Et la musique ? Je me demande quel traiteur va se charger du dîner ? Sans vouloir vous décourager, trois jours pour une telle cérémonie, c'est court. Quand je vivais à Chicago, des amis à moi ont mis un an à préparer leur mariage — et pourtant, c'était une cérémonie tout ce qu'il y a de simple.

Rosemary éclata de rire.

— Pour vous, les jeunes, le temps n'a pas d'importance. Pour nous, il en va différemment. Nous connaissons la valeur de chaque minute ; nous en profitons, car nous savons que ces instants bénis ne reviendront plus.

Elle posa le front contre la joue de son homme.

— Il n'est pas donné à tout le monde de rencontrer le véritable amour une fois dans sa vie. Alors, le vivre deux fois tient du miracle. Puisque celui que j'aime est là, devant moi, pourquoi attendre ?

Leo murmura quelques paroles en allemand. Rosemary chantonna des mots d'italien. Hannah détourna les yeux. Inutile de tremper de larmes la chemise surdimensionnée que portait Leo, juste devant elle.

Un morceau de papier, sur lequel on avait griffonné quelque chose, attira son attention, sur le comptoir.

— Ecoutez, tous ! s'exclama Delbert au même instant. Puisqu'on a affaire à un mariage express destiné à régulariser une situation peu convenable, je suppose que le témoin numéro un des futurs époux — votre serviteur — va devoir louer un frac en ville ?

IdaClare, qui avait commencé d'empiler les assiettes vides, eut un reniflement méprisant.

— De quoi te plains-tu ? Figure-toi que Rosemary m'a demandé d'être dame d'honneur, avant de me faire savoir qu'elle comptait bien me voir vêtue entièrement de bleu. Or, elle sait parfaitement que je n'ai pas cette couleur dans ma garde-robe.

— Est-ce ma faute si tu ne portes que du rose ? répliqua Rosemary. Et si moi, j'ai espéré pendant cinquante ans me marier un jour en blanc et en bleu ?

Tenant un plateau chargé de tasses et de couverts sales, Marge se glissa dans le sillage d'IdaClare.

— J'ai promis à Rosemary de faire des achats avec elle dès aujourd'hui. Mais nous pourrions y aller demain avec Hannah et toi, et peut-être dénicher des tenues aux couleurs assorties pour nous toutes ?

La riposte d'IdaClare ne se fit pas attendre.

— Marge Rosenbaum, ne cherche pas à me caresser dans le sens du poil. Je n'ai plus cinq ans. Et puis, Hannah n'a pas besoin de se mettre en frais : sa penderie regorge de tenues bleues.

Hannah, qui en profitait pour tenter de lire le message posé sur le comptoir, releva le nez.

— Les invités aussi porteront du bleu ?

— Seigneur ! j'allais oublier ! s'exclama Rosemary en se glissant derrière Leo pour étreindre la main de Hannah : Vous acceptez d'être demoiselle d'honneur à notre mariage, n'est-ce pas ?

— Moi ?

— Mais oui, vous. Après tout, c'est en nous réunissant chez vous que Leo et moi avons noué des liens si forts. Vous aurez une place de choix dans la cérémonie.

Quoique flattée d'être ainsi choisie, Hannah regretta une fois de plus de devoir se contenter de ce second rôle, elle qui ambitionnait secrètement de convoler un jour.

— Alors, c'est entendu ! conclut Rosemary en lui posant un baiser sur le bout des doigts. Vous verrez, nous aurons un mariage *assolutamente perfetto.*

Marge joua les rabat-joie.

— Attends d'être mariée avant de triompher. On ne vend pas la peau de l'ours avant de l'avoir tué.

Hannah tiqua. Pourquoi cette remarque de Marge ? Elle s'inquiétait déjà quand Leo enchaîna :

— A la mairie nous devons passer, maintenant, sinon dimanche, *bupkis,* pas de mariage.

IdaClare fit un vague salut de la main tandis que les autres prenaient congé, et elle se retira sans dire un mot dans la cuisine. Hannah finit de débarrasser la table, puis la rejoignit près de l'évier où elle lavait les assiettes avec des gestes exagérément précautionneux.

Pour se donner une contenance, elle s'empara d'un torchon et essuya les verres à pied et les tasses à café. IdaClare finit par sortir de son silence.

— Un homme de l'âge de Leo a besoin d'une infirmière ou d'une rentière, mais Rosemary n'a pas l'air de bien le comprendre. A force de se déguiser en vamp du troisième âge et d'exécuter des entrechats coquins, la pauvre a perdu tout sens commun.

Hannah la laissa parler, frappée par sa hargne.

— Ces deux grands enfants n'ont pas pensé qu'en se mariant, ils remettent en question leurs retraites et leurs placements financiers. Même si le temps passe toujours trop vite, je dis qu'on paie très cher un mariage hâtif.

Elle jeta en cascade les couverts lavés dans le bac de rinçage et continua de vider son sac.

— Imaginez, Hannah : à eux deux, ils ont six enfants. Or, aucun des leurs n'assistera au mariage. D'après Marge, ils ont attrapé un coup de sang, en apprenant les noces. Le fils aîné de Leo est prêt à placer son père sous tutelle, affirmant qu'il est irresponsable. Qui lui donnerait tort ? Ah ! si seulement Patrick Clancy était encore de ce monde !

IdaClare s'interrompit, posa sur Hannah un regard pathétique, renifla stoïquement puis détourna les yeux vers la fenêtre. Son pâle sourire se refléta sur la vitre.

— Et puis non… Si Clancy était là, il me collerait une bonne tape sur les fesses et me dirait de ne pas ternir la joie ambiante.

Hannah posa son bras sur les épaules de Mme Clancy. Elle la sentit se raidir, trop fière pour accepter sans broncher ce qui pouvait, même de loin, ressembler à de la pitié.

— Désolée, je suis impossible ce matin. Mais comment pourriez-vous…

— … comprendre ce qu'on ressent quand des amis proches se marient et vous oublient un peu ? compléta Hannah. Oh ! je ne suis pas amère ou envieuse ! Je ne me vois pas en ménage, astiquant les cuivres et lavant les chaussettes sales de mon homme. Mais pour en revenir à Leo et Rosemary, leur joie me fait chaud au cœur.

Hannah essuya une goutte rétive sur le pied d'un des verres.

— Le fait que les mariages me renvoient à ma propre solitude ne me gêne pas : le plus souvent, je suis satisfaite de cette solitude.

Elle se garda d'avouer combien il lui manquait d'entendre le classique « Veux-tu m'épouser ? », qui fleurissait dans bon nombre de films et de romans. Elle se consolait en songeant que son célibat lui avait jusque-là permis d'échapper aux longues et coûteuses procédures de divorce, lot habituel de la plupart des couples…

Quelle pensée minable !

Sa liaison la plus longue, dix ans, elle l'avait connue avec Jarrod Amberley, expert en antiquités européennes vivant à Londres. Cette décevante histoire l'avait convaincue que l'adage : « Après l'amour vient le mariage » était l'œuvre d'un fou et non d'un sage. Pour elle c'était plutôt : Après l'amour viennent l'abandon, la dépression, la solitude, la frénésie de barres chocolatées et les réactions cutanées boutonneuses.

IdaClare rinça le plat qu'elle venait de laver et se détourna de l'évier, le visage empreint d'une expression à la fois compréhensive et subtilement perverse. Elle ne savait trop comment réagir aux confidences de Hannah.

Tout en empilant de guingois des tasses dans le placard, celle-ci détendit l'atmosphère.

— Tant mieux si j'ignore ce qui peut tracasser une future mariée au point de lui faire voir tout en bleu !

Cette allusion au dernier caprice de Rose fit éructer IdaClare à la manière d'un percolateur en plein court-circuit. Elle tapota sa chevelure rose laquée.

— Seigneur ! j'ai bien envie de me faire teindre en bleu par cet adorable Dixie Joe, de chez Tifs pour Tous. Je ressemblerai à une Schtroumpfette : rien de tel pour enquiquiner Rose !

Hannah se réjouit de voir la « battante » de Valhalla Springs, célèbre pour son ironie mordante, renaître de ses cendres. Irait-elle jusqu'à se faire teindre en bleu ? La question méritait d'être posée. Ces retraités ne manquaient pas de ressort.

IdaClare déroula quelques feuilles de papier absorbant et s'essuya les mains, avant d'aiguiller la conversation sur son fils Jack et sur Hannah.

— Jack et vous étiez faits l'un pour l'autre. Ah ! si seulement il n'était pas follement gay !

Hannah en resta bouche bée. C'était bien la première fois qu'elle entendait IdaClare faire ainsi allusion à l'homosexualité de son fils. L'intéressé aurait été le premier à en rire.

— Toujours est-il que ce shérif Hendrickson ne me semble pas être un mauvais bougre, poursuivit-elle.

La vaisselle terminée, IdaClare enfila à son doigt le solitaire qu'elle avait posé sur l'appui de la fenêtre, puis boucla à son poignet sa Timex de tous les jours, non sans confronter son heure à celle donnée par la mini horloge du four électrique de la cuisine.

— Doux Jésus ! Hannah, il vous reste à peine le temps de vous faire belle avant l'arrivée des Eppincotts !

— Les qui ?

IdaClare avait déjà filé devant le comptoir en Formica. Elle en caressa d'une main la surface lisse.

— Zut ! où est passé ce message ? Je l'avais posé là, à votre intention.

— Vous parlez de ce petit mot ? demanda Hannah en brandissant le bout de papier.

— C'est cela même, ma petite.

— Je l'ai récupéré tout à l'heure, mais sans parvenir à le lire. Je ne suis plus aussi douée qu'avant pour déchiffrer les messages secrets.

IdaClare fit la moue et lui tendit ses lunettes.

— Essayez avec ça.

Docilement, Hannah chaussa les verres bon marché et, à sa surprise, lut aisément les mots griffonnés par IdaClare à son intention, à propos de la visite des Eppincotts.

Sa vue baissait. Etait-ce à dire qu'elle allait bientôt troquer ses talons aiguilles pour des charentaises et sa coiffure moderne pour un informe chignon ?

Rassurante, IdaClare intervint.

— Ne vous tracassez pas, ma chère Hannah. Les bras s'allongent comme des élastiques avec l'âge. C'est ce qu'on appelle la presbytie. Tout ceux qui prennent de la bouteille en passent par là, tôt ou tard.

Ce serait toujours trop tôt pour Hannah, qui avait toutes les peines du monde à oublier ses sept ans d'avance sur David.

Quand elle ouvrit l'œil, Hannah était allongée sur un canapé en cuir d'allure familière. Prudemment, son regard fit le tour du salon. Voyons… elle reconnaissait la causeuse, les fauteuils club, l'antique malle restaurée transformée en table basse. Ah oui ! elle reconnaissait aussi le verre à vin posé dessus.

Avait-elle été enlevée et anesthésiée contre son gré ? Non. Elle avait tout simplement accompli un aller retour express au pays des songes.

La tête imposante de Malcolm remplit son horizon rapproché. Elle caressa la soyeuse oreille à la traîne, et l'airedale laissa échapper un pet de volupté. Aussitôt, Hannah se redressa et se cala dans un coin du canapé.

— Désolée, Malcolm, mais tu n'auras plus de nachos !

Le téléphone sonna. Malcolm sursauta et se mit en posture d'attaque, sans trop savoir d'où venait le danger. A la deuxième sonnerie, il aboya et se précipita vers la porte d'entrée.

Hannah effectua un rétablissement arrière et allongea le bras par-dessus la balustrade du coin bureau. Tout en attrapant le combiné, elle hurla : « Tais-toi, abruti ! » à son phénomène de chien. Puis, radoucie, elle déclara :

— Valhalla Springs. Hannah Garvey à l'appareil.

Un murmure confus satura la ligne. Puis une respiration saccadée. Hannah songea au pire. Mais non, tous les téléphones des résidents étaient équipés d'une touche d'alerte qui appelait d'office Pennington, le médecin attitré de Valhalla Springs. Alors ? IdaClare et ses limiers avaient-ils saboté les lignes ?

— Qui est à l'appareil ?

— L'abruti a l'autorisation de parler, à présent ?

Hannah éclata de rire.

— Désolée, David, mais Malcolm confond encore la sonnette de l'entrée avec la sonnerie du téléphone.

— Il faudra quand même songer un jour à lui faire installer un cerveau...

— Tu appelais pour insulter mon chien ?

— Non, j'appelle pour savoir comment tu vas, et pour te dire que je vais couci-couça.

— Je préfère ça.

Tout en parlant, Hannah enjamba la balustrade, et du pied, amena la chaise pivotante à elle.

— Tu dormais ?

— Officiellement, non, rétorqua Hannah en s'asseyant.

Elle prit le temps d'allonger ses jambes sur le bureau et avoua :

— J'ai piqué un somme impromptu sur le canapé et j'émerge lentement.

— La sieste n'est pas encore un acquis syndical.

— La sieste, parmi d'autres choses…

— Ouais, fit David avec un grognement laconique.

Hannah songea que son père et sa mère étaient peut-être à côté de lui, faisant mine de ne pas écouter alors qu'ils épiaient chacun de ses mots.

— Tes parents vont bien ?

— Beau fixe. Papa est allé se coucher avant que je rentre. Maman m'a fait réchauffer de quoi manger, puis elle est allée le rejoindre dans le camping-car.

— Ils t'ont parlé de moi ? demanda Hannah en entortillant le cordon du téléphone autour de son doigt.

— Quelle idée ! Maman a voulu savoir qui tu es, quand je t'ai connue, si tu as déjà été mariée, si tu as des gosses, et en quelle année tu as fini tes études au lycée… Tu plais bien à papa, qui te trouve pleine de bon sens. Il a dit à ma mère de ne pas se montrer si curieuse.

Hannah accusa le coup. En fait, il était évident pour elle que June Hendrickson cherchait à visualiser sa courbe de fertilité. Quant à Ed, ses tièdes compliments pouvaient aussi bien signifier : « Fils, tu devrais penser avec ton cerveau plutôt qu'avec ta b… »

— Mes parents repartent demain matin pour Toronto, annonça David.

— Si vite ?

— Oui. Rambo n'a rien d'un hôte agréable, je suis ligoté au bureau, et avec les Journées du Cornouiller qui débutent demain, les choses ne vont pas s'arranger.

Depuis une semaine, des banderoles décoraient les rues de Sanity pour annoncer l'événement, mélange de fête populaire et d'hommage aux soldats américains morts en France durant la Première Guerre mondiale. Un arbre majestueux, le cornouiller, symbolisait leur sacrifice. Une parade aurait lieu à cette occasion.

Le comité des fêtes de Valhalla Springs avait prévu des navettes entre le village-résidence et le lieu des festivités.

Hannah demanda si la parade allait créer des soucis supplémentaires.

— On verra ça le moment venu, répondit David. Parle-moi plutôt des tiens, d'ennuis.

Tout en fixant les poutres qui encadraient le gros ventilateur à pales du plafond, Hannah énuméra les dernières nouvelles.

— Les fiançailles de Leo et de Rosemary connaissent une phase évolutive. Ils m'en ont informée ce matin, à mon retour. Inutile de préciser qu'ils étaient tranquillement installés chez moi, à la table de la cuisine.

— Tant pis pour toi ! Ils ont tes clés, et ils continueront à t'envahir tant que tu ne les leur arracheras pas.

Quand les limiers s'étaient approprié le coin salle à manger de Hannah pour en faire leur quartier général, IdaClare avait fait faire plusieurs doubles de ses clés et les avait distribués à chacun des membre de l'équipe. Virtuellement, ils pouvaient accéder à la maison vingt-quatre heures sur vingt-quatre.

Pour protester, Hannah avait déjà changé une fois les serrures de son domicile. Mais c'était sans compter sur Delbert, qui avait acheté par correspondance à La Maison de l'Espion un rossignol, capable d'ouvrir la plupart des serrures.

La police ne voyait pas d'un bon œil que de paisibles citoyens exhibent ainsi fièrement des outils destinés aux cambrioleurs chevronnés. Mais que faire ? Si David lui avait confisqué son rossignol, Delbert en aurait commandé un autre, séance tenante.

Hannah poursuivit le récit de ses malheurs.

— Cette chère IdaClare avait garni de bougies allumées les rouleaux à la cannelle. La fumée a activé l'alarme incendie fixée au plafond. En voulant la déconnecter, Delbert a arraché le boîtier. Et maintenant, il y a un gros trou à reboucher. Quoi d'autre ? Ah, oui ! Rosemary m'a demandé d'être demoiselle d'honneur à son mariage. IdaClare a programmé sans rien m'en dire deux visites de Valhalla Springs cet après-midi. J'oubliais : la maison de la presse Wileys et la boutique Pop's Malt Shop, dans le quartier commercial, sont inondées : une fuite de canalisation dans leur mur mitoyen.

David questionna Hannah sur l'importance des dégâts. Elle le renseigna, puis ajouta :

— Juaneema Kipps tient absolument à redessiner son jardin et à faire installer des fontaines par un maître de feng shui. Elle espère intensifier sa vie intérieure. Quant à moi, j'ai dû prendre quelques kilos, car mon jean ne ferme plus vraiment à la ceinture.

— Doux Jésus !

Elle l'entendit boire. Une bonne bière bien fraîche ? Sur la malle, le verre presque vide éveilla sa nostalgie. Le reliquat de vin devait être tiède. Dès que Malcolm aurait appris à distinguer la sonnette de l'entrée et la sonnerie du téléphone, Hannah avait bien l'intention de s'initier aux mystères de l'œnologie.

— Ces catastrophes mises à part, il ne t'est rien arrivé de positif ? interrogea David.

— Euh… si, répondit Hannah en se mordant la lèvre. Et c'est à toi que je le dois.

La voix de David baissa d'une octave.

— Si je n'étais pas épuisé et occupé à finir ma deuxième bière, je viendrais te rejoindre en quatrième vitesse et nous conclurions ce qui a été si bien commencé ce matin. Enfin, tu te contenteras d'entendre le bon, le moins bon et le pire de ma journée — histoire que je me mette à ton diapason.

Elle le sentait tendu. A sa connaissance, ingurgiter des bières immédiatement après le service n'avait rien d'une procédure standard. Elle souleva ses jambes l'une après l'autre et soumit ses orteils à quelques exercices, afin d'éviter l'ankylose.

— A ton tour, Hendrickson.

David s'éclaircit la voix.

— La bonne nouvelle, d'abord. Demain, le cirque Van Geisen offre une parade dans le cadre des Journées du Cornouiller. J'ai deux places pour nous au premier rang des tribunes.

Hannah ne chercha pas à contenir sa joie.

— Formidable ! Quand passeras-tu me prendre ?

— Vers midi. On déjeunera sur le champ de foire. Au menu : hot dogs, beignets de Pennsylvanie et barbes à papa. Si cela te convient, bien sûr.

Quelle question ! Un rendez-vous avec David, le cirque, des tonnes d'aliments hypercaloriques à engloutir : pour un peu, elle oubliait les mauvaises nouvelles.

— Bon, venons-en à ce qui tracasse, maintenant.

— Tu ne perds jamais le nord, répondit David en soupirant. Les Journées du Cornouiller étant l'événement public le plus important du comté, il y aura foule. Je vais devoir faire ami-ami avec Knox et même lui serrer la main, sous peine de passer pour un mufle.

Jessup Knox, propriétaire d'une entreprise de gardiennage et sécurité baptisée *Fort Knox*, briguait la place de shérif aux élections primaires d'août. Apparenté à la moitié de la population de Kinderhook, cet homme hâbleur avait le verbe haut et facile. Il était passé maître dans l'art d'insinuer et d'intimider.

— Pas de problème, trancha Hannah. Pendant que tu serreras les mains des administrés, je distribuerai les autocollants en faveur de ta candidature. Jessup-la-Noix prendra une belle déculottée aux élections.

— Que tu dis ! J'ai quand même failli être inculpé pour homicide involontaire…

— Un homicide que tu n'avais pas commis, observa Hannah. La justice t'a totalement innocenté.

— Certes. Mais l'opinion publique a la mémoire longue. Stuart Quince voulait mourir. En me tirant dessus, il espérait bien que je riposterais et l'atteindrais mortellement. Même si j'étais en état de légitime défense, un homicide reste un homicide. Jessup Knox va chercher à me faire passer pour un shérif flingueur, un émule de Wyatt Earp. Et pour couronner le tout, la veuve de Quince a porté plainte contre moi et les services de police, sous prétexte que j'ai tué son mari sans raison. Elle réclame un million de dollars de dommages et intérêts.

— Merde, alors !

— Tu l'as dit.

Hannah comprit. L'appel téléphonique que David avait reçu chez lui concernait cette affaire. Tout se compliquait quand on savait que Stuart Quince et sa femme Lydia, dont il était séparé, avaient souscrit une assurance sur la vie « au dernier vivant » d'un montant de 100 000 dollars.

La compagnie d'assurance refusait de verser la somme en cas de décès de nature criminelle. Priver Lydia du montant de l'assurance sous prétexte que Quince avait choisi non de se suicider, mais de se faire volontairement abattre par le shérif, était certes injuste. Mais attaquer en réparation le shérif et son service pour égaliser la marque n'avait rien d'élégant.

— Lydia peut-elle gagner en justice ? demanda Hannah.

— Je ne sais pas. Les fonctionnaires de police sont assurés contre ce type de pépins. Quelle que soit l'issue de la procédure, ce sont les contribuables du comté qui règleront la note. Et ça, Knox ne va pas manquer de le souligner auprès des électeurs.

David n'y pouvait rien. Et le dicton selon lequel « la meilleure défense est l'attaque » omettait de préciser que les accusés se faisaient la plupart du temps écraser avant d'avoir pu réagir.

Hannah s'assit bien d'aplomb sur sa chaise et lança sa déclaration de guerre.

— Si la justice est de ce monde, il serait opportun que ton rival se fasse piétiner par un des éléphants du cirque !

— Doucement, mon cœur, tempéra David. Non que je sois superstitieux, mais je trouve que le comté de Kinderhook a eu sa part de malheurs et d'imprévus ces derniers temps. Inutile d'en rajouter.

3.

Hannah se trouvait dans son bureau, installée à la table de conférence. La pendulette posée sur le dessus de la cheminée indiquait 11 h 43. A moins d'un crime de dernière minute, David ne devrait pas tarder à arriver.

Face à elle était assis un client potentiel, Nate Tuchfarber, qui lisait avec soin le règlement intérieur — trois pages — du village de retraités de Valhalla Springs.

Le personnage avait un air précautionneux, l'œil à l'affût de tout et une bouche vaguement pincée. Sortait-il de chez un proctologue particulièrement zélé ? Hannah se le demanda.

Zona, son épouse, lui jetait des regards impatients en triturant son collier. Elle tapotait aussi du pied le socle de la table. Mais ces manifestations destinées à accélérer le cours des choses n'avaient aucun effet sur M. Tuchfarber.

« Qu'il le signe ou qu'il le mange, ce document ! » s'impatienta Hannah, luttant de plus en plus difficilement contre le hurlement d'exaspération qui montait en elle.

Depuis hier, c'était le second couple à qui elle faisait visiter Valhalla Springs et offrait tous les renseignements voulus sur le fonctionnement de cette communauté particulière. Et les deux maris à qui elle avait eu affaire semblaient souffrir de la même phobie : impossible pour eux de prendre la moindre décision.

Tels des pèlerins déboussolés, les Tuchfarber erraient depuis des mois en quête d'une terre promise où goûter leur retraite. Ils avaient sillonné tout le pays, depuis la Californie jusqu'au sud du Texas, en passant par la côte ouest de la Floride.

Zona Tuchfarber appréciait le soleil et le parfum des orangeraies, mais aimait aussi les saisons marquées. A cet égard, le Missouri semblait lui convenir. Et Valhalla Springs avait conquis son cœur, avec sa rue principale, Main Street, bordée de boutiques en brique rouge à l'architecture victorienne, ombragées par des auvents rayés.

Son mari, quant à lui, avait snobé le beau parcours de golf du domaine, comme s'il s'était agi d'un terrain vague. Il regrettait sa ville de Boise, dans l'Idaho, qui à l'en croire abritait l'un des plus prestigieux centres de remise en forme du monde — avec lequel, selon lui, la piscine et les installations de fitness de Valhalla Springs ne soutenaient évidemment pas la comparaison.

Pour couronner le tout, M. Tuchfarber avait eu le toupet de qualifier le ravissant lac du village de « flaque d'eau ». Et petite encore, avait-il précisé.

Hannah n'était pas dupe. Elle savait que cet ancien directeur du fret pour la firme Albertson mourait d'envie d'installer ses pénates dans l'adorable maison rococo tout en moulures et poutres apparentes, sise au 2209, Mayflower Drive. Il n'était pas pressé, voilà tout. Et avant qu'il ne signe son bail, les araignées tisseraient des toiles géantes aux quatre coins des pièces.

Un bruit de moteur alerta Malcolm qui sommeillait sur le porche. Il reconnut le véhicule et poussa un *mouaf* profond. Hannah l'entendit japper et jeta un coup d'œil par la fenêtre. Elle aperçut la Crown Victoria bleue et blanche de David qui remontait son allée pour se garer derrière la Buick de location des Tuchfarber.

Zona Tuchfarber choisit cet instant pour arracher les feuillets des mains de son mari.

— Donne-moi ça, pour l'amour du ciel !

Bouche bée, Nate considéra un instant ses mains vides. Puis, sortant de sa stupeur, il lança :

— Mais pour qui te prends-tu ?

— Pour quelqu'un qui en a assez d'attendre et qui aurait dû signer ces sacrés papiers tout à l'heure !

Zona Tuchfarber gribouilla rageusement sa signature au bas du document et le rendit à son mari.

— Avec l'âge, tu as tendance à confondre prudence et entêtement, mon ami.

Nate soupira et prit le stylo que sa femme lui tendait.

— Très bien… Comme tu voudras.

A son ton, il était clair que tout problème lié à leur nouveau domicile incomberait à Zona.

Hannah s'excusa et se précipita vers la moustiquaire de l'entrée. David la salua.

— Je n'ai pas l'intention de faire irruption chez toi. Si tu veux, je vais monter la garde sur le porche, avec Malcolm.

— Vraiment ? Ce serait prendre le risque de perdre deux futurs électeurs. Entre donc faire ton numéro de charme.

Elle ouvrit en grand le panneau moustiquaire et lança :

— Voyons, shérif Hendrickson, vous ne nous dérangez pas du tout. Vos visites sont toujours un plaisir !

— N'en rajoute pas, maugréa-t-il en entrant dans la pièce, son Stetson à la main.

Hannah fit les présentations. Zona Tuchfarber apprécia sans vergogne la stature de David, son torse puissant, la façon dont le jean épousait ses cuisses musclées, son manteau sport mi-long à la mode western, sans oublier l'étoile dorée épinglée sur sa poche de chemise et le Smith et Wesson suspendu à sa ceinture.

Satisfaite, elle reporta son attention sur Hannah, revint à David, puis une nouvelle fois sur Hannah, à qui elle jeta un regard éloquent, preuve qu'elle avait perçu la nature de leur relation.

Hannah souffrit d'être si bien devinée. N'avait-elle pas droit à une vie privée ? Ses rapports avec Hendrickson n'avaient rien de tabou, mais cela l'ennuyait qu'une parfaite étrangère puisse les décrypter en un clin d'œil.

Nate Tuchfarber se leva, la main tendue.

— J'imagine que vous devez être très sollicité dans le comté, shérif.

— Pas du tout.

C'était la stricte vérité. Mis à part une descente, quelques jours plus tôt, sur les réserves illicites de marijuana d'IdaClare et de son gang de bridgeurs, il n'avait pas eu à intervenir.

— Cinq ou six adjoints de plus ne seraient pas du luxe, ajouta David. Mais enfin, je fais avec ce que j'ai, et mes hommes occupent le terrain du mieux qu'ils peuvent.

Nate Tuchfarber sourit d'un air narquois.

— Vraiment ? J'ai aperçu un de vos subordonnés en bordure de nationale, tapi avec son radar derrière un grand panneau affichant votre candidature. C'est une drôle de façon d'occuper le terrain, non ?

David fronça les sourcils.

— A quelle vitesse rouliez-vous ? Pas au-dessus de la limite autorisée, j'espère.

— Sur cette route ? s'exclama Nate en faisant onduler sa main à la façon d'un serpent de mer. Vous voulez rire, shérif ? Il faudrait être suicidaire pour mettre le pied au plancher sur ces montagnes russes.

Hendrickson adressa un signe de connivence à Hannah, qui n'avait sûrement pas oublié leur première rencontre. Elle conduisait trop vite. Il lui avait infligé une amende assortie d'une longue leçon de civisme et d'un rappel des lois en vigueur dans l'Etat.

— Si tous les automobilistes pensaient comme vous, monsieur Tuchfarber, la police routière se retrouverait au chômage.

Zona donna le signal du départ.

— Allons-y, maintenant, Nate. Hannah nous a consacré assez de son temps. Et toi, tu vas m'inviter à déjeuner dans cet adorable restaurant que j'ai repéré sur Main Street.

— Le Nellie Dunn's, précisa Hannah. Je vous recommande les *huevos rancheros*, une merveille.

— Il n'y a pas le feu ! ronchonna Nate tandis que Zona rassemblait son kit de nouveau propriétaire : clés, boîtier télécommandant l'ouverture des portes du garage et annuaires. Et puis, je voulais demander un renseignement au shérif.

— Tu poseras tes questions quand nous serons installés ici. Valhalla Springs organise justement une journée portes ouvertes fin mai, pour le Memorial Day.

Mme Tuchfarber se tourna vers David.

— Vous viendrez, j'espère ? Avec Hannah, cela va sans dire.

Hannah croisa le regard effaré de David, qui semblait dire : « Comment sait-elle ? »

— Nous ferons de notre mieux, bredouilla-t-elle platement.

— C'est merveilleux ! dit Zona en passant son bras sous celui de Hannah et en l'entraînant vers la porte. Nous repartons demain pour Boise, mais je vous appellerai lundi au plus tard pour les couleurs du salon, de la salle à manger et de la chambre à coucher.

— Puisque vous êtes décidée, je demanderai à l'équipe d'entretien de vous réserver une semaine.

Nate s'arrêta net derrière les deux femmes.

— Quelle journée portes ouvertes, Zona ? Te rends-tu compte que le Memorial Day tombe dans seulement trois semaines. Nous n'aurons jamais déménagé pour cette date.

— Et à ton avis, qui a organisé nos vingt-trois déménagements, dans vingt-trois villes différentes disséminées dans cinq Etats depuis que nous vivons ensemble, Nate ?

Dun vigoureux coup de hanche, Mme Tuchfarber ouvrit la porte moustiquaire.

— J'ai eu grand plaisir à vous rencontrer, shérif. A bientôt, Hannah ! lança-t-elle avec un clin d'œil.

Nate marchait avec raideur vers la Buick.

— Zona, tu me donnes le tournis. Dès que nous serons rentrés, je t'envoie passer un check-up chez le toubib. A mon avis, soit tu prends trop de quelque chose, soit tu souffres d'une grosse carence d'autre chose...

Le claquement sec de la portière étouffa la réponse de l'intéressée. Exténuée, Hannah fit demi-tour et alla s'adosser au mur.

— Incroyable ! Si j'ai un jour besoin d'un déménagement express, je sais à qui m'adresser. Je te parie dix dollars que le camion contenant le mobilier de cette chère Zona Tuchfarber sera dans l'allée, prêt à décharger, avant même que les peintures soient sèches.

David lui caressa le menton.

— Tu as eu une journée difficile. Tu préfères rester ici ?

— Dis plutôt que j'ai une tête affreuse, répliqua Hannah.

— Pas du tout, Je te trouve sensationnelle. D'ailleurs, tu es toujours sensationnelle.

— Je finirais par le croire.

Elle examina son top en tricot, sa veste safari à manches courtes et son short.

— Un peu terne, tout cela. Et mes joues manquent de fard. Que dirais-tu d'une touche écarlate ?

Plissant les yeux, elle effleura d'un doigt coquin la manche de David.

— J'ai peut-être besoin de recharger mes batteries. Tu te sens équipé ?

— Petite peste ! répondit David en lui passant un bras autour de la taille et en l'attirant à lui.

Il frôla ses lèvres d'un baiser taquin, se retira, attaqua plus franchement en la forçant à ouvrir la bouche, puis l'embrassa avec fougue, longuement.

— Cela te convient ?

Hannah battit des cils.

— Tu mérites un 8 sur 20.

— Quoi ? Pas plus ?

David jeta son Stetson sur le plancher. Il caressa la joue de Hannah, passa les doigts dans sa chevelure et murmura :

— Au diable, la parade ! D'ailleurs, elles se ressemblent toutes.

Hannah rompit l'étreinte à regret.

— Ce n'est pas la parade qui importe, mais le fait que les électeurs voient leur shérif. Tu ne vas quand même pas laisser Jessup Knox ramasser la mise !

— Tu as raison. Sauf que cela me donne une raison de plus de détester cet abruti !

Tandis qu'ils roulaient en direction de Sanity à bord de la Crown Victoria, Hannah repensa aux ennuis récents de David. D'abord, cet échange de coups de feu qui avait provoqué la mort de Quince. Ensuite, la plainte qui en découlait et dont il était l'objet. Elle savait combien David était sous pression et redoutait l'accueil qu'on allait lui faire. Mais il n'avait pas le monopole de la nervosité : l'idée de passer pour la nouvelle « dame de compagnie » du shérif la mettait dans tous ses états.

Allait-elle trop vite en besogne en s'imaginant être la dernière rumeur en vogue du comté ? En tout cas, elle ne le faisait ni par égotisme ni par complaisance, mais tout bonnement parce qu'en termes de popularité, les secrets d'alcôve battaient à plate couture les potins politiques et les levées d'impôts.

Avec un regard entendu, David lui sourit. Tenant fermement son volant d'une main, il glissa l'autre sur celle de Hannah et serra fort. Pas facile de trouver une position confortable, tant la Crown Victoria était encombrée d'objets divers, métalliques à arêtes vives pour la plupart, comme le bloc-support de procès-verbaux ou encore le gyrophare que David plaquait sur le toit en cas d'urgence.

— On va bien s'amuser, affirma Hannah.

— Cela ne fait pas l'ombre d'un doute.

— Je ne crois pas te l'avoir dit, mais tu es plutôt beau gosse, shérif de mon cœur.

— Ah oui ? répondit David en se rengorgeant comiquement.

Elle le préférait nu, excité et prêt à lui faire l'amour, pour tout dire, mais l'endroit et le moment étaient mal choisis pour l'avouer.

— Tu n'es pas supposé porter ton plus bel uniforme, aujourd'hui ?

Elle ne l'avait vu qu'une fois dans sa tenue officielle bleu nuit aux plis impeccables. Il portait une cravate noire soigneusement ajustée par un clip sur la chemise. Sur son col et sa poche de poitrine brillaient un insigne et son étoile, ainsi qu'un badge à son nom. Sans s'arrêter à son air de flic borné et arrogant distributeur de procès-verbaux, Hannah avait caressé des yeux ce beau mâle sanglé dans son armure moderne.

— Mon uniforme ? Mais je l'avais mis ! A mon sens, cela convenait bien pour la campagne électorale. Quand Claudina m'a vu, elle m'a dit d'aller vite me changer.

Opératrice en chef du bureau du shérif, Claudina Burkholtz régulait tous les appels radio. Elle complétait son salaire en servant à mi-temps dans un restaurant, le Short Stack, et s'occupait également de la campagne électorale de David — du moins jusqu'à ses récents ennuis.

Claudina élevait seule trois enfants et ne pouvait risquer de perdre son job dans la police — et l'assurance santé qui allait avec — en affichant ses préférences, alors que Jessup Knox était en passe de gagner les élections primaires, et peut-être aussi le scrutin général.

C'était Lucas Sauers, l'avocat de David, qui avait pris officiellement le relais.

Hannah se demandait non sans inquiétude si le camp adverse s'était laissé abuser par cette manœuvre plutôt grossière. Car dans les faits, Claudina conseillait toujours David, ce qui représentait pour elle une charge de travail bien plus conséquente que si elle avait agi au grand jour. Dans une petite ville, garder un secret était aussi impossible que de passer la bride à une licorne.

Hannah dévorait son chauffeur du regard.

— Ne prends pas la grosse tête, mais je pense que l'uniforme te va *aussi* à ravir. C'est en outre une façon de prendre l'ascendant sur ton adversaire en rappelant aux électeurs qui est le shérif, et qui voudrait bien lui prendre sa place.

— Selon Claudina, c'est une arme à double tranchant. Elle me trouve plus accessible en civil et pense aussi que je me ferai mieux accepter de ceux qui détestent les flics, ici comme ailleurs en Amérique.

— Claudina est très capable, mais sans vouloir l'offenser, elle transforme une montagne en taupinière avec cette affaire d'uniforme.

David plissa les yeux.

— Ah oui ? fit-il d'un ton moqueur. J'imagine que cela explique l'accueil chaleureux que tu m'as réservé lors de notre première rencontre, à l'occasion de laquelle je le portais, cet uniforme…

Hannah faillit répliquer, avant de convenir que David disait vrai. Ce jour-là, elle l'avait assimilé à Vic Brummit, le chef de police de son bourg natal, prototype du flic autoritaire et menaçant.

Elle pensait avoir dissimulé son animosité derrière des trésors de charme et d'humour.

Apparemment, cela n'avait pas été le cas.

Plongée dans ses pensées, elle entendit la radio de bord cra-choter d'étranges borborygmes entrecoupés de parasites — à moins que ce ne fût le contraire. A travers la vitre, elle aperçut quelques chevaux dans un pré dont l'herbe vert tendre ondulait sous le vent.

D'une seconde à l'autre, David allait lâcher sa main pour s'emparer du micro et répondre au message que la radio venait de diffuser. La sirène et le gyrophare entreraient en action tandis que, le pied au plancher, il mènerait la Crown Victoria vers sa destination plus rapidement qu'un vaisseau spatial vers Mars.

Comme la semaine précédente, quand David l'avait emmenée chez Stuart et Lydia Quince pour une supposée visite de routine, Hannah sentit l'excitation la gagner.

Depuis cette nuit riche en péripéties, elle ne regrettait plus d'avoir à bord de son Blazer ce fameux scanner radio captant les messages de la police. C'était Delbert qui avait insisté pour le lui installer, les véhicules des limiers en étant tous déjà équipés.

Bien sûr, le langage codé de la police déconcertait. Rien à voir avec les « Je vous reçois cinq sur cinq », des feuilletons télévisés. Sur le réseau local, David répondait au nom de code Adam-1-01. Grâce au scanner, Hannah pouvait le suivre à la trace et surprendre ses conversations. Ce qui, revers de la médaille, la rendait parfois folle d'inquiétude.

Depuis cette fameuse nuit de bruit et de fureur, la relation entre Hannah et David s'était subtilement modifiée. Si la fusillade les avait tous deux confrontés au danger et donc rapprochés, elle avait aussi détruit la frontière entre la vie de policier de David et sa vie privée.

S'il restait discret sur son mariage passé, il avait une fois rap-porté à Hannah les propos narquois de Cynthia, son ex-épouse, qui se plaisait à souligner la distinction qu'il y avait entre : « J'ai un flic pour mari » et « Mon mari est un flic. »

Hannah avait vu d'abord vu dans cette remarque la patte d'une grincheuse frustrée, un peu comme si elle avait qualifié de « vide-greniers » les ventes en enchères prestigieuses de son ancien petit ami antiquaire, Jarrod Amberley, histoire de lui faire perdre la face.

Mais les coups échangés par David et Quince avaient fait surgir la réalité, une dure réalité, celle du métier de policier. Elle n'oublierait jamais ces interminables minutes durant lesquelles elle n'avait pas su si David était blessé ou mort. Elle garderait aussi pour toujours son intense soulagement quand il avait émergé de l'ombre, sain et sauf. Hannah avait compris qu'un « flic » joue sa vie le doigt sur la détente, et que, confronté à l'ennemi, il n'existe qu'une règle : tuer ou être tué.

Qu'il porte ou non l'uniforme et un badge bien astiqué, David avait le maintien de l'ordre chevillé au corps. Peu importaient l'heure, le lieu ou les circonstances : il répondait présent à l'appel et se mettait au service de la loi.

Et l'ancienne Mme Hendrickson avait beau hérisser ses mots de barbelé tranchant, Hannah admirait David pour sa détermination. Si cette femme avait un tant soit peu aimé son mari, elle aurait compris qu'il fallait faire ménage à trois : lui, elle, et son boulot de flic.

Hannah joua avec l'idée de vivre avec David. Serait-elle capable de cohabiter avec son métier ?

Elle avait été plus qu'échaudée par sa longue relation avec Jarrod, qui vivait à Londres, à des milliers de kilomètres d'elle. Et si le tribunal de Kinderhook était mille fois plus proche de Chicago que la lointaine capitale britannique, elle savait que les distances affectives se creusaient vite quand l'élu de son cœur n'est pas assez disponible.

David éclata de rire, coupant net le fil des spéculations de Hannah.

— Tu as saisi ce que disait la radio ? L'adjoint Vaughan ne va pas être en mesure d'assurer son service à la parade.

Hannah éprouva un grand soulagement. Dieu merci, ce n'était que ça ! Peu lui importait ce qui pouvait se passer, dès lors qu'il ne s'agissait pas d'une nouvelle affaire criminelle.

— Je n'ai rien compris à ce baragouin. Juste de vagues mots entrecoupés de parasites.

— Quels parasites ? Tu n'es pas du métier, voilà tout.

Hannah voulut pointer un doigt vengeur dans sa direction mais David, plus prompt, lui saisit la main tout entière.

— Vaughan est allé faire une visite de routine à la ferme de Hensley. Sa portière était restée ouverte, et la truie apprivoisée de Hensley en a profité pour sauter sur la banquette.

Fronçant le nez, Hannah hocha la tête. Elle savait quelle puanteur dégageait un cochon femelle dans la force de l'âge.

— Cette truie répond au doux nom de Dîner. Figure-toi que madame n'a plus voulu bouger le bout de sa queue. Et pas question de l'endormir avec une fléchette sédative : Hensley aurait saisi sa pétoire et tiré à vue sur tout le monde.

— Il fallait endormir le fermier avant la truie.

— L'idée est bonne, mais Ute Hensley a l'âge de Hérode et la rancune aussi tenace que sa crasse. Cette satanée truie a déjà fait des siennes en piratant d'autres véhicules. Alors, Vaughan a reçu pour consigne de promener l'animal pendant quelques minutes.

— Tu plaisantes ?

— Non, parole de scout. Cette truie adore les balades en auto. Il y a tout lieu de penser qu'elle a quitté le véhicule une fois de retour à la ferme.

Secouée d'un énorme rire, Hannah rejeta sa tête en arrière.

— Décidément, tu n'as pas souvent l'occasion de t'ennuyer, ici !

— Non. Mais pour être honnête, je dois préciser que ce genre d'opération-commando n'a pas lieu tous les jours.

Un panneau leur signala qu'ils arrivaient à Sanity. Comme dans toute agglomération américaine qui se respecte, on trouvait au sud et au nord de la ville des centres commerciaux, des fast-foods et des motels. C'était sûrement pratique pour les touristes de passage qui ne craignaient pas de dormir dans un Holiday Inn dont les fenêtres donnaient sur un supermarché, une station-service ou un Kentucky Fried Chicken. Mais on avait l'impression de tourner en rond dans ces bouts de villes sans âme, où tous les chemins semblaient mener au même bon vieux McDonald's.

Le chef-lieu du comté était niché au fond d'une vallée cernée de collines, ce qui rendait difficile la construction de routes secondaires capables de désengorger l'artère principale. Les ennuis avaient commencé vingt-cinq ans auparavant, quand certaines entreprises étaient venues s'installer à Sanity, attirées par d'intéressants prêts fédéraux destinés à développer cette zone rurale.

Au début, les services d'équipement du Missouri avaient promis rocades et routes secondaires à quatre voies. On les attendait toujours. Les gens du cru n'étaient pas du genre à se plaindre, fidèles en cela à leurs ancêtres qui avaient posé la première pierre de Sanity. Ils laissaient cette occupation aux nouveaux venus séduits par le cachet rustique et l'ambiance bon enfant de Sanity — tout feu tout flamme les premiers temps, ils se montraient désenchantés après quelques quelques mois au vert.

Parade oblige, de nombreuses rues étaient barrées, ce qui occasionnait des encombrements considérables. David sut les éviter en se faufilant adroitement dans le lacis de ruelles des lotissements voisins pour gagner la place centrale de Sanity.

Il avait lâché la main de Hannah et arborait un profil dur, aussi fermé que celui des statues du mont Rushmore.

58

Une multitude de badauds avaient investi les trottoirs. David détaillait la foule d'un œil professionnel, et Hannah l'imita en sachant qu'elle ne verrait jamais ce que lui remarquerait grâce à son instinct et son expérience.

David stationna dans une rue parallèle au palais de justice. Les fourgons cellulaires choisissaient cette artère tranquille pour décharger les nouveaux prisonniers ou assurer le transfert de ceux déjà retenus dans les cellules du troisième étage.

Hannah s'étonna de voir autant d'enfants gambader sur la pelouse de la place. Pour autant qu'elle sache, les vacances d'été n'avaient pas commencé.

David l'éclaira.

— Quand ils étaient en culottes courtes, les membres de la commission scolaire séchaient l'école le jour du Cornouiller. Ce premier vendredi de mai a donc été décrété férié à partir de midi. Bien sûr, c'était plus excitant avant. Les gamins se faufilaient entre les stands des bonnes œuvres où on vend pâtés et tourtes. Certains se glissaient même dans l'enclos des promenades à dos d'âne. On peut regretter ce temps, mais les conseillers d'éducation des écoles ont cent fois moins de rapports d'absence à rédiger.

Hannah se proposa de porter le sac en toile rempli d'auto-collants *Hendrickson pour shérif*, de tracts et de limes à ongles publicitaires. De cette façon, David pourrait à loisir serrer les mains de ses électeurs potentiels.

Elle l'observa tandis qu'il s'arrêtait près des gradins réservés aux VIP. Penché en avant, il agrafait une étoile de shérif en fer blanc sur le T-shirt d'un petit garçon. L'enfant, les yeux écarquillés de plaisir, passa son doigt sur l'insigne.

— Dites, *phérif*, je suis votre adjoint pour de bon ?

David s'agenouilla à sa hauteur, lui demanda son nom et lui fit lever sa main droite.

— Eric Peter Worley, t'engages-tu solennellement à faire respecter la loi, à prendre soin de ta maman et à devenir un bon garçon ?

— Je le jure, *phérif.*

— Alors, par les pouvoirs qui me sont conférés, je t'attribue le statut exceptionnel d'adjoint catégorie junior, déclara David en ébouriffant la tignasse du gamin. Et surtout, pas d'arrestations intempestives ! Si ta maman est d'accord, montre ton insigne tout neuf à M. Taylor, au stand des rafraîchissements. Je suis sûr qu'il t'offrira un esquimau.

— Un esquimau gratis ? Super ! répondit le garçonnet en décollant telle une fusée vers le stand en question.

Il prit le temps de se retourner.

— Merci, *phérif* !

David fut bientôt submergé par une marée de garçons et de filles qui, eux aussi, voulaient être nommés adjoints juniors — avec ou sans esquimau gratuit en prime. Les gosses sentaient que, sous l'uniforme strict du maintien de l'ordre, se cachait un grand frère qui les comprenait.

Hannah ne perdait pas une miette du spectacle. Elle pensait, émue, que David ferait un père en or. Elle se reprit : « père » évoquait la figure martiale de l'acteur George C. Scott dans *Patton*. Or, tout comme Ed Hendrickson, David avait l'étoffe d'un papa poule.

Elle songea, attristée, à ses illusions perdues le jour où elle s'était retrouvée enceinte de Jarrod. Il l'avait regardée de ses yeux myopes. Elle le revoyait en train de l'enlacer et de l'embrasser sans conviction. Quel âge avait-elle ? Vingt-cinq ans. Et une envie désespérée d'être mère. Sur la diapositive suivante, Jarrod s'envolait pour l'Angleterre. A ce moment-là, Hannah avait perdu ses illusions et ses envies de maternité.

Tout en distribuant tracts et gadgets électoraux aux passants qui flânaient sur le champ de foire, elle se demandait si, à quarante ans passés, la grossesse lui irait bien. Pourquoi pas ? Mais elle paniqua en imaginant le moment où son rejeton achèverait ses études secondaires et où, vieille et à moitié infirme, elle viendrait assister à la cérémonie de remise des diplômes en claudiquant sur ses béquilles.

— Jamais !

La jeune femme brune qui tendait la main pour avoir une lime à ongles au nom du shérif Hendrickson crut que Hannah s'adressait à elle.

— Pardon ?

— Euh, je veux dire : « *Jamais* le shérif Hendrickson ne vous remerciera assez pour votre soutien », rectifia Hannah à l'intention de la future électrice qui jugea plus prudent de battre en retraite.

Quand les premiers accents de *Let The Good Times Roll* retentirent, rythmés par les coups de tonnerre d'une grosse caisse, une horde de curieux jonglant avec des gobelets pleins à ras bord et des caméscopes se massa sur les trottoirs. David montra du doigt deux places libres au centre des gradins. Hannah escalada les planches branlantes en adressant à la volée quelques saluts à ses connaissances. Elle veilla à ce que son volumineux sac ne heurte pas des têtes au passage, et prit soin de n'écraser aucun orteil durant son ascension.

Jefferson Davis Oglethorpe, le septuagénaire qui perdait régulièrement les élections démocrates au poste de shérif, porta un doigt à son canotier de paille pour la saluer, œil de velours et authentique accent sudiste en prime.

— Vrai de vrai, ma chère, quelle joie de vous avoir avec nous pour la fête !

Hannah se retint de faire une révérence à la Scarlett O'Hara. Elle sourit à cet homme qu'on aimait tout de suite… ou qu'on prenait tout aussi rapidement en grippe. Oglethorpe était assez riche pour s'acheter sa participation aux élections, mais cela ne l'intéressait pas. Ce qu'il voulait, c'était secouer les chaînes de la commission régionale et radoter sur la guerre de Sécession qui opposait encore clans et familles du sud et du nord des Etats-Unis.

Du haut des gradins, quelqu'un lança :

— Hé ! Dave, quel plaisir de te revoir réconcilié avec la loi !

Si l'allusion aux ennuis récents du shérif déconcerta la plupart des gens, dans le public, quelques ricanements se firent entendre. Hannah jeta un regard assassin à l'intervenant, dont le ton obséquieux s'accordait si bien à son allure boudinée d'Elvis vieillissant à la banane lustrée.

David riposta.

— Dans ce pays, tout accusé est présumé innocent, Jessup. Et tu oublies que la justice m'a blanchi.

Sentant que la foule soutenait David, Jessup Knox prit le parti du repli.

— Voyons, les amis, je me contentais de taquiner notre ami shérif. C'est jour de fête, on peut plaisanter, non ?

David lui tourna le dos et s'assit sans dire un mot, son Stetson posé sur les genoux.

— Tu as l'étoffe d'un saint, lui glissa Hannah d'un ton encourageant.

— Tu parles ! Si j'avais dit à ce farceur le quart de ce que j'ai sur le cœur, il aurait eu droit à tout mon répertoire d'injures, de A jusqu'à Z.

— La lettre X t'aurait posé problème, non ? Et qu'est-ce que tu as en magasin, à la lettre Z ?

David se détendit.

— Le seul problème, c'est que Jessup a des difficultés de compréhension avec les mots de plus de trois lettres.

Sous les acclamations du public et le cliquetis des appareils photo, l'orchestre du lycée de Sanity fit son entrée en interprétant une version survitaminée de *Born in the USA*.

Musiciens, majorettes et pom-pom girls cintrés dans leur uniforme vert, argent et rouge-violet transpiraient déjà. Tout ce petit monde ne venait pourtant pas de très loin, le point de départ de la parade étant situé à une centaine de mètres avant les tribunes.

La reine de la Journée du Cornouiller, entourée de ses jeunes dauphines, paradait dans une Corvette décapotable. Suivait un camion de pompiers rutilant aux chromes parfaitement astiqués. Impeccables dans leurs tenues à paillettes, les membres du club hippique du comté de Kinderhook défilaient au pas sur leurs chevaux. Leur succédèrent des chars de carnaval, œuvres des associations de la ville, des scouts et de diverses paroisses.

A l'unisson du public, Hannah applaudissait à tout rompre, si fort que ses paumes lui brûlaient. Cette liesse populaire aux accents de patriotisme et d'esprit de clocher lui rappelait le temps où, petite fille, elle se juchait sur les épaules de son grand-oncle Mort pour voir la parade. L'enfant d'alors agitait les bras, laissant éclater ses cris de joie. La fête lui faisait oublier les hardes qu'elle portait à longueur de temps le restant de l'année, et que de vieux aigris la commandaient.

Après le passage du dernier char, la foule acclama un homme en smoking rouge, coiffé d'un chapeau haut-de-forme, qui se tenait en équilibre sur un monocycle. De sa voix amplifiée par un mégaphone, l'artiste invitait le public au spectacle du cirque Van Geisen, donné le soir même sur le champ de foire.

Un tandem d'éléphants décorés de pompons tourna le coin de la rue. Les bêtes étaient cornaquées par de jolies femmes blondes en uniformes bleu électrique scintillants de strass. Leur image gracieuse se reflétait sur les vitres du deuxième étage de l'immeuble bordant la rue.

En riant, des clowns déversaient sur des enfants ravis leurs seaux remplis de paillettes. D'autres clowns, sautillant maladroitement dans leurs pantalons trop larges et leurs chaussures surdimensionnées, distribuaient à la volée des bonbons qu'ils puisaient dans de grands récipients en carton.

Evoluant sur un portique solidement boulonné à une remorque plate, des voltigeurs se balançaient d'un trapèze à l'autre.

Vêtus de capes en satin noir décorées de lunes, de soleils et d'étoiles, une flamboyante magicienne et son assistant, plus âgé, défilèrent en exhibant des cartes géantes, qu'ils escamotaient d'un tour de main.

Des acrobates redoublaient de cabrioles et faisaient la roue. Les jongleurs lançaient en arabesques multicolores anneaux et quilles en carton.

Après avoir effectué de concert une époustouflante roue arrière, les acrobates à vélo gratifièrent le public d'une volte-face à couper le souffle. Les adolescents présents apprécièrent ; nul doute que, dans l'heure qui suivrait, les mamans auraient à déplorer quantité de genoux écorchés et de coudes égratignés.

Comme avertie par un sixième sens, Hannah sentit que quelqu'un l'observait. Ses yeux se posèrent sur l'homme vieillissant qui secondait la flamboyante magicienne. Ce dernier la dévisageait avec intensité, tout en accomplissant un tour de cartes avec la force de l'habitude. Il portait des gants. Ses cheveux d'un brun-roux sombre, qui lui arrivaient aux épaules, étaient encore fournis, mais son cou raviné trahissait la soixantaine.

David s'étonna.

— Tu connais ce type ?

Elle n'en savait rien encore et eut un geste vague de la main. A Chicago, elle avait parfois assisté à des numéros d'illusionnistes dans les cabarets, bars ou restaurants. Avait-elle vu cet homme à cette occasion ? Mais comment expliquer qu'il se souvienne d'elle ? Pourquoi ce regard si intense ?

Sans doute se faisait-elle des idées. Les cyclistes acrobates effectuaient maintenant un périlleux échange de roues. Hannah se dit qu'elle avait sûrement rêvé. Pourquoi l'illusionniste se serait-il préoccupé d'elle ? Non, il devait regarder le maire Wilkes, derrière elle, ou peut-être Jessup Knox, cette caricature du roi du rock'n roll, occupé à hululer et à brailler tant et plus en haut des gradins.

Hannah suivit des yeux le vieil illusionniste qui s'éloignait, et dont elle ne voyait plus que la cape noire. Il ne se retourna pas. Elle avait rêvé : simple illusion, de même que l'homme faisait lui-même apparaître ou disparaître à volonté ses cartes….

Soit. Mais pourquoi avait-elle la chair de poule ?

4.

Le champ de foire du comté de Kinderhook était installé sur un plateau, à deux kilomètres au nord de Sanity. Une forêt domaniale délimitait deux de ses côtés et Old Wire Road le troisième. A l'est, une falaise calcaire surplombait Jinks Creek, un cours d'eau. De nombreux amateurs d'escalade se lançaient régulièrement à l'assaut de la paroi rocheuse. Et les secours venaient tout aussi régulièrement recoller les morceaux de ces émules de Spiderman, lorsqu'ils dévissaient.

L'endroit n'était pas très construit. Au côté de quelques pavillons, au bord de l'eau, on trouvait une aire de rodéo et un terrain de base-ball flanqué d'un grand snack-bar en béton surmonté d'une guérite pour les journalistes. Le bâtiment abritait en outre des toilettes et un vestiaire.

Hannah réprima un cri de joie enfantin en découvrant le chapiteau de cirque à rayures rouge et jaune installé au beau milieu du terrain. Des bannières ornées de clowns, d'éléphants et de tigres dévoilant leurs crocs, flottaient au sommet des deux flèches soutenant la gigantesque toile.

Dans une allée coincée entre le chapiteau et le parking, les artisans régionaux présentaient leurs créations. Des stands proposaient à boire et à manger. Plus loin, les enfants pouvaient caresser les animaux d'une mini-ménagerie installée à leur intention ou faire un tour en poney. Un trio de chanteurs de gospel, un quartet de musiciens blue-grass et un orchestre de variétés amateur jouaient sur leurs estrades respectives.

Hannah déplora l'absence d'une grande roue et autres attractions fortes.

— Les forains ne sont pas encore arrivés ? demanda-t-elle à David.

— L'an passé, on a eu pas mal d'ennuis avec les gens du voyage engagés par le comité des Journées du Cornouiller. Les festivités tournaient à l'aigre : pickpockets, jeux truqués, vente d'alcool et de drogues aux mineurs, et ainsi de suite. Il n'y a pas eu de poursuites contre les forains, mais cette année, le comité a préféré engager le cirque Van Geisen en guise d'attraction unique.

Hannah se consola. Après tout, les baisers brûlants de David la catapulteraient plus sûrement au septième ciel qu'un tour sur les montagnes russes. Elle se serait tout de même bien vue dans les bras de David, au sommet de la grande roue…

L'adolescent chargé d'encaisser le péage du parking leur désigna un enclos réservé aux officiels.

— Salut, Gary ! lança David à l'adolescent en lui tendant un billet de cinq dollars. On dirait que tu vas avoir du travail, aujourd'hui.

— La place de parking, c'est seulement un dollar, shérif, répondit l'adolescent avec morgue.

Puis, ménageant ses arrières, il s'empressa d'ajouter.

— Mais pour vous et les pontes, c'est gratis bien sûr.

David agita le billet sous le nez de l'adolescent.

— Prends donc, ça fait désordre dans ma poche.

Gary parut se demander s'il s'agissait d'un piège puis, incapable de résister, il happa le billet.

— Si ça peut vous rendre service…

Il enfouit la coupure dans la sacoche en toile nouée à sa taille, lâchant un « Merci » du bout des lèvres.

— De rien ! lança David. Et surtout, quand tu verras Jessup, dis-lui que j'ai été généreux. Il se fera un plaisir de doubler la mise.

Chaloupant sur sa suspension renforcée, la Crown Victoria franchit victorieusement les ornières plus ou moins récentes qui crevassaient le terrain.

— Gary a quitté le lycée très tôt et fait quelques bêtises. Il a heureusement été repris en main à la faveur d'un programme destiné à ce genre de gamins, qu'on récupère avant qu'ils soient allés trop loin. Il a obtenu son diplôme de fin d'études secondaires. Ce système donne une nouvelle chance à ces gosses, mais de nombreux électeurs considèrent que le budget scolaire devrait être entièrement consacré aux « bons » élèves.

— Quelle mesquinerie !

— Je ne te le fais pas dire. Bret Janocek, l'enseignant initiateur du programme, a obtenu que le comité des fêtes, que préside sa grand-mère, confie à ces élèves la collecte des redevances de parking. La moitié de cet argent servira à financer ce fameux programme.

— Ce Janocek me plaît bien, commenta Hannah. Et Knox, tu crois qu'il donnera combien, sachant ce que finance une partie de la redevance ?

— Gary prétendra que je lui ai refilé un billet de 10 dollars. Et notre Elvis ne pourra faire autrement qu'augmenter la mise...

David se tut soudain, contrarié. D'un coup de volant, il se glissa adroitement entre deux véhicules, remonta les vitres électriques et coupa le contact. Hannah allait lui demander la raison de son changement d'humeur, avant de décider que cela ne la regardait pas. Il récupéra son Stetson sur la banquette arrière et descendit du véhicule.

— Je reviens tout de suite.

Ça, Hannah l'avait déjà entendu, lors d'une certaine nuit. « Ne bouge pas », avait ajouté David, et une fusillade avait suivi de peu.

Cette fois, David ne lui avait pas ordonné de rester vissée au siège de la voiture de patrouille et, détail rassurant, il avait dégainé son portefeuille et non son arme de service.

Rassurée, Hannah s'extirpa de son siège et vint poser les coudes sur le toit de la Crown Victoria, épiant David tandis qu'il s'entretenait avec Gary.

Il était trop loin pour qu'elle surprenne un traître mot de leur conversation, d'autant que des voitures approchaient. David, grand et costaud, dominait son interlocuteur. Elle le vit donner une tape sur l'épaule de Gary et revenir vers elle.

— Je meurs de faim ! déclara-t-il. Le temps de faire le plein de tracts électoraux et on va manger un morceau.

Ils déambulèrent main dans la main dans des allées fleurant bon la campagne et l'étable, bordées de véhicules agricoles, de fourgonnettes, de motos et d'autos hétéroclites.

— Le jeune Eric Peter Worley serait fier de toi, déclara soudain Hannah.

— Hein ?

— Il semblerait qu'à ton contact je commence à développer les qualités d'un bon détective.

— Je te crois sur parole, même si je ne comprends pas trop de quoi tu parles…

— Elémentaire, mon cher Hendrickson. Quand tu es retourné voir Gary, il y a un instant, c'était pour assurer tes arrières au cas où Jessup Knox, ou un autre, trouverait ta générosité déplacée et insinuerait que le gosse met dans sa poche une partie de la redevance. Tu as regretté d'avoir incité Gary à mentir pour obtenir plus d'argent de Knox, et tu es allé lui dire d'oublier tout ça. Je peux même affirmer que tu as acheté sa complaisance avec un billet de vingt dollars. Motus et bouche cousue, bien sûr.

— A croire que tu étais perchée sur mon épaule !

— Pas du tout. C'est de la simple psychologie. La situation t'a mis dans l'embarras. Alors, tu as servi au gosse un laïus sur ces malheureux shérifs à qui il arrive parfois des erreurs ; tu as embrayé sur le devoir fait à chacun de réparer ses fautes, y compris en matière scolaire. J'imagine ta conclusion, un joyau de finesse dans le style : « Je te fais confiance, Gary, et surtout ne vole pas l'argent d'autrui. » Voilà pourquoi j'ai raison de dire qu'Eric Peter Worley, ton nouvel adjoint junior, serait fier de toi.

David semblait tétanisé.

— Ai-je touché juste ? s'enquit Hannah.

Un grognement lui répondit.

— Peuh ! tu manquerais une vache dans un corridor.

Hannah se cabra.

— Dis plutôt que j'ai raison, Hendrickson. Et avoue que, comme moi, tu crois Gary capable de gruger Jessup Knox de vingt dollars. Malgré ce que tu lui as dit.

David eut un ricanement sans joie.

— Je suis un symbole autant qu'un exemple à suivre pour la belle jeunesse de Sanity, non ?

— Gary aurait eu l'idée tout seul de cette petite arnaque. Ce n'est pas la première fois qu'il franchira la ligne… et sûrement pas la dernière.

Hannah se promit d'appeler dès lundi Bret Janocek, le responsable du programme scolaire alternatif, afin de lui proposer son aide. Friedlich et Friedlich, l'agence dans laquelle elle avait longtemps travaillé, accordait à certains jeunes en difficulté une bourse d'études et une place en internat. C'était pour eux un bon moyen de faire leurs preuves et de donner tort aux sceptiques.

Hannah jeta un coup d'œil au village qui avait surgi en une nuit : bâches tendues sur des piquets, boutiques de planches et de toile, cuisines de campagne disposées en carré.

Les artisans proposaient toutes sortes de créations reflétant le folklore régional : suspensions pour pots de fleurs réalisées au crochet, nains de jardin faits main, chemises brodées à l'ancienne, animaux de verre soufflé, peintures à l'huile de forêts luxuriantes, dessus-de-cheminée sculptés, antiques décorations de Noël pour collectionneurs, minuscules vitraux assemblés en abat-jour...

David se tourna vers Hannah.

— Que veux-tu manger ? Saucisses et choucroute ? Une grillade au feu de bois ? Double sandwich viande et crudités ? Poisson-chat frit avec câpres et sauce ?

Une multitude d'appétissantes odeurs chatouillaient les narines de Hannah. Elle savait que sa gourmandise risquait de faire déraper un peu plus vers le rouge l'aiguille de sa balance. Mais la tentation fut trop forte.

— Tout ce que tu viens d'énumérer me tente...

David éclata de rire.

— Nous allons commencer avec le premier stand qui se présentera. Nous achèterons le reste au fur et à mesure. On se souciera du dessert une fois arrivés au bout de l'allée.

— Excellent ! commenta Hannah d'un ton appréciateur.

Leur choix se porta finalement sur des côtelettes grillées, du coleslaw, des épis de maïs grillés, sans oublier une énorme part de pizza, et ils allèrent s'installer à une des tables de pique-nique. Faute de place dans son estomac, Hannah dut se limiter. Quant à David, il ne manquait pas d'appétit. Mais entre chaque bouchée, un administré venait lui faire part de ses doléances ou de ses encouragements électoraux — sans oublier de jeter un coup d'œil vers Hannah.

Alors qu'un homme entre deux âges, en salopette du dimanche et chapeau western en paille, évoquait la série d'incendies criminels qui avaient embrasé les granges à foin du comté l'année précédente, Hannah cala sur la croûte de sa part de pizza. Elle en fit don aux oiseaux et posa un coude sur la table, allongeant les jambes sur le banc. « La gourmandise est un vilain défaut », disait-on. Soit. Mais rien ne lui ferait regretter ce festin.

Un peu plus bas dans l'allée, une foule nombreuse se pressait devant le stand des beignets de Pennsylvanie. Sous une tente, penchée au-dessus d'une marmite d'huile bouillante, une cuisinière coiffée d'un bonnet noir conique, et vêtue d'une robe en calicot et d'un tablier, versait de la pâte liquide dans la gueule d'un entonnoir, puis laissait couler un mince filet dans la friture.

Une aide, elle aussi vêtue à la mode du siècle dernier, repêchait la pâte dôrée à point avec une passoire à long manche, la saupoudrait de sucre glace et confiait la marchandise à la caissière, qui concluait la transaction. Le stand laissait échapper une subtile et chaude odeur de beignets glacés au sucre qui mettait l'eau à la bouche.

Et de fait, Hannah en salivait de gourmandise quand un des administrés, à qui David venait de serrer la main, lui adressa ses salutations. Elle répondit par un : « Heureuse de vous connaître » pour le moins distrait. Déjà, son attention dérivait en direction d'une échoppe surmontée d'un arceau. Assis sur son rocking-chair à haut dossier, un sculpteur maniait le ciseau tout en fournissant des explications à une petite assemblée admirative. A l'exception d'un homme aux cheveux brun-roux, qui semblait plus intéressé par Hannah que par l'artisan. Il avait ôté sa cape semée de lunes, d'étoiles et soleils, mais elle le reconnut.

— Hannah ? lança David.

— Oui, excuse-moi.

Elle reprit ses esprits. David regarda par-dessus son épaule.

— On peut savoir ce qui se passe ?

L'homme disparut dans la foule — ainsi qu'on pouvait l'attendre d'un illusionniste. Hannah hésita.

— Rien d'important, David. Juste quelqu'un que je croyais connaître.

— Ben voyons !

Son intonation montrait qu'il n'était pas dupe. Hannah et David avaient le don de communiquer et se comprendre sans se parler.

Ils rassemblèrent leurs assiettes sales en carton et les jetèrent dans une poubelle dressée au coin de l'allée.

D'une pichenette, David renfonça légèrement son Stetson et tendit sa main à Hannah, qui la prit. De la musique s'élevait d'un peu partout, étrangement ponctuée par le *ta-ta-ta-ta* des groupes électrogènes.

Hannah reconnut *He Has Made Me Glad*, puis un air triste de musique country joué à l'harmonica, *I'm So Lonesome I Could Cry*, et enfin du hip hop, avec son martèlement de basse et de boîte à rythmes.

Dans l'allée, des gens qui se connaissaient se donnaient l'accolade, des adolescents traînaient avec l'air de s'ennuyer. Plus loin, un petit groupe d'hommes s'esclaffait grassement d'histoires déjà mille fois racontées, et leurs épouses, complaisantes, feignaient de les trouver spirituelles.

Tout en flânant, David répondait aux sollicitations des uns et des autres. Hannah en profitait pour repérer dans la foule de potentielles rivales. Elle aperçut des blondes, des brunes, des perruquées, des femmes qui gardaient sans complexe leurs cheveux gris, de flamboyantes rousses, des blondes à nuance vénitienne ou au brun-roux naturel, sans oublier celles teintes au henné.

David était en grande discussion avec un frère et une sœur d'origine hispanique, et s'apprêtait à les nommer adjoints juniors, quand Hannah sentit encore sur elle le regard de son inconnu.

Tout en fourrageant dans son épaisse chevelure, elle examina discrètement les alentours, une main en visière au-dessus des yeux. Celui qui l'épiait n'était pas loin, elle l'aurait juré.

Sans plus chercher à donner le change, elle se jucha sur la pointe des pieds et promena son regard entre les stands. Où se cachait-il ? Elle l'aperçut enfin, vêtu d'un pull à col roulé et d'un pantalon noir. L'homme se faufilait sous l'auvent d'un vendeur de boissons. Le cœur de Hannah s'emballa. Qui était-il ? Et que lui voulait-il ?

Elle fit un pas dans sa direction. Le visage de l'inconnu s'illumina d'une joie aussi intense que fugitive, puis l'homme tourna les talons et disparut.

Hannah garda les yeux rivés à l'endroit qu'il venait de quitter. Allait-il se montrer de nouveau ? Devait-elle partir à sa recherche dans cette foule ? En tout cas, sa curiosité était plus forte que jamais.

Rosina, la fillette hispanique fraîchement nommée adjoint junior par David, vint tirer Hannah par la manche.

— Dis, tu as des autocollants dans ton sac ?

Hannah eut un signe d'impuissance.

— Désolée, ma chérie, mais je n'en ai pas. Tu sais, je ne fais qu'aider un peu le shérif Hendrickson…

La fillette écarquilla de beaux grands yeux désapprobateurs. Sa maman vint la chercher et l'entraîna à sa suite, tout en lui faisant quelques remarques en espagnol. Mélancolique, Hannah se souvint des cris de reproches dont on l'abreuvait quand elle était petite. En comparaison, ces mots chantonnés en espagnol lui faisaient l'effet d'une tendre berceuse.

David lui prit le coude.

— Allons voir si tout va bien au jeu de massacre. Jimmy Wayne est censé s'occuper de cette attraction.

Des yeux, Hannah cherchait encore son curieux dans le coin ombragé où il avait disparu. Mais elle revint à la réalité et sourit.

Jimmy Wayne McBride, un beau gosse décontracté, était l'adjoint en chef du shérif. Le principe de l'attraction dont il avait la charge était assez simple : il fallait atteindre avec des balles de base-ball une cible reliée à une chaise pivotante sur laquelle était assis le meneur de jeu. Quand on tapait dans le mille, la chaise basculait et projetait son occupant dans une cuve remplie d'eau.

Quand David et Hannah arrivèrent devant le stand, McBride était perché sur la fameuse chaise, dans l'enclos protégé par une barrière de bois et de fil de fer. Il contait fleurette à une superbe blonde de vingt ans, dont le jean moulant et le top ajusté dispensaient les mâles de tout travail d'imagination.

Elle lança timidement la première de ses cinq balles vers la cible. Pas une fibre de son bras parfait ne tremblota. Seuls ses radieux cheveux roux dorés valsèrent en souplesse au-dessus de sa taille de guêpe.

De quoi haïr un peu plus cette poupée Barbie. A croire qu'elle n'avait pas un gramme de graisse !

— Oh ! Jimmy Wayne ! minauda-t-elle. J'aurais *tant* voulu être la première à te faire plonger dans la cuve.

Hannah se retint de ricaner. La belle n'était pas encore née que Wayne devait déjà multiplier les conquêtes. Mais après tout, il fallait bien qu'*une* candidate se dévoue pour être la neuf cent sixième proie de son tableau de chasse.

Avec sa fine moustache et son menton à fossette, Wayne aimait se faire passer pour un Casanova impénitent. Mais Claudina, l'opératrice en chef du bureau du shérif, prétendait que ce grand flandrin blanchi sous l'uniforme de la police montée régionale valait mieux que sa mauvaise réputation.

Hannah savait du reste que David n'aurait jamais choisi pour second un fêtard sans envergure chassant les filles à longueur de temps.

David prit la relève de la blonde et paya, dans un élan civique, le droit de tirer au but sur McBride, responsable par ailleurs du programme antidrogue de la police de Sanity. Il espérait bien lui faire piquer une tête dans l'eau.

Posant quatre balles grises en équilibre sur son bras plié, David lança la cinquième en direction de Hannah.

— A vous l'honneur, mam'zelle Garvey !

Hannah saisit la balle au vol, mais protesta.

— Je dois vraiment ?

Jimmy Wayne s'en mêla.

— Montrez ce que vous savez faire, Hannah ! On n'a pas tous les jours de telles occasions de s'amuser…

Ancien garçon manqué, Hannah n'aimait pas qu'on se moque d'elle. Elle avança jusqu'au trait tracé à la craie sur le sol et cracha dans ses mains.

Cambrée, bras droit replié en arrière dans la posture d'un joueur de base-ball prêt à lancer, elle serra les dents et, d'une détente rapide, propulsa son bras vers l'avant. *Clac !* La balle toucha le haut de la cible, faisant osciller la chaise fixée à la trappe. Pas si mal !

— Ouf ! j'ai bien cru que j'y passais, commenta McBride en essuyant comiquement son front.

Puis, s'adressant à David.

— Laissez-la essayer encore une fois, patron. Il y a des détails techniques dans son lancer que j'aimerais revoir.

Pour Hannah, il n'en était pas question. Tout en riant, elle leva les bras en signe d'abandon.

— A ton tour, Hendrickson ! dit-elle d'un ton moqueur. Montre un peu de quel bois tu es fait.

— Je pensais te l'avoir déjà montré, répliqua-t-il d'un ton lourd de sous-entendus.

Puis il retira son manteau et le confia à Hannah, qui n'osa pas lui conseiller de desserrer le col de sa chemise pour être plus à l'aise.

Dieu sait pourtant si elle avait envie de voir McBride plonger dans la cuve ! Pleine d'espoir, elle recula de deux mètres afin de se placer latéralement et ainsi mieux savourer le spectacle. La poupée Barbie se tenait à l'opposé de l'endroit où était David. Elle adressa à Hannah un regard hautain qui lui valut, par télépathie express, une vigoureuse réponse en cinq lettres.

David projeta son bras vers l'avant. La balle manqua la cible de peu et ricocha dans la bâche de protection. Son arme pendue à sa ceinture l'avait gêné. Hannah l'aurait volontiers prise mais, cette fois encore, elle n'osa pas lui donner de conseil.

En tout cas, Jimmy Wayne avait failli tomber dans la cuve. Il s'était retenu de justesse au bord de la chaise, le derrière tremblotant.

— Ouah ! Il s'en est fallu de peu ! s'exclama-t-il. Vous avez vu ça, Hannah ?

Tous les muscles de David entrèrent en action. Pas question pour lui de manquer le prochain lancer, c'était évident. Hannah s'attendait à ce que la cible vole en éclats. Elle compatissait presque quand une voix douce, derrière, elle, la fit sursauter.

— Hannah ?

Elle se retourna.

— Oui ?

Elle reconnut l'illusionniste de tout à l'heure. Il la fixait droit dans les yeux, d'un regard intense.

— Votre anniversaire tombe un 28 mars, n'est-ce pas ?

Saisie, elle hocha la tête tandis que mille pensées s'entrecroisaient dans son esprit. L'homme la subjuguait.

— Votre mère s'appelait Caroline Angelina Garvey. Vous êtes née à Effindale, dans l'Illinois.

Hannah tremblait, à présent.

— Qui êtes-vous ? Comment savez-vous ?

L'homme lui caressa le menton de sa paume calleuse. Il avait les doigts enflés, les articulations déformées. Comme s'il la connaissait de longue date, il adopta le tutoiement.

— AnnaLeigh m'a toujours dit que je te retrouverais. Je n'ai jamais cessé de te chercher, ma chérie. Durant toutes ces années.

Une pause. Des larmes brillaient dans les yeux de l'homme.

— Tu ne te souviens pas de moi ? Non, bien sûr, tu étais trop petite, à l'époque.

Il souriait d'un air lointain. Son visage raviné aux traits sinueux était baigné d'un doux rayonnement intérieur. Venant tout près d'elle, il la serra maladroitement dans ses bras.

— Peu importe que tu te souviennes ou non de moi. Ce qui compte, c'est que j'aie retrouvé ma petite fille chérie.

5.

Se servant du manteau de David à la manière d'un bouclier, Hannah repoussa l'illusionniste.

— Quoi ? Vous voulez me faire croire que vous êtes mon père ?

L'homme devint livide. Ses yeux sombres avaient un éclat désespéré ; ils semblaient implorer Hannah.

— Je me doute que ça doit être un choc, pour toi, ma petite fille chérie…

— Mon père… Un magicien de cirque…

Quarante ans de colère, de confusion, de prières désespérées surgirent des profondeurs de son être. Elle renversa la tête en arrière, et un rire entrecoupé de sanglots jaillit de sa gorge.

— Pour une nouvelle, c'est une nouvelle ! Je savais que mon père, celui qui avait plaqué femme et enfant en une fraction de seconde, était le plus grand maître de l'illusion. Mais de là à découvrir que c'est *vraiment* un magicien !

Son certificat de naissance portait la mention « Père Inconnu. » Petite fille, elle avait décidé que Bambi était un frère, pour elle. Tous deux pleuraient leur père tué par un chasseur. Et leur chagrin ne faisait qu'empirer quand la maman biche mourait.

Plus tard, Hannah avait voué à l'enfer ce papa fugueur, ce fantôme qui n'avait pas voulu d'elle. Sauf qu'elle était confrontée à un ennemi immatériel. Jésus donnait un visage au bien ; Hitler

79

incarnait le mal. Les choses étaient claires. Mais comment haïr quelqu'un d'invisible, sans image ? Autant détester l'air qu'on respirait pour vivre.

Un soir, en voyant un vieux film au cinéma, Hannah avait été fascinée par l'acteur Jack Palance, son faciès anguleux, ses yeux étirés et ses lèvres minces. Juste le genre de type, avait-elle décidé, capable de quitter sans regret femme et enfant.

Subjuguée, elle avait volé des revues de cinéma chez la marchande de journaux, afin de découper toutes les photos de l'acteur. Elle avait collé ces reliques dans un gros cahier dissimulé dans la doublure d'un coussin du canapé, consultant son trésor les jours de cafard.

A la longue, cette fascination pour Jack Palance s'était émoussée. Elle n'en avait plus voulu comme père de substitution. Elle était encore mieux seule.

L'illusionniste qui lui faisait face n'avait rien de commun avec Jack Palance. Ses cheveux brun-roux, mal teints, laissaient entrevoir leurs racines blanches. Son visage était ovale et allongé. Son menton tronqué et sa peau creusée de sillons qui s'entrecroisaient évoquaient les arabesques d'une broderie à l'ancienne.

L'homme fit un pas en avant, le visage implorant.

— Hannah, je t'en prie !

Sa sincérité, évidente, la toucha.

— Je veux tout t'expliquer.

Mais il ne put poursuivre, car David venait de lui poser une main sur l'épaule.

— Et si vous vous expliquiez d'abord avec moi, monsieur ? Je peux voir vos papiers ?

Surpris, l'homme leva les yeux vers lui. Puis, lentement, il pêcha avec deux doigts son portefeuille dans la poche arrière de son pantalon, et en tira un permis de conduire, qu'il tendit à David.

80

Ce dernier le prit et l'agita en direction d'un Jimmy Wayne McBride dégoulinant d'eau, à quelques pas derrière eux.

— Présentez-vous à mon adjoint que voilà, ordonna David. J'ai deux mots à dire à cette petite dame.

Hannah n'intervint pas. Déçu, l'homme pivota sur ses talons pour aller rejoindre McBride. Que pouvait-elle faire ? Ou dire ? Le souffle court, elle était sous le choc.

Elle n'avait qu'une envie, en cet instant : qu'un David protecteur l'enlace, lui caresse les cheveux et réapprovisionne d'urgence son rayon « espoirs ».

Aussi raide qu'un piquet, elle avait le regard fixé sur une petite tache dans l'herbe, un emballage de bonbon froissé. « Je veux tout t'expliquer », avait promis l'homme. Expliquer quoi ? Qu'il avait froidement abandonné la petite et sa mère ? Ou qu'il avait de bonnes raisons de vouloir la retrouver quarante-trois ans plus tard ?

David la tira de son trouble en lui tendant un mouchoir tout blanc.

— Sèche vite tes larmes.

Elle ne s'était même pas aperçue qu'elle pleurait. Esquissant un pâle sourire, elle lissa de la main le manteau froissé de David. Comment faisait-il pour si bien la deviner ? Pour savoir à quel moment elle avait besoin de réconfort, et à quel autre il devait savoir garder ses distances.

— Je vais déjà mieux, murmura-t-elle en lui rendant son manteau. Mais j'ai bien peur d'avoir sali ton mouchoir avec mon mascara.

— Tu peux même te moucher dedans, si le cœur t'en dit.

Le sourire de Hannah s'accentua. Voilà qui ferait un bon départ d'article pour la presse féminine : *J'ai su que j'étais amoureuse de lui quand il m'a tendu son mouchoir en me proposant de me moucher dedans !*

Amoureuse de David, elle l'était assurément. Mais le moment semblait mal choisi pour se jeter dans ses bras, avec un « Je t'aime, David Hendrickson ». Non, pas maintenant, alors qu'elle était le siège d'un cyclone d'émotions tourbillonnantes. Sans parler de ces curieux agglutinés autour d'eux, persuadés qu'un des dix hommes les plus recherchés par le FBI venait de se faire arrêter sous leurs yeux.

Et de toute façon, l'objet de son cœur n'était pas disponible. David avait sorti de la poche de son manteau un carnet à spirale sur lequel il notait des détails relevés sur le permis de conduire de l'importun. Quand il eut fini, il regarda Hannah et lui demanda d'un ton sec :

— Si cela ne te dérange pas, je voudrais que tu répondes à quelques questions.

Hannah acquiesça d'un hochement de tête. David indiqua du doigt l'illusionniste, qui se tenait quelques pas derrière eux.

— Si j'ai bien compris, cet homme prétend être ton père ?

Hannah lui résuma leur conversation et expliqua qu'elle ignorait tout de cette AnnaLeigh à laquelle l'homme avait fait allusion.

— D'après son permis de conduire, il se nomme Reilly Boone. Cela te dit quelque chose ?

Elle passa sa mémoire au peigne fin.

— Jamais entendu. Mais j'ai toujours ignoré le nom de mon père. Ma mère a toujours refusé de le dire à qui que ce soit.

— Tu sais pourquoi ?

— Non, avoua Hannah, qui haussa les épaules. Après un temps, j'ai cessé de la questionner. Je me suis dit qu'elle avait ses raisons.

— Peut-être, murmura David.

A son ton dubitatif, il était évident que rien, pour lui, ne justifiait qu'une mère emportât un tel secret dans la mort.

Hannah pensait précisément aux dernières heures de sa mère. La veille de son décès, elle l'avait suppliée de parler. Caroline lui tournait le dos, les genoux ramenés sur la poitrine en position fœtale, répétant de façon lancinante : « Tu es ma fille. C'est tout ce qui compte ».

David reprit.

— Avais-tu déjà rencontré ce Reilly Boone, avant aujourd'hui ?

Hannah hésitait. A question simple… réponse pas si simple.

— Non, comme je te l'ai dit quand nous regardions la parade. Et pourtant, quelque chose en lui éveille un souvenir familier.

— Tu l'as revu après la parade, n'est-ce pas ?

David semblait la mettre en accusation, et Hannah détestait cela. Elle comprit qu'il avait dû repérer Boone alors que celui-ci cherchait à passer inaperçu au milieu de la foule et des stands. Voilà pourquoi, après leur déjeuner, il avait baissé son Stetson sur ses yeux.

Sur le moment, elle ne s'était doutée de rien. En réalité, c'était un jeu d'espions qui s'était alors mis en place. David espionnait Boone, qui espionnait Hannah… Une vraie situation de comédie… en d'autres circonstances.

IdaClare et ses fins limiers avaient manqué une belle occasion de pratiquer un exercice de filature et de surveillance sur le terrain.

— Shérif Hendrickson, j'ai vu Boone en tout et pour tout deux fois. Moins que toi, j'en suis sûre.

Elle venait de marquer un point. David se hérissa.

— Pourquoi ne pas m'avoir averti, quand tu t'es aperçue qu'un inconnu épiait tes faits et gestes ?

— Et toi, pourquoi avoir fait des cachotteries ? Ecoute, David, cet homme gardait ses distances et je n'avais aucune raison d'avoir peur de lui.

Le shérif posa sur elle un regard contrarié. Ses yeux si bleus avaient pris une nuance grise, menaçante.

— Il a tout de même fini par t'accoster. Imagine ce qu'il aurait pu te faire !

— N'exagère pas ! s'exclama Hannah, le feu aux joues. Reilly Boone ne m'a ni menacée ni attaquée.

— Il ne t'a pas demandé de l'argent ? Il n'a pas cherché à t'attirer dans un endroit discret ?

— Rien de tout cela.

— Mais enfin, Hannah, que se passe-t-il. Pourquoi être sur la défensive ? Cet homme ne sait rien de toi et…

Elle le coupa.

— Il connaît quand même ma date de naissance, David. Et le second prénom de ma mère.

— Facile d'obtenir ces renseignements, qui sont du domaine public. On les trouve même sur Internet. Quant au second prénom de ta mère, il est probablement gravé sur sa pierre tombale.

— Non. Pas même l'initiale. Figure-toi qu'elle détestait s'appeler Angelina. Il faut te dire que, chaque fois qu'elle désobéissait ou faisait une bêtise, sa grand-mère l'appelait Ange pour se moquer d'elle. Pour moi, maman s'est toujours appelée Caroline, jamais Angelina.

David poussa un soupir à fendre une bûche. Il remisa carnet et permis de conduire du suspect dans sa poche et saisit les mains de Hannah.

— Regarde-moi.

Elle secoua la tête.

— Je ne suis pas ton ennemi, Hannah.

— Pourquoi ai-je l'impression que tu m'attaques, dans ce cas ?

— Voyons, mon cœur… Tu es encore sous le choc de ce que t'a dit cet homme, et je le comprends fort bien. Mais réfléchis : ce n'est pas parce que cet illusionniste à deux sous te livre quelques informations banales sur ta mère et toi qu'il est ton père.

— Non, bien sûr. Mais même s'il a trouvé ces informations dans des registres, pourquoi se serait-il donné le mal de faire ces recherches ?

— Qui te dit qu'il a cherché ? Il vivait sans doute à Effindale quand tu étais enfant. Peut-être avait-il de la famille là-bas ?

L'argument était de poids. Hannah réfléchit et contre-attaqua.

— Ma grand-mère Garvey, mon grand-oncle Mort et ma grand-tante Lurleen étaient morts avant même que j'entre au lycée. Ma mère est morte il y a vingt-cinq ans, et j'ai quitté Effindale un mois après. Mis à part un bref arrêt au cimetière quand j'ai déménagé de Chicago pour aller m'installer à Valhalla Springs, je ne suis jamais retournée là-bas.

— Entendu, admit David. C'est tout de même toi qui m'as déjà dit que, dans ces minuscules agglomérations, les gens ont la mémoire longue. Facile pour un étranger de glaner des informations qui ne le regardent en rien.

— Facile, excepté que je vis aujourd'hui dans le comté de Kinderhook, Missouri, et non plus à Effindale, Illinois. Ça, personne n'est au courant. Et comment Reilly Boone a-t-il fait pour me reconnaître au milieu de la foule ?

David massait doucement les mains de Hannah, insistant sur le délicat tracé des veines et les fines articulations à fleur de peau.

— Voilà qui reste mystérieux, j'en conviens. Mais j'ai vu nombre d'escrocs se faire passer pour un enfant qu'on croyait perdu, ou un parent oublié, ou un conjoint disparu depuis longtemps. Il y a ceux qui se présentent comme de vieux amis de lycée. Le pire est que la combine marche souvent. Alors, tu m'excuseras si cette histoire de soi-disant père me fait sourire !

— Heureusement que tu es là, David, pour empêcher cette pauvre petite sotte de Hannah de se jeter dans la gueule du grand méchant loup...

— Ce n'est pas ce que je voulais dire.

— En tout cas, tu le pensais bien fort. Et je ne peux pas te le reprocher. Mais laisse-moi écouter ce que ce Reilly Boone a à me raconter si j'en ai envie.

Hannah s'en voulait de blesser l'amour-propre de David. Mais les émotions ne faisaient pas bon ménage avec le calme et la logique.

— En fait, reprit-elle, aussi fou que cela puisse paraître, peu m'importe *qui* est réellement Reilly Boone : il connaît le second prénom de ma mère, et cela prouve qu'il a compté dans son existence, et donc dans la mienne. Ce prénom oublié, c'est tout simplement la clé qui verrouille ma destinée.

Reilly Boone mena Hannah et David derrière le chapiteau, où étaient stationnés les véhicules et caravanes des artistes et du personnel du cirque. Par souci de discrétion, l'illusionniste préférait poursuivre l'entretien dans son camping-car. Alors que le silence s'éternisait entre eux, Boone déclara soudain :

— Excuse-moi, Hannah, je n'aurais pas dû t'aborder aussi abruptement.

Elle rumina ces belles paroles. Boone était-il également désolé de les avoir plaquées, sa mère et elle, quarante-trois ans plus tôt ? S'en excuserait-il bientôt en justifiant sa démission par le besoin impérieux de prendre du recul ? Avait-il fait le compte d'anniversaires manqués et de Noëls sans Père Noël ?

Elle n'était toutefois toujours pas convaincue qu'il fût son père. Les quelques points communs de leur physique ne voulaient rien dire. D'autres que Boone et elle avaient les yeux bruns, quelques grains de beauté épars sur la pointe du menton ou un nez légèrement bosselé.

Le grand chapiteau apparut, énorme montagne de toile aux pans géométriquement assemblés. Par les grands rabats ouverts s'échappait une odeur d'herbe piétinée et de purin, sur laquelle surnageait le relent musqué d'animaux survoltés par les répétitions.

Au centre du campement, des curieux venus de Sanity bavardaient avec les artistes, en jeans et T-shirts. Un dresseur faisait grimper sur le dos de son éléphant des marmots hauts comme trois pommes qui souriaient à pleines dents face à son Polaroïd. Les parents, résignés, n'avaient plus qu'à payer trois dollars pour chaque cliché.

En terrain familier, Boone perdit sa raideur. Il apprit ainsi à Hannah et David que les Indiens qui vivaient en Amérique plusieurs siècles avant l'arrivée des pèlerins du Mayflower pratiquaient déjà des tours de magie. Désignant du doigt une affiche apposée près de la caisse du cirque, il expliqua également que Jules Léotard, le premier artiste de cirque trapéziste, avait mis au point un numéro d'acrobatie aérienne à trois partenaires, et qu'il avait immortalisé le justaucorps qui, depuis, porte son nom.

Boone demanda à Hannah si elle comptait venir voir le spectacle en soirée. Elle répondit que non. Si David avait projeté de l'y emmener, elle en serait heureuse. Dans le cas contraire, ce qu'ils feraient de leur soirée ne concernait qu'eux.

L'illusionniste les conduisit sous une grande tente — un chapiteau pour les gens du cirque — accolée au chapiteau principal et baptisée l'« Allée des Clowns », l'équivalent des loges et coulisses d'un music-hall.

Dans un coin se dressait la caravane du chef cuisinier. Et, à côté, le réfectoire où déjeunaient les manœuvres et certains artistes. Dans l'air flottait une odeur de poulet frit, de petits pains frais et de tarte aux pommes.

David se tourna vers l'illusionniste.

— Il y a longtemps que vous travaillez dans ce cirque, monsieur Boone ?

— Pas de « monsieur » entre nous, si vous voulez bien. Reilly fera mieux l'affaire.

David approuva d'un signe de tête, mais Hannah se tint sur la réserve.

— Je suis entré au cirque à l'âge de quinze ans, expliqua Boone. Là où je vivais, on n'avait pas le choix. Il fallait descendre dans la mine. Si quelqu'un vous raconte qu'il préférerait pelleter le charbon plutôt que de pelleter la litière des fauves, soit il vous ment, soit il est trop stupide pour faire la différence.

Reilly jetait de fréquents coups d'œil vers Hannah, comme s'il voulait s'assurer que ses remarques ne la choquaient pas.

— Après la pelle et la manutention, j'ai eu la chance d'être embauché par un illusionniste et sa femme. C'était pendant leur congé d'hiver. J'ai appris les ficelles du métier. Mais j'ai dû travailler ferme pendant un an et demi avant de pouvoir présenter mon propre numéro sur la petite piste du cirque, en bout de chapiteau. Il m'a fallu encore trois ans d'efforts pour être programmé sur la grande piste centrale, là où les places sont les plus chères et les plus recherchées. L'Incroyable Aurélius, ce nom vous dit quelque chose ?

David répondit par la négative. Mais Hannah, qui se flattait d'avoir fréquenté des établissements et clubs huppés de Chicago, affirma qu'elle l'avait déjà entendu. Boone parut satisfait.

— C'était mon nom d'artiste. Je l'ai porté pendant trente-trois ans.

Hannah réagit.

— J'ai sûrement vu votre numéro au Gale Street Inn de Chicago, ou alors au Ford Center.

— Non, répondit Boone, tout déconfit. Ces endroits paient bien, mais je n'aime pas l'ambiance. Trop huppée. Et puis, j'ai besoin d'espace pour mes tours de magie. Travailler sur une estrade à deux pas du public, ça n'est pas mon truc.

Donc, en conclut Hannah, elle ne l'avait jamais vu auparavant.

— Vous avez dit que l'Incroyable Aurélius *était* votre nom d'artiste. Il ne l'est donc plus ?

Reilly détourna les yeux.

— J'ai renoncé à cause de cette satanée arthrite. Regardez !

Il montra les deux côtés de ses mains aux articulations et jointures enflées par les rhumatismes.

— Le liniment m'a fait du bien, au début. Et puis, le toubib m'a fait avaler des pilules qui me déchiraient les entrailles. Pire que du verre pilé. Cela m'empêchait de travailler normalement. AnnaLeigh, ma femme, a fait son possible pour m'aider. Peu à peu, elle a pris le relais. Je suis devenu son assistant. Cela a plu au public, et on a décidé de continuer.

Reilly haussa les épaules avec fatalisme.

— Depuis qu'on a signé avec les Van Geisen, il y a deux ans, le nom d'AnnaLeigh occupe toute la place sur les affiches. Il faut dire qu'elle sait y faire.

Il prit une expression mélancolique.

— Du talent, j'en ai — ou du moins, j'en avais. Mais le public n'a jamais tapé du pied ou applaudi à tout rompre quand j'apparaissais dans le cercle des projecteurs — comme avec elle.

Hannah comprit que Reilly était attaché à sa femme et l'admirait ; elle perçut son amertume à l'encontre de cette arthrite qui le diminuait et lui imposait un rôle de faire-valoir. Elle imagina une AnnaLeigh d'une beauté à couper le souffle, source de fierté autant que de jalousie.

Tous trois quittèrent l'Allée des Clowns pour émerger à l'air libre, sur un terrain accolé à l'arrière du grand chapiteau et encombré de tentes, de caravanes et de cages pour les animaux. Des employés du cirque allaient et venaient. Certains des artistes répétaient leur numéro ou bavardaient entre eux. Un peu à l'écart, se dressait la caravane qui faisait office d'école pour les enfants.

Des dizaines de camions semi-remorques, de remorques diverses, de camionnettes et de camping-cars étaient rangés en cercle à la manière des chariots de l'époque du Far West.

Parmi eux, un imposant camping-car de couleur crème semblait aussi déplacé qu'un tuba dans un quatuor à cordes. D'énormes lettres bleu cobalt surlignées d'or se détachaient sur les flancs du véhicule : *L'Incroyable AnnaLeigh*. Des guirlandes d'étoiles dorées et argentées tapissaient les fenêtres, le pare-brise et le bas de caisse. Seul l'auvent enroulable et la remorque contenant le matériel étaient vierges de décorations astrales.

Les autres véhicules arboraient aussi des logos du cirque Van Geisen, avec des tigres, lions, éléphants ou clowns en surimpression. Fixé sur les côtés de la caravane des Flying Zandonatti, un grand panneau pastel montrait deux voltigeurs effectuant leur numéro aérien sur fond de nuages.

Hannah remarqua sur le camping-car crème une affiche sur laquelle l'*Incroyable AnnaLeigh* faisait son numéro, encadrée par un chien et un joli poney.

— Vous avez là un vrai palace sur roues, Reilly, remarqua David en faisant le tour du camping-car. Il a dû coûter cher.

— Si on ne l'avait pas acheté, on aurait pu prendre notre retraite. Mais ce qu'AnnaLeigh désire, elle l'obtient.

Un homme blond aux gros biceps, vêtu d'un short effrangé et d'un tricot de corps, s'approcha. Il adressa une œillade à Hannah, puis déclara :

— Désolé de vous interrompre. Dis, Reilly, j'ai besoin de parler à Vera et je ne la trouve nulle part. Tu l'aurais aperçue, par hasard ?

— Non, elle est peut-être occupée à la caisse. Demande à Frank : lui comme elle ne sont jamais très loin du tiroir à billets. Il devrait savoir.

— Il y est, comme de bien entendu. Mais Vera, elle, est partie. Elle a pris sa camionnette, sans dire à personne où elle allait. Et elle n'a même pas verrouillé la porte de la caravane.

— Curieux, nota Reilly en ouvrant la porte du camping-car, ce n'est pas son genre de décamper comme ça, sans fermer ni prévenir. Bah ! elle a dû le dire à Frank, mais ce qu'il entend d'une oreille ressort par l'autre.

— Sûr ! répondit l'homme blond en s'éloignant, un grand sourire aux lèvres. En tout cas, c'est ce que Vera expliquera à son retour.

Hannah pénétra à l'intérieur du camping-car et cligna des yeux pour s'habituer à la pénombre. Elle sentit dans l'air une légère odeur d'antiseptique, celle d'une laque à cheveux et quelques notes plus tenaces d'un parfum musqué.

Contrairement à l'extérieur, criard, la cabine était aussi impersonnelle qu'une chambre de motel et d'une propreté immaculée. Il y régnait une atmosphère légèrement oppressante qui prit Hannah à la gorge.

Elle examina la kitchenette. Dans un angle, sur le plan de travail, une cannette de bière écrasée voisinait avec une boîte de bretzels aplatie. Sur la table dînette il y avait une bouteille d'eau de seltz à moitié vide et l'emballage argenté d'une pastille antiacide. Dans le désordre bon enfant qui régnait dans la cuisine de Hannah, tout cela serait passé inaperçu. Ici, il en allait autrement.

Reilly insista pour qu'ils s'asseyent sur les sièges pivotants à hauts dossiers du poste de conduite. Puis il scruta la porte fermée donnant sur la cabine du fond.

— AnnaLeigh doit encore faire la sieste. Elle se sentait barbouillée, ce matin. Je lui ai dit de ne pas défiler à la parade, mais elle a insisté pour y aller quand même.

Il se leva et marcha vers la cabine. Hannah intervint.

— S'il vous plaît, Reilly, ne la réveillez pas. Laissez-la dormir.

Reilly sourit, désignant une porte voisine.

— Mais non, je vais simplement au petit coin.

— Veux-tu remettre cet entretien à plus tard ? demanda David en prenant la main de Hannah.

Celle-ci entrelaça leurs doigts.

— Tu n'es pas obligé de rester.

— Il me semblait avoir déjà réglé cette question.

— Juste.

David fronça les sourcils.

— Mais si tu y tiens, reprit-il, je peux aller t'attendre dehors. Reilly et toi serez plus tranquilles.

Hannah pesa le pour et le contre. Quelle serait la réaction de David si Reilly commençait à déballer les secrets de famille ? Que penserait-il d'elle ?

Le sol vibra quand Reilly revint à pas pesants. Hannah serra plus fort la main de David.

— On se fait confiance ?

— A ton avis ?

— Alors, reste. J'en ai assez de faire des cachotteries. Et puis, mes secrets de famille ne sont pas si redoutables.

Reilly leur proposa à boire, mais ils refusèrent. Il s'assit sur une banquette vissée au sol. Des rires, des aboiements de chiens et la plainte lancinante d'un moteur qu'on poussait à plein régime traversèrent les minces cloisons du véhicule. L'illusionniste se pencha en avant et regarda Hannah.

— Ce n'est pas facile, ma petite fille. J'ai mille fois pensé à nos retrouvailles et maintenant, je me trouve tout bête.

Hannah tordit le cou à sa propre impatience. Selon la loi de Parkinson, tout espace vide finissait par se remplir, une constante mathématique qui s'appliquait à ses placards à vêtements et à son estomac quand elle était en phase dépressive.

Sous l'afflux de souvenirs, les traits de Reilly s'adoucirent.

— Caroline Garvey, ta maman, avait tout d'un ange, physiquement. Je n'ai jamais connu femme plus belle. Une peau de lait, de grands yeux noisette et de longs cheveux cuivrés qui lui tombaient jusqu'aux reins.

Il marqua une pause, avant de reprendre.

— Pour ta grand-mère, Caroline avait tout d'une dévergondée. C'était faux, bien sûr. Il s'agissait simplement d'une jolie fille de dix-sept ans sans arrière-pensées. On s'est aimés au premier regard. Nous étions jeunes et naïfs. Et trop stupides pour nous rendre compte de ce que nous faisions quand nous avons fugué…

Reilly joignit l'extrémité de ses doigts et fit jouer les articulations de ses deux mains. On aurait dit une araignée à cinq pattes posée sur un miroir.

— Caroline détestait l'école autant que sa famille. Elle avait horreur d'Effindale et, pour elle, tout valait mieux que sa vie là-bas. Malheureusement, nous ne restions jamais assez longtemps au même endroit. Le cirque n'a rien d'une sinécure. Pas de week-ends ou de vacances en amoureux. Des bestioles dans le sac de couchage. La toilette à la va-vite accroupi dans une cuvette, en plein air.

Hannah se souvint du temps où sa mère n'avait pas de quoi payer les factures du gaz. Elle l'entendait encore la houspiller : « Allez, la douillette, entre dans la baignoire et lave-toi à l'eau froide. Tu devrais être contente. C'est le Ritz comparé à ce que j'ai connu. Moi, je barbotais dans un vieux seau rouillé. »

Elle avait toujours cru que sa mère faisait référence au manque de confort de sa maison natale. Elle n'en était plus aussi sûre, à présent.

— Les animaux du cirque terrifiaient ta maman, poursuivit Reilly, et sa crainte ne faisait que renforcer leur animosité à son égard. Elle a fini par me demander de les frapper afin qu'ils apprennent à la respecter, qu'ils aient plus peur d'elle qu'elle n'avait peur d'eux. À l'époque, je n'ai pas compris ce qui se passait dans sa tête. Caroline avait le mal du pays, elle était fatiguée, découragée.

Alors que Reilly marquait une nouvelle pause, se colletant avec les souvenirs que le temps n'avait pas effacés, Hannah changea de position pour se donner une contenance et cacher son trouble. Elle regrettait d'avoir accepté l'invitation de Reilly Boone. Elle n'avait pas besoin d'être touchée par le récit de Reilly Boone ! Pas besoin non plus de voir étaler au grand jour les faiblesses de sa mère !

— Le cirque était tout pour moi, reprit Reilly. Ma maison, ma raison de vivre. Mais pas pour Caroline. Elle se sentait exclue, parachutée en terre étrangère. Au début, elle a fait beaucoup d'efforts pour s'intégrer — un peu trop, même. Puis, elle est rentrée dans sa coquille, ne permettant à personne de lui tendre la main. Et moi, j'étais tout le temps sur son dos à lui dire de faire ceci, de faire cela… Après, je m'en voulais et je la cajolais pendant des heures, avant de prendre mes distances en pensant que c'était ce qu'elle souhaitait. Et puis un jour, lors d'une représentation dans le nord du Michigan, Caro m'a dit : « Pas un jour de plus, tu m'entends ? »

L'expression de Reilly se modifia : il semblait aussi abasourdi qu'à l'époque.

— On montait le chapiteau. A la force des bras. Le chef monteur nous houspillait : « Hissez ! Relâchez ! Hissez ! » C'est ce moment que Caroline a choisi pour rappliquer, maquillée, belle comme un cœur, et me demander de choisir entre elle et le cirque. Qu'est-ce que j'étais censé faire ? Dire aux autres d'aller boire un coup ? J'ai supplié Caroline d'attendre un peu, je lui ai promis de discuter de tout cela après la représentation. J'ignorais qu'elle avait bouclé ses valises et demandé à de drôles de types qui habitaient plus au sud de l'emmener en voiture…

Hannah intervint.

94

— Vous voulez dire que ma mère est rentrée à Effindale en stop ?

— Elle a filé avant que j'aie pu me retourner. On avait amassé quelques dollars pour se marier, une fois la saison finie. La moitié de cet argent lui revenait. Mais elle n'a pas pris un cent. Simplement ses vêtements et un chien en peluche que je lui avais offert.

Hannah avait toutes les peines du monde à croire à cette fable qui débutait par une scène digne d'un mauvais remake de *Roméo et Juliette* et s'achevait par un final à la *Tom Sawyer.* Comment imaginer que Caroline, même jeune et naïve, ait pu partir sans emporter son argent ?

Un souvenir surgit de sa mémoire. Elle revit, pendu par un ruban punaisé au mur de la chambre de sa mère, un épagneul en peluche mangé aux mites. Il lui manquait la langue et un de ses yeux de verre. Avec le temps, le jaune de son pelage avait pris une teinte toute sale. Malgré la curiosité qui la dévorait, Hannah aurait plus volontiers volé le petit Jésus dans la crèche dressée à Noël sur la pelouse de l'église baptiste d'Effindale, plutôt que d'effleurer du doigt la précieuse relique de Caroline Garvey.

Reilly, qui s'était levé, arpentait l'espace compris entre la porte d'entrée et la kitchenette.

— J'ignorais que Caroline était enceinte. Je ne l'ai su que plusieurs mois après ta naissance. J'ai quitté le cirque, alors, pour essayer d'arranger les choses avec elle. Mais impossible pour moi de garder un travail, de me poser quelque part. Je pensais tout le temps au cirque. Caro était furieuse. Elle disait qu'elle ne voulait rivaliser avec une maîtresse plus importante à mes yeux qu'elle-même et l'enfant.

Hannah releva avec ironie.

— En disant que le cirque était votre maîtresse, Caroline ne se trompait pas. L'avenir allait lui donner raison.

— Doucement, Hannah, lui glissa David d'un ton apaisant. Calme-toi.

— Je devais travailler, Hannah, tenta d'expliquer Reilly. Gagner de l'argent pour toi et pour Caroline.

Le rouge au front, il ajouta.

— Et je ne connaissais qu'une façon de la gagner, ma vie.

— Dites plutôt que c'est seulement de cette façon que vous vouliez la gagner, corrigea Hannah.

— Mais Caro et moi nous nous *aimions*. Tout ce qui nous manquait, c'était un endroit à nous pour être heureux.

Il se laissa aller contre le chambranle de la porte et regarda par la fenêtre en forme de hublot. Cherchait-il encore son vert paradis, où un vagabond du cirque et une jolie fille de la campagne auraient pu poser leurs bagages pour l'éternité ?

— Caroline avait promis que si je choisissais de faire un numéro sans animaux, elle accepterait de me suivre de nouveau sur la route… et d'être ma femme.

Hannah et David échangèrent un bref regard. Reilly leur avait déjà expliqué comment, durant trois ou quatre ans, il avait appris le métier d'illusionniste.

— J'ai cru à ses promesses. Je n'ai pas triché, du moins pas souvent. Je me sentais très seul. Comme elle, je souffrais de notre séparation. L'alcool m'aidait à oublier, à dormir. Quand j'avais bu, il me semblait que toutes les femmes alentour avaient le visage de Caro.

Reilly sortit son portefeuille et y prit quelques vieilles photos cornées.

— Tu allais vers tes cinq ans la dernière fois que j'ai vu ta mère. On avait décidé de tout se raconter, même le moins avouable. On espérait tout effacer pour repartir de zéro.

Ce fut plus fort qu'elle : Hannah se mit à rire.

— Qui avait eu cette brillante idée ?

— Caroline et moi ! répondit Reilly avec colère. Une belle idée, en effet. Nous avons payé notre franchise au prix fort.

96

Les photos aux couleurs passées montraient une fillette efflanquée à grosses nattes. Sur l'un des clichés, l'enfant faisait du vélo.

— C'est supposé être moi, murmura Hannah. Mais…

Les yeux plissés, elle examina attentivement le vélo. Un assemblage de bric et de broc, avec ses roues dépareillées, son garde-boue bleu à l'avant et rouge à l'arrière, son cadre droit repeint en vert. Impossible de confondre : c'était bien sa bicyclette.

— Je me souviens, dit-elle dans un souffle. Nous étions au parc d'attractions. Tu m'avais acheté une glace…

Reilly se baissa et posa un genou sur la contremarche recouverte de moquette.

— Je t'avais acheté un esquimau géant *et* un cornet. Et puis, tu avais voulu faire de la balançoire.

La lèvre tremblante, il imita la voix d'une fillette.

— « Plus haut, m'sieur ! Faites-moi voltiger plus haut ! »

Hannah se rendit compte qu'elle pleurait.

— Pourquoi ne pas m'avoir avoué qui tu étais, ce jour-là ?

— Tu ne me connaissais pas. Et je devais repartir le jour même.

— Ces photos ont été prises à des époques différentes, remarqua David.

Reilly approuva.

— C'est vrai. Après avoir rompu pour de bon avec Caroline, je n'ai pas cessé de lui envoyer de l'argent par mandats, en poste restante, mais elle ne répondait pas à mes lettres. Alors, pour voir grandir ma petite fille, être sûr qu'elle ne manquait de rien, je venais en cachette à Effindale. Cette rencontre dans le parc, c'était mon avant-dernier voyage, expliqua Reilly en souriant. Hannah devenait trop maligne. Si j'avais continué à faire des apparitions-surprises, elle aurait compris et posé mille questions.

Hannah essuya vivement ses larmes.

— Et alors ? Quel mal y a-t-il à poser des questions ? J'avais le droit de savoir qui tu étais !

Reilly se redressa avec peine.

— J'avais décidé de te dire la vérité le jour de tes dix-huit ans. Mais, le moment venu, j'ai eu des engagements tardifs et je n'ai pas pu venir à Effindale avant Thanksgiving, à la fin novembre. Caroline et toi, vous étiez parties. Un vieil homme occupait votre mobil-home. J'ai demandé en ville où je pouvais trouver ta mère. Jusqu'au moment où un sale type m'a lancé que « Caroline Garvey était une putain qui n'avait pas arrêté de se soûler tout le printemps dernier ». Je lui ai balancé mon poing dans la figure. Ce qui m'a valu de passer deux nuits en prison. Personne ne savait où vous étiez passées, Hannah. Depuis ce jour, je n'ai pas arrêté de te chercher partout où j'allais.

Incrédule, Hannah secouait la tête.

— On ne distingue pas grand-chose sur ces photos, sauf le vélo. Le jour où tu m'as offert ces glaces dans le parc, j'avais neuf ans, dix tout au plus. Depuis, j'ai changé. Comment as-tu pu me reconnaître ?

Etait-ce l'effet de la lumière diffuse filtrée par le rideau masquant le pare-brise du camping-car ? Toujours est-il que Reilly parut plus jeune. Ses rides nombreuses, stigmates d'une vie tourmentée, semblaient gommées. Il regarda intensément Hannah. Comme s'il cherchait à lire en elle, eût-on dit.

— Les miroirs sont trompeurs et reflètent une image fausse de nous, à laquelle on s'habitue. Tu ne vas peut-être pas me croire, Hannah, mais tu es le portrait craché de ta maman.

— C'est faux ! David, tu as vu la photo de ma mère posée sur la commode de ma chambre. Est-ce que je lui ressemble ?

David hésita.

— Difficile à dire. Je…

La porte du camping-car s'ouvrit à la volée. Le visage couleur cendre, AnnaLeigh apparut et s'arrêta net, dévisageant sans aménité les invités de son mari. Celui-ci, surpris, regarda la porte de la cabine, avant de revenir à elle.

— Mais où étais-tu passée ? Je te croyais ici, en train de te reposer à cause d'un mal de ventre.

AnnaLeigh recula d'un pas.

— Vera avait besoin de faire une course en ville et j'ai profité de l'occasion pour l'accompagner. Ça te va ? conclut-elle d'un ton hautain.

— Bien sûr, ma chérie, répondit Reilly, qui parut noter qu'elle n'avait ni sac à main ni paquets. Mais tu avoueras que c'est curieux de…

Elle coupa court et s'adressa d'un ton sec à Hannah :

— Désolée de vous presser, mais nous avons un numéro à préparer.

Reilly lui prit le bras.

— Ne sois pas grossière, s'il te plaît. Il s'agit de Hannah, *ma fille* Hannah, et de son ami le shérif Hendrickson.

D'un coup, le visage aristocratique d'AnnaLeigh reprit des couleurs.

— Mon Dieu, quelle gaffe ! s'exclama-t-elle en jouant avec les pans de sa chemise noués sur le ventre. Vous ne pouvez pas savoir à quel point je suis embarrassée.

Elle tendit la main pour les saluer et ajouta :

— En vous voyant, j'ai cru que Reilly avait encore ramené la cargaison habituelle de sangsues.

— Des sangsues ? s'étonnèrent David et Hannah.

Reilly éclata d'un rire sonore.

— Dans notre jargon, c'est le nom qu'on donne aux passionnés de cirque, ceux qui se regroupent en clubs, publient des lettres d'information mensuelles… De vrais fans, qui adorent nous rendre visite et nous soutirer des histoires.

Pendant que Reilly parlait, Hannah vit qu'AnnaLeigh l'évaluait comme un adulte aurait pu le faire avec un enfant — sauf qu'elles avaient le même âge. Une forme de rivalité existait déjà entre elles.

Hautaine, AnnaLeigh l'était incroyablement, et elle méritait bien son nom de scène. Tout en elle était là pour impressionner, depuis ses cheveux noirs arrangés en tresses épaisses jusqu'à ses mules signées d'un grand créateur qui laissaient entrevoir de ravissants doigts de pieds aux ongles carmin.

Ses grands airs, toutefois, masquaient mal une anxiété à fleur de peau. Et Hannah remarqua la façon dont ses beaux yeux en amande revenaient sans cesse sur l'étoile que David portait épinglée à son revers.

— J'ai toujours dit à Reilly qu'un jour, il vous retrouverait. J'ai pourtant du mal à croire que c'est bien arrivé…

AnnaLeigh avait à présent recouvré ses esprits. Et elle semblait sincèrement heureuse de rencontrer Hannah.

— Quel choc, après toutes ces années !

— Cette dame est bien plus que ma femme et ma partenaire, déclara Reilly en passant un bras autour de la taille d'AnnaLeigh. Il y a quinze ans, elle m'a tout simplement sauvé de l'enfer. C'est par elle, et pour elle, que j'ai renoncé à mes sales habitudes. Enfin, presque toutes.

Ils sourirent tous les deux, et Hannah en fut saisie. C'était un vrai scénario de conte de fées ! Et si Reilly était vraiment son père, AnnaLeigh devenait sa belle-mère — en espérant qu'elle se révélerait moins méchante que la marâtre qui houspillait la pauvre Cendrillon…

En cet instant, elle aurait bien aimé qu'une fée se matérialise devant elle et fasse apparaître un carrosse à bord duquel elle aurait pu s'enfuir en compagnie de David.

— Trinquons à ces retrouvailles ! lança AnnaLeigh d'une voix joyeuse. Je n'ai pas de champagne, malheureusement, mais de l'eau de seltz. Nous ferons avec, d'accord ?

Tandis qu'elle s'affairait, elle questionna Hannah, qui évoqua son travail à Valhalla Springs. Enfin, au bout d'un long moment, tout le monde fut servi.

Pour couper court au probable toast de Reilly, Hannah s'empressa de vider son verre. Les autres l'imitèrent dans un tintement de glaçons. Soudain, quelqu'un frappa à la porte.

— Qu'on me laisse tranquille ! lança Reilly. Je suis occupé.

Il alla tout de même entrebâiller la porte. Chacun put l'entendre parlementer un instant et lâcher :

— Ah ! je comprends. Dans ce cas, c'est différent.

Puis, se tournant vers sa femme et ses invités, il ajouta :

— Je reviens dans une minute.

Aussitôt, David se leva.

— Nous allons vous laisser préparer votre numéro.

Hannah poussa un soupir de soulagement. Quel besoin d'une fée et de sa baguette magique quand David était là ?

— C'est vrai que l'heure tourne, acquiesça AnnaLeigh en jetant un coup d'œil à la porte. Et nous devons nous habiller.

Hannah déposa son verre et celui de David sur le plan de travail de la kitchenette, puis se dirigea vers la porte du camping-car. AnnaLeigh la suivit, lui prit la main et la serra très fort.

— Vous viendrez à la représentation de ce soir, n'est-ce pas ?

Ses yeux étaient rivés à ceux de Hannah. Surprise, celle-ci s'aperçut qu'AnnaLeigh venait de lui glisser un papier entre les doigts.

— Vos places seront réservées dans les gradins du milieu, chuchota l'épouse de son père. Vera Van Geisen vous donnera les tickets à la caisse.

Les résidents de Valhalla Springs bénéficiaient déjà de places réservées, mais elle hocha la tête. AnnaLeigh l'embrassa chaleureusement.

— Je sais que je peux compter sur vous, Hannah.

6.

Adossé au mur extérieur des toilettes publiques du champ de foire, David nota l'immatriculation de la plaque minéralogique du Texas apposé à l'arrière de la remorque de Boone. Il inscrivit aussi dans son carnet le modèle et le type du camping-car.

Des adolescentes devaient bavarder à l'intérieur du petit bâtiment, et leurs voix haut perchées étaient amplifiés par les cloisons intérieures du petit bâtiment. Pour Hannah, qui se trouvait à l'intérieur, le supplice devait être terrible.

Du regard, David inspecta la zone réservée aux festivités des Journées du Cornouiller. A l'horizon, il vit rougeoyer le soleil. Il était encore tôt, mais le champ de foire était blotti au fond d'une vallée où coulait une rivière, ce qui favorisait les crépuscules précoces. La plupart des stands étaient fermées, ou en voie de l'être. La foule venue assister à la représentation du cirque était là pour flâner, bavarder, mais sûrement pas s'encombrer d'une couette de grand-mère, d'un vieille scie décorée d'un paysage ou d'une cagette de pousses de bégonias.

Trois adolescentes sortirent en pouffant des lavabos et regardèrent David au passage. Elles s'éloignèrent rapidement et, quelques mètres plus loin, éclatèrent de rire, agrippées l'une à l'autre par les manches de leurs vestes.

David essaya d'imaginer Hannah jeune : plus sérieuse que ces petites oies, mais débordante de vitalité, bavardant à bâtons rompus avec les garçons de son âge et les battant au jeu des anneaux.

Il eut un petit rire.

— Une sacrée fille ! Mais pour ce qui est de monter à cheval, je crois que je la battrais.

C'est le moment que choisit Hannah pour faire son apparition. Une main sur la hanche, elle le considéra d'un œil vaguement goguenard.

— Tu parles souvent tout seul, shérif ?

— Rarement, répondit David en décollant son dos du mur et en rangeant son carnet dans sa poche. Je pensais à voix haute. J'ai besoin d'y voir clair.

Hannah s'était recoiffée et avait effacé les traînées de mascara, sur ses joues. Ses lèvres brillaient d'un rouge vif. Les moments qu'elle venait de vivre l'avaient forcément éprouvée. Mais elle avait du répondant et ne se laissait pas entamer facilement — même si ses yeux trahissaient un certain désarroi.

Elle glissa la main dans la sienne, et ils allèrent se mêler à la foule qui s'approvisionnait aux stands, achetant sandwichs, hot dogs, ou encore des souvenirs et autres babioles, comme ces ballons gonflés à l'hélium.

— A quel moment du spectacle les Boone entrent-ils en piste ? demanda David, qui avait une idée derrière la tête.

— Comment veux-tu que je le sache ?

— Il faut que je passe au bureau, annonça-t-il sans en dire plus. Je ne serai pas long, mais nous risquons de manquer le début de la représentation.

— Ce serait dommage, commenta Hannah en se passant la main dans les cheveux, un tic qui trahissait sa nervosité. Je vais rester ici, et je te garderai ta place toute chaude.

Sa voix grimpa d'une octave comme elle précisait :

— Et si tu es retenu par un imprévu en ville, ne t'en fais pas pour moi, je rentrerai à Valhalla Springs par la navette.

Les soupçons de David se confirmèrent : Hannah voulait se débarrasser de lui.

— C'est une bonne idée, mais j'y mets une condition.

— Je te promets d'interdire à Delbert de faire des acrobaties sur la corde raide !

— J'avais autre chose en tête : j'aimerais que tu joues franc-jeu, avec moi. Pourrais-tu m'expliquer par exemple pour quelle raison AnnaLeigh t'a serré si fort la main, au moment où nous partions ?

Le rire de Hannah n'avait rien de naturel.

— Tu vois des mystères partout, ma parole !

David haussa les épaules.

— Peut-être bien que j'exagère, acquiesça-t-il. Oh ! et puis, tout compte fait, je n'ai pas un besoin si urgent d'aller traîner mes bottes au bureau.

Il prit la main de Hannah.

— Au diable, ces obligations ! Je préfère rester et assister au spectacle en ta compagnie. J'irai en ville après t'avoir reconduite à Valhalla Springs.

Il s'en voulait de la mettre ainsi au pied du mur, mais il se tramait quelque chose, et il n'avait aucune confiance en Reilly ou AnnaLeigh Boone. Ils auraient pu être baptisés dans le Jourdain par le plus éminent des évangélistes, que cela n'aurait pas entamé sa méfiance. Et si Hannah était suffisamment lucide pour garder ses distances avec eux, sa propension à faire cavalier seul contraignait David à faire montre de la plus grande prudence.

Contrariée, Hannah lança un « Merde ! » retentissant qui tira un grand sourire à David.

— Souviens-toi, lui rappela-t-il. Tu disais en avoir assez des cachotteries.

— Je sais ce que j'ai dit, inutile de le répéter !

Elle laissa échapper un dernier sourire, avant de capituler.

— Bon, AnnaLeigh m'a glissé un message en douce. Elle me donne rendez-vous après le spectacle, sur le parking, près de l'enclos à poneys. Je dois y aller seule. Pas de police. Elle a besoin de mon aide.

— Qu'as-tu fait du message ?

— Je m'en suis débarrassé dans les lavabos.

— Bon, j'ai le temps d'aller au bureau. Je reviendrai bien avant la fin de la représentation.

Hannah lui saisit la manche.

— Le message précisait : « Pas de policier. » Oh ! si tu avais vu son regard terrifié…

— Que veux-tu dire ?

— Elle crevait de peur, David. Et de désespoir — assez en tout cas pour demander de l'aide à une belle-fille providentiellement retrouvée.

Le terme « belle-fille » le fit tiquer. Ainsi, Reilly avait ferré Hannah avec sa fable à base de crème glacée, de parc et de balançoire…

Hannah tapota son insigne de shérif.

— Nous devons savoir de qui AnnaLeigh a peur, David. Et le seul moyen de l'apprendre, c'est que tu promettes de ne pas surveiller notre conversation. Pour ma part, je te promets de tout te raconter après.

— De qui veux-tu qu'elle ait peur, sinon de…

— Je veux l'entendre de sa bouche.

— Ce rendez-vous nocturne sur un parking désert ressemble plus à un guet-apens qu'à autre chose.

— Je dirai à AnnaLeigh que tu es au courant, et qu'elle a cinq minutes, pas une de plus, pour vider son sac.

David était assailli de noires pensées. Pour lui, le temps pressait. Mais comment convaincre Hannah ? S'il feignait de l'approuver, elle ne serait pas dupe. Il servait sec, elle renvoyait encore plus sec. Mais il voulait marquer à tout prix. Après avoir émis quelques objections pour la forme, il feignit de s'avouer vaincu.

— Bon, à ton aise. Mais attention : cinq minutes, montre en main ! Si « l'Incroyable AnnaLeigh » s'éternise, j'interviens.

— Je veux ta promesse, David.

Il lui déposa un baiser sur le crâne.

— Juré. Je ne jouerai pas les espions.

La musique de cirque vieillotte et stridente, amplifiée par un moderne système de sonorisation Surround Sound, emplissait le chapiteau. Massée sur les gradins, une foule serrée cuisait dans son jus. L'air chaud fleurait bon l'odeur des cacahuètes grillées et du pop-corn nappé de beurre fondu. Ici, on venait applaudir des artistes bien réels, en chair et en os : une différence majeure avec les spectacles sur écran.

Dès qu'elle pénétra sous le chapiteau, Hannah ressentit l'excitation si particulière des lieux. Elle aperçut, sur les gradins, ses amis retraités de Valhalla Springs. Aussitôt, fusèrent des « Hou, hou, c'est nous ! et autres « Par ici ! », qui faisaient paraître leur petite troupe plus nombreuse qu'elle l'était en réalité.

Elle éprouva un certain soulagement. IdaClare et ses acolytes ignoraient tout de Reilly Boone. Avec eux, et en l'absence de David, elle pouvait presque se comporter comme s'il ne s'était rien passé, comme si tout allait pour le mieux dans le meilleur des mondes. De fait, elle était toute joyeuse à la perspective d'assister à un spectacle de clowns, de trapézistes, de tigres sautant à travers des cerceaux en flammes, et des prodiges accomplis par de remarquables acrobates.

Bien sûr, le départ précipité de David l'avait contrariée. La prenait-il pour une imbécile ? Une course urgente à faire en ville, à son bureau ? Tu parles ! Elle n'y avait pas cru une seconde. Il voulait surtout aller se renseigner plus avant sur Reilly Boone.

Depuis qu'il avait vérifié le permis de conduire de l'illusionniste, l'envie d'en savoir plus sur ce mystérieux bonhomme le démangeait.

David était un flic. Et qu'il porte ou non son uniforme, cet homme sensible et séduisant avait la ténacité d'un bull-dog.

Si David lui faisait des cachotteries concernant Reilly, elle lui rendrait la pareille après son entrevue avec AnnaLeigh. Et si cette dernière ne lui apprenait rien de marquant, David n'était pas obligé de le savoir.

C'était aussi simple que cela.

Hannah approchait des gradins où étaient installés ses amis, quand la voix stridente de Delbert s'éleva au-dessus des autres :

— Hé ! ma puce, pourquoi faites-vous cette tête ? On dirait une poule qui vient d'avaler un trombone.

— Ah bon ? Eh bien, sachez que c'est ma tête des jours de fête !

— Mouais, mouais… ?

Comme les autres, il remarqua qu'elle cherchait un endroit où poser ses fesses. Et ce fut Delbert, qui portait ce soir-là un pantalon jaune à carreaux et un tricot à col roulé mauve, qui prit les choses en main.

— Poussez-vous, vous autres ! lança-t-il d'une voix sonore à l'intention de Marge Rosenbaum et de ses compagnes, sur sa droite. On a besoin de place pour Hannah.

Les intéressées, qui n'étaient pas sourdes, comprirent le message. Docilement, elles se serrèrent, libérant presque deux mètres de gradins sur le flanc de « Bisbee l'Aboyeur. »

Gênée d'être le point de mire d'une partie du public, Hannah se fit toute petite.

Derrière elle, IdaClare donna une pichenette sur le crâne de Delbert. Ce dernier laissa échapper un « Aïe ! » indigné. D'une main, il palpa sa boîte crânienne, puis se dévissa le cou pour apostropher IdaClare.

— Non mais ça va pas ? Qu'est-ce qui te prend ?

— Surveille tes paroles, Bisbee, répliqua-t-elle sans se laisser démonter. Sinon, je t'envoie direct faire dodo dans l'auto.

— Je voudrais bien voir ça, vieille chouette ! Essaie encore de me taper sur la tête et tu rentres à pied.

Hannah intervint.

— Dois-je comprendre que vous n'avez pas pris la navette pour venir ici ?

— Non, maugréa Delbert, et voilà tous les remerciements auxquels j'ai droit pour avoir improvisé un service de taxi en deux temps trois mouvements.

— Doucement, prévint Marge, sinon IdaClare va vraiment te bosseler le crâne pour t'apprendre à dire n'importe quoi.

Elle livra à Hannah sa version des événements.

— Delbert était parfaitement d'accord pour faire le chauffeur. Cet après-midi, nous sommes passés chez vous. Nous voulions vous inviter en ville, pour essayer les robes de demoiselles d'honneur. Delbert assurait le transport.

Prise en sandwich entre IdaClare et Leo, Rosemary afficha un air béat.

— Mais nous avions oublié que vous passiez l'après-midi avec votre beau shérif… Alors, nous nous sommes débrouillées.

Hannah fit volte-face et dévisagea Delbert.

— Vous étiez chez moi, cet après-midi ?

— Oui, et ça n'a pas été de tout repos ! Ce satané Bob Davies s'était mis en tête de réparer la bricole au plafond de votre salle à manger.

La bricole ? releva Hannah en sursautant. Si le trou béant qui endommageait son plafond était une bricole, alors l'Everest ne dépassait pas la hauteur d'une colline à vaches !

Delbert enfonça le clou.

— Rien à craindre, ma puce. J'ai expliqué la situation à Bob et je l'ai mis au boulot. Il n'avait plus qu'à suivre mes instructions. Le mal est réparé.

Hannah adressa une prière au dieu des bricoleurs et à ses aides pour qu'ils empêchent Bob Davies, le responsable de l'entretien à Valhalla Springs, de venir épingler sa démission sur son bureau d'un coup de tournevis.

Elle se tourna vers IdaClare.

— Et pour ma robe ? Comment vous êtes-vous débrouillées, en mon absence ?

IdaClare et ses acolytes échangèrent des sourires malicieux. Comme si elle avait affaire à une simple d'esprit, Rosemary expliqua d'une voix douce.

— Mais nous avons pris celle qui se trouvait dans votre placard, ma chérie.

— Pas facile de choisir dans vos affaires la tenue qui conviendrait pour le mariage, chère Hannah, poursuivit IdaClare. Marge penchait pour cet adorable ensemble de soie avec une tunique sans manches qu'on agrafait à l'épaule, comme un péplum. Mais en fouillant mieux dans votre placard, j'ai trouvé tout au fond une ravissante robe de soirée en velours bleu nuit.

Elle fit des mines et applaudit, pour bien montrer à quel point cette robe l'avait enthousiasmée.

— Ma chère, c'est bien simple : nous étions muettes d'admiration !

Hannah eut l'impression de recevoir l'Empire State Building sur le crâne. La robe dont il était question, elle l'avait achetée huit ans auparavant à l'occasion d'une réception organisée par Friedlich et Friedlich, afin de célébrer avec ses employés de bons résultats commerciaux. Naturellement, Jarrod s'était fait porter pâle à la dernière minute. Jack Clancy avait alors offert à Hannah d'être son chevalier servant. Encouragés par un bon magnum de champagne, ils avaient échoué dans la chambre de

Jack et découvert à cette occasion que l'amour ne pouvait pas tout conquérir, aussi fort qu'on croie en lui.

Cette robe, Hannah avait failli la jeter cent fois. Et cent fois elle avait renoncé car, comme disait son grand-oncle Mort : « Les plus belles roses ont toujours des épines. » Il n'y avait aucune amertume attachée à cette robe, ni aux souvenirs qui lui étaient liés. Ce qui s'était passé ce soir-là entre Jack et elle était à passer par profits et pertes. Seule restait leur amitié, indéfectible, c'était ce qui comptait le plus.

Leo mit son grain de sel.

— Cette robe vous ira très bien. Ma Rosemary la voulait bleu plus clair, mais elle a changé d'avis tellement c'est joli.

— Et tout s'est merveilleusement bien passé, au magasin, renchérit IdaClare. La vendeuse était adorable. Elle a essayé votre robe, Hannah, pendant que Marge et moi revêtions les nôtres. Ensuite, j'ai amené tout le monde sur le trottoir. Rosemary a pu juger des couleurs à la lumière du jour.

— C'était charmant ! assura Rosemary.

Hannah avait l'impression d'être en plein naufrage. Passait encore qu'elle se retrouve avec la démission de Bob Davies sur les bras. Mais lui faire porter *cette* robe au mariage revenait à demander à un rescapé du *Titanic* de ne pas prendre de gilet de sauvetage à l'occasion d'une nouvelle croisière transatlantique.

Comment allait-elle se tirer de ce pétrin ? Il lui faudrait une excuse indestructible pour ne pas porter la robe en question. Quant à l'« adorable ensemble de soie avec une tunique sans manches agrafée aux épaules », elle avait au moins besoin d'un régime de trois mois et d'une séance de liposuccion avant d'espérer pouvoir rentrer dedans.

Rosemary lui agrippa le bras.

— Vous ne savez pas tout, chérie ! La fleuriste nous a déniché des rubans coordonnés à nos trois tenues. Elle a aussi terminé les décorations des candélabres de la cérémonie, ainsi que celles des bouquets.

Leo se réjouit.

— C'est, sans douter, un présage de bon augure !

Hannah se tourna vers Delbert comme vers le messie, puis posa la tête sur son épaule.

— Vous en faites une drôle de tête, ma puce, s'inquiéta-t-il.

— Attendez de voir celle que je ferai demain !

Le palais de justice du comté de Kinderhook avait tout d'une boîte à chaussures. On aurait pu confondre ce triste bâtiment à trois étages avec un entrepôt. Seuls points forts : de belles entrées dégagées sur chacun des quatre côtés. Et sur la pelouse de devant, un canon exposé sur une dalle de béton.

David s'était habitué à la laideur des lieux. Secrètement, même, il espérait que le vieil édifice continuerait à défier le temps. Seule l'impossibilité de moderniser et d'agrandir les locaux l'irritait. Un siècle plus tôt, les bureaux du shérif et la prison avaient été installés au troisième et dernier étage, afin de réduire les risques d'évasion.

Le bâtiment datait d'avant la guerre de Sécession. A l'époque, on n'y hébergeait qu'un petit nombre de prisonniers. Les choses avaient évolué, depuis, et les vingt-deux employés travaillant pour les services du shérif suffoquaient dans des locaux exigus conçus, en leur temps, pour quatre représentants de la loi et un télégraphiste vacataire.

David franchit le seuil du tribunal, pestant une fois de plus contre l'archaïsme des locaux. Il s'engagea dans la cage d'escalier en spirale qui conduisait aux étages. Sur les marches de béton, ses bottes faisaient résonner un écho lugubre dans le bâtiment désert.

Rien de tel qu'une bonne suée et un afflux d'endorphine pour être en forme. Cette fois, pourtant, il se retint de gravir les marches au pas de course, afin de rester présentable pour Hannah.

Au plafond de la rotonde intérieure, d'antiques globes dépolis suspendus à des tiges de cuivre éclairaient les vénérables bancs disséminés ici et là, contre lesquels les visiteurs se cognaient immanquablement les tibias. Les salles du tribunal et celles réservées à la magistrature occupaient les deux tiers de l'étage supérieur. Cette section, pourtant plus étendue que celle réservée au shérif, était aussi encombrée que ses propres locaux.

Un peu plus tôt, devant l'entrée principale, côté est, David avait glissé son passe magnétique dans la fente du lecteur électronique installé sur la porte. Il avait du s'y prendre à deux fois avant qu'une lumière verte s'allume, l'autorisant à pénétrer dans les lieux. Une chance ! D'ordinaire, il lui fallait essayer trois fois avant d'obtenir le feu vert.

Après avoir fait de la lumière dans son bureau, David ferma la porte. Il se sentit coupable et agacé en pensant que Tony Kurtz et Nancy Aldecott, qui étaient de service au standard ce soir, avaient vu en gros plan son air sombre et ses sourcils froncés sur l'écran vidéo de surveillance.

Mais l'heure n'était pas aux mondanités.

David mit en marche son ordinateur et pressa la touche 8 de son téléphone. Marlin Andrik, inspecteur principal des enquêtes criminelles, décrocha à la deuxième sonnerie.

— C'est moi, Marlin, lui dit David. J'aurais besoin d'une personne de confiance pour une mission de filature et surveillance. Durée prévue : une heure.

— Laisse-moi deviner… grommela Andrik. Je parie qu'il s'agit d'une certaine dame…

— Dans le mille, répondit David en prenant place devant son écran.

Il mit Andrik au courant et conclut :

— Inutile de dire qu'il s'agit d'une mission personnelle et confidentielle.

— L'exact contraire d'officiel avec mémo détaillé transmis à tous les officiers de police.

— Tu comprends vite.

— Et je ne dois me faire remarquer ni par Mlle Garvey ni par Mme Boone. Sauf cas de force majeure.

— Affirmatif.

— Et je fais quoi si Mme Boone dit quelque chose d'important ? J'interviens, même s'il n'y a pas urgence ou danger ?

David ne se déplaçait jamais sans sa radio mais, pour cette affaire, il préféra opter pour son téléphone portable.

— En cas de besoin, tu laisses l'info sur ma messagerie vocale. Je la consulterai dès que nos donzelles en auront terminé. En cas d'urgence, compose le code 1 sur ta radio.

— Ça marche. Au fait, comment se porte notre rouquine nationale ?

— Pas aussi bien qu'elle veut me le faire croire. Tu la connais, elle aime jouer les intrépides.

— Un point que vous avez en commun, remarqua Andrik. Et ce Boone, tu crois qu'il s'agit vraiment de son père ?

— Peu importe ce que je crois.

— J'en conclus que ce n'est pas son père, selon toi.

— Comment veux-tu que je le sache ? Il nous a montré ces photos, et l'épisode du parc d'attractions était plutôt convaincant.

— Moi, ce type me fait l'impression d'un trou du cul, trancha abruptement Andrik avant de raccrocher.

David resta un instant songeur, suite à cette sortie pour le moins tranchée, puis pivota sur sa chaise de bureau pour consulter l'écran de l'ordinateur. La carte grise du camping-car et de la remorque contenant le matériel était au nom d'AnnaLeigh A. Boone. La plaque minéralogique était enregistrée à son nom et à celui de Reilly J. Boone.

Tiens, tiens…

Mme Boone était donc propriétaire des deux véhicules. Au vu de leur différence d'âge, au profit de Boone, c'était assez étrange… L'immatriculation était également surprenante. D'ordinaire, le nom du mari précédait celui de l'épouse.

David vérifia sur l'ordinateur qu'aucun avis de recherche ou mandat d'amener ne concernait Reilly Boone. Mais le gaillard avait seulement récolté quelques procès-verbaux sur la route. Pas d'accidents de la circulation à signaler. Il avait été arrêté à deux reprises, dans des bars, pour ivresse et trouble à l'ordre public.

L'ordinateur passa à la page suivante, et David se figea en découvrant toute une série de nouvelles informations concernant Boone : tentative d'homicide, quatre condamnations pour coups et blessures, inculpations pour voies de faits multiples, résistance aux forces de police lors d'arrestations, infraction à la législation sur les armes. La plupart de ces chefs d'accusation avaient été requalifiés en délits mineurs. Ce qui n'avait pas évité à Reilly J. Boone, vingt-cinq ans plus tôt, un séjour tous frais payés dans la prison d'Etat de l'Illinois pour homicide involontaire.

Lors de leur conversation, dans le camping-car, Reilly prétendait avoir mis son poing dans la figure d'un homme qui avait traité la mère de Hannah de putain. Il avait oublié de préciser que le malheureux n'avait pu lui présenter d'excuses, pour la simple et bonne raison qu'il n'avait pas survécu.

David sortit de son bureau et quitta le tribunal la tête bourdonnante. Il regrettait le temps où les pionniers de l'Ouest enduisaient de goudron et de plumes tricheurs et arnaqueurs de tout bord. S'il ne tenait qu'à lui, un certain Reilly Boone n'aurait pas tardé à avoir l'air d'une autruche !

D'après ce qu'il savait de l'histoire de Hannah, c'était un miracle qu'elle s'en soit sortie à peu près intacte. Elle n'avait rien à gagner auprès d'un vieux roublard de soixante et un ans, très improbable papa.

Quinze minutes plus tard, David était gonflé à bloc quand il pénétra sous le chapiteau et se posta non loin de l'entrée. Tout en regardant Hannah applaudir le numéro d'un chien doberman cycliste, il ne put s'empêcher de repenser aux gros mensonges de Reilly. Il fallait croire au Père Noël pour gober la touchante histoire ce vieux singe !

L'orchestre du cirque salua en fanfare la fin du numéro avec le chien. Les lumières baissèrent d'intensité en même temps que s'élevait un faible roulement de tambour. Sur la piste centrale, une grande estrade apparut sous les feux croisés de trois projecteurs. Costumé en Monsieur Loyal, Frank Van Geisen débita son laïus avec la force de l'habitude :

— Mesdames et Messieurs, le numéro qui va suivre est ensorcelant, époustouflant, abasourdissant… Je vous demande d'applaudir la stupéfiante, l'étonnante… l'Incrooooyaaable AnnaLeigh !

L'orchestre attaqua *That Old Black Magic* sous de timides applaudissements qui se changèrent en clameurs enthousiastes et, pour finir, en sifflements appréciateurs. David ne put s'empêcher, en mâle qui se respecte, de saluer lui aussi d'un sifflement l'entrée en piste d'AnnaLeigh, vêtue d'une tunique transparente noire à revers duveteux, fendue sur le côté et moulante à craquer. Telle une crinière d'amazone, ses vaporeux cheveux bouclés encadraient son beau visage. A son cou pendait un chevron d'or qui pointait au plus profond de son décolleté. Reilly, qui la suivait à quelques pas, portait un pantalon moulant de soie noire, un boléro et une chemise blanche au col orné d'un nœud papillon. Avec ses gants, il donnait l'impression d'être son butler attitré.

David avait du souci à se faire. Demain, à la première heure, tous les téléphones de son service carillonneraient en chœur. Les formes éblouissantes d'AnnaLeigh n'allaient laisser personne indifférent, le bouche à oreille allait drainer de nouveaux amateurs aux prochaines représentations et, David en mettait sa main au feu, dimanche prochain, les pasteurs de Sanity fustigeraient les pécheurs égarés par la concupiscence.

Sur l'estrade dressée au centre de la piste, les Boone faisaient se succéder en douceur leurs tours de magie et tenaient leur public sous le charme. Malgré tout, David eut l'impression qu'AnnaLeigh était un rien crispée et ses gestes imperceptiblement décalés. Elle regardait toujours en direction des gradins, jamais vers Reilly.

David haussa les épaules. Après tout, qui était-il pour juger des performances d'un illusionniste, lui dont le seul tour de passe-passe datait des années de lycée, quand il avait feinté si vite un adversaire de football que l'autre n'y avait vu que du feu ?

Se détournant du spectacle, il observa Hannah. Elle aussi était tendue. Et Delbert s'en était rendu compte, qui la couvait d'un regard protecteur. A sa façon, ce vieux chnoque aimait la jeune femme au moins autant que David. Il le fallait bien, pour qu'il ne soit pas en train de lorgner sous toutes les coutures la très sexy AnnaLeigh.

Reilly achemina un chariot de matériel sur le devant de l'estrade. La voix de Frank Van Geisen s'éleva de nouveau pour présenter La Cible Humaine, qui était le clou du numéro de magie d'AnnaLeigh et Reilly.

Deux accessoiristes venaient de monter un grand panneau vertical de verre fumé. Derrière, à quatre mètres, deux autres dressaient un écran métallique pare-balles sur lequel était dessinée, en rouge, la très reconnaissable silhouette d'AnnaLeigh. Celle-ci, l'air solennel, se pencha sur le chariot et prit un vieux fusil à pierre et poudre noire, qu'elle brandit au-dessus de sa tête. Le silence plomba les gradins tandis qu'elle tournait sur elle-même pour exhiber l'arme à la crosse ornée de cuivre et au long canon de métal bleu, dans toute sa trompeuse et meurtrière beauté.

AnnaLeigh posa l'arme à la verticale, crosse en appui sur le chariot. Elle s'empara de la corne de chasse couleur ivoire que lui tendait Reilly et chargea le fusil en poudre. Elle prit la balle que son comparse lui offrait de sa main gantée et la montra aux spectateurs des gradins de gauche, de droite et du centre. Puis elle fit glisser le projectile dans le canon du fusil.

Un lugubre roulement de tambour digne d'une exécution capitale souligna crescendo la gravité du moment. Après avoir tendu l'arme à Reilly, AnnaLeigh pivota sur ses talons et, frôlant au passage le panneau de verre fumé, prit position devant l'écran pare-balles, exactement dans les contours de sa propre silhouette.

Sous les roulements ininterrompus du tambour, Reilly tourna le dos au public et épaula le fusil. Une pellicule de sueur s'était formée sur le front de David. Impossible pour lui de ne pas songer à Stuart Quince, quand il s'était profilé dans l'embrasure de la porte, cette fameuse nuit. Il rejeta la tête en arrière et chassa ce mauvais souvenir de son esprit. Son pouls battait au rythme frénétique du tambour.

« Je n'ai fait que mon devoir ! » pensa-t-il rageusement. « C'était moi ou lui. Tuer ou être tué. N'y pense plus. N'y pense *jamais* plus ! »

La détonation du fusil à poudre ponctua sa résolution. L'écran de verre teinté explosa en mille fragments. Une fumée blanche s'échappait du canon. AnnaLeigh dressa brusquement les bras et son corps fut projeté contre le panneau métallique. Lentement, elle s'affaissa en laissant derrière elle une traînée sanglante.

Reilly poussa un cri déchirant.

— AnnaLeigh !

Son fusil tomba sur l'estrade avec un grand bruit. On aurait dit un second coup de feu.

117

7.

L'âcre odeur de la poudre avait envahi l'intérieur du chapiteau, et la fumée se répandait en rubans capricieux, poussés par des courants invisibles. Le public regardait fixement l'estrade comme si le sang, le corps recroquevillé, les solides gaillards ceinturant l'assistant de la belle magicienne, étaient partie intégrante d'une gigantesque illusion.

Car il était évident que d'une seconde à l'autre, l'Incroyable AnnaLeigh se relèverait sans une égratignure et ferait la révérence, heureuse d'avoir trompé ses admirateurs avec un peu de fumée et quelques jeux de miroir.

Brusquement, des cris horrifiés jaillirent. Des mères affolées plaquèrent leur main sur les yeux de leurs enfants, les empêchant d'en voir plus. Des hommes se dressèrent, désignant l'estrade du doigt. Tout le monde se mit à crier, dans la confusion la plus totale : « Aidez-la… Appelez de l'aide… Elle est blessée… »

Artistes en tenue et employés du cirque se pressaient autour du corps d'AnnaLeigh. David bondit sur l'estrade et aboya des ordres brefs dans sa radio portable. Deux policiers de Sanity chargés de surveiller le spectacle attrapèrent fermement Reilly par les bras et le traînèrent hors de la piste. Le Dr John Pennington, médecin appointé à l'année par les responsables de Valhalla Springs, piqua un sprint entre deux rangées de gradins et passa près de

Hannah. Impulsivement, elle se leva pour le suivre, mais Delbert la retint par le poignet.

— Où allez-vous, Hannah ?

Elle se libéra d'un geste vif et percuta un spectateur dans le mouvement. Le talon de sa sandale accrocha une contremarche et elle perdit l'équilibre. Son flanc heurta la planche rugueuse d'un gradin.

A peine consciente d'avoir les paumes en feu et une plaie à la jambe, elle se releva et s'élança. Elle fit un crochet pour éviter les caches que les accessoiristes installaient pour masquer l'arrière de la scène.

L'orchestre enchaîna sur le *Boléro* de Ravel et les projecteurs se braquèrent sur les acrobates juchés au sommet de leurs mâts.

— Mesdames et messieurs, lança Van Geisen, permettez-moi de vous présenter les seuls, les uniques Zandonatti, l'illustrissime famille d'acrobates volants !

Indignée, Hannah s'approcha de lui.

— Vous êtes fou ! Pour l'amour de Dieu, arrêtez le…

Un clown au sourire triste la tira en arrière, un bras passé autour de ses épaules.

— Tout va bien, mam'zelle. Venez, je vous emmène voir Reilly.

—Mais AnnaLeigh est blessée ! protesta Hannah en se débattant.

Une voix cinglante l'interrompit.

—Suis-le, Hannah ! Je t'en prie.

Interloquée, elle pivota sur place, leva les yeux et aperçut David juché sur le bord de la scène. Derrière lui, les vigiles installaient une nouvelle série de bâches autour de l'estrade pour masquer le lugubre spectacle. Sur cet écran improvisé dansaient des ombres mouvantes, tantôt agrandies, tantôt rétrécies, qui semblaient suivre la cadence de l'orchestre.

— Je veux d'abord savoir comment va AnnaLeigh, insista Hannah.

— Doc Pennington est avec elle, lui répondit David d'un ton aussi désolé que l'expression de son visage. Une ambulance doit arriver d'un instant à l'autre.

Marlin Andrik surgit en courant par l'arrière du chapiteau. Il portait deux mallettes de matériel. Vêtu d'une chemise et d'un costume bleu, il ressemblait à un agent secret en mission de protection à la Maison-Blanche. L'inspecteur principal fixa Hannah sans aménité, puis adressa un regard appuyé à David, signifiant : « Elle n'a rien à faire ici, fais-la partir. »

Il n'eut pas à insister. D'une légère pression de la main, le clown poussa doucement Hannah vers les coulisses. Que pouvait-elle dire ? Elle eut beau chercher, rien ne lui vint à l'esprit.

Agenouillé auprès d'AnnaLeigh Boone, Doc Pennington poussa un soupir qui en disait long sur son diagnostic. Puis il regarda David. Poussé par la force de l'habitude, il avait contrôlé le pouls au poignet et à la carotide de la victime, mais les boucles brunes de la magicienne ne masquaient que très partiellement l'horrible vision d'un visage à moitié arraché par le coup de feu. Il n'y avait plus rien à faire pour elle.

En se redressant, le médecin fit crisser sous ses semelles des éclats de verre. David consulta sa montre et nota dans son carnet l'heure du décès. Junior Duckworth, le coroner du comté, se chargerait de l'acte officiel, mais deux précautions valaient mieux qu'une.

Pennington prit congé.

— Si vous avez besoin de moi, n'hésitez pas.

D'abord tenté de lui demander de reconduire Hannah à Valhalla Springs, David s'abstint ; il savait que l'obstinée refuserait net.

— Je vous appelle. Et merci encore.

Deux équipes de secours se ruèrent sur la piste par l'entrée arrière. D'un signe de tête, David leur signifia que tout était fini et qu'ils pouvaient repartir. AnnaLeigh Boone était morte bien avant l'arrivée de l'ambulance. Mais Andrik désigna les spectateurs du pouce.

— Attends un peu ! Il y a foule ce soir. Pourquoi renvoyer les ambulanciers ? Tant qu'ils sont dans le coin, les curieux qui s'attardent dans les gradins peuvent penser que Mme Boone est encore vivante...

David reconnut que c'était bien pensé. Et tant pis si l'arrivée de Junior Duckworth dévoilait le pot aux roses.

Le croque-mort en était à son troisième mandat de coroner. Petit-fils du fondateur des pompes funèbres Duckworth, il n'avait pas connu l'époque où le corbillard s'appelait chariot mortuaire et bringuebalait derrière deux lugubres canassons. Il était sempiternellement habillé d'un costume noir et d'une chemise blanche, dans le style de son père et de son grand-père, et sa venue annonçait toujours un triste événement.

Tandis qu'Andrik manipulait les courroies fermant ses mallettes, un tonnerre d'applaudissements tomba des gradins.

— C'est le bouquet ! Jamais travaillé sur un lieu du crime pareil. Et quel boucan !

— A quoi tu t'attendais, après ce qui est arrivé ?

L'inspecteur principal haussa les épaules.

— Oh ! et puis tant mieux s'ils font tout ce raffut ! Mieux vaut ça qu'une nuée de nécrophiles agglutinés autour de nous pour reluquer le cadavre.

D'une pichenette, Andrik fit sauter les protège objectifs de ses deux appareils photo, qu'il passa en bandoulière.

— En tout cas, les causes médico-légales de la mort sont limpides : la victime a été tuée d'un coup de feu tiré par son assistant.

121

Le policier photographia AnnaLeigh sous différents angles en utilisant un éclairage stroboscopique permettant d'avoir des clichés en trois dimensions. Après chaque prise de vue, Andrik notait le type de focale utilisé, son ouverture, la distance entre l'objectif et l'écran métallique qui lui servait de repère pour sa mise au point. Toutes proportions gardées, le policier exécutait avec ses appareils et ses objectifs un numéro de jongleur digne du cirque Van Geisen.

— Dès que Josh Phelps et Cletus Orr seront là, expliqua-t-il, je les laisserai prendre le relais. Phelps manque d'expérience, mais Orr le cornaquera. Cela nous donnera le temps d'avoir une petite conversation avec ce tireur d'élite de Boone.

Il s'interrompit pour aller jeter un coup d'œil entre les interstices des bâches protectrices. Van Geisen s'était lancé dans la présentation du numéro des acrobates cyclistes. David ne put entendre les remarques d'Andrik, à cause de la fanfare, mais il crut lire sur ses lèvres quelques jurons bien choisis adressés au directeur du cirque.

Quand la marée sonore reflua, Andrik reprit ses explications.

— Pour ce qui est d'interroger les témoins, je ne sais pas trop quoi dire à Phelps et Orr. Il y a foule, sur ces gradins.

D'un rapide coup d'œil par-dessus les bâches, David évalua leur nombre.

— Prends-en quelques-uns au hasard, vers le milieu et sur les côtés. De cette façon, nous aurons un échantillon de tous les angles de vue possibles.

Remarquant les flashes de certains spectateurs qui photographiaient la piste et l'estrade bâchée, il eut une idée.

— Hé ! On pourrait demander à ceux qui ont des appareils ou des caméras s'ils ont filmé ou photographié AnnaLeigh quand elle chargeait le fusil ?

Le rire d'Andrik, un rire enroué de gros fumeur, lui répondit.

— Tu regardes trop la télé. Dans la vie, un brave flic ne peut pas compter sur ce genre de coïncidence.

Les membres de l'équipe de secouristes s'écartèrent pour laisser passer Junior Duckworth, accompagné d'un jeune homme boutonneux en blouse blanche. D'un hochement de tête, Andrik délivra au coroner la permission d'examiner le cadavre. La mine de son assistant, un nouveau venu que David n'avait jamais rencontré, prit rapidement une teinte verdâtre inquiétante.

— J'aimerais bien que le jeune homme en blouse attende sa prochaine cuite pour vomir. Ou je l'embarque pour altération de preuves.

La remarque était cinglante, mais il s'agissait d'un homicide et chaque indice comptait. Déranger d'un iota l'état de la scène d'un crime faisait faire des cauchemars aux policiers... et des rêves en Technicolor aux avocats de la défense.

David aida le coroner à retourner AnnaLeigh. En découvrant la partie arrière de son crâne, et l'horrible trou béant qui marquait la sortie du projectile, il sentit le goût de la bile dans sa bouche et se détourna. Le jour où la vue d'un mort ne lui donnerait plus la nausée, il rendrait son insigne. Il savait qu'Andrik, avec ses manières bourrues et son visage taillé dans le roc, était au diapason — même s'il ne l'avouerait jamais.

— Regardez un peu ça ! s'exclama l'inspecteur principal.

Saisissant une lampe-stylo dans la poche de sa veste, il l'alluma et la braqua sur une balle noire qui venait de tomber de la bouche d'AnnaLeigh.

— C'est ce que je crois ? demanda Duckworth.

— Tout juste, répondit Andrik. en pinçant l'objet entre les mandibules d'une pince de chirurgien. Une cartouche intacte, jamais utilisée...

123

Tandis qu'il examinait le projectile sous tous les angles, Duckworth vint se planter à côté de David.

— Si Marlin a déjà mis sous scellés la balle qui a tué la victime, et que celle-ci n'a jamais été tirée, comment est-elle arrivée dans la bouche de cette malheureuse ?

— Il me semble que M. Reilly J. Boone est le mieux placé pour répondre à cette question.

— Appelez-moi Johnny.

Le clown qui soignait l'écorchure que Hannah s'était faite à la jambe n'était autre que l'homme qui cherchait Vera Van Geisen, dans l'après-midi. A cause de son maquillage, elle avait eu toutes les peines du monde à le reconnaître. C'était la voix, qui l'avait éclairée.

L'Allée des Clowns, où ils se trouvaient, était encombrée de vieilles malles, de penderies de voyage, de lits pliants et de matériel de couchage. Dans l'air se mêlaient des effluves de laque capillaire, d'alcool à 90°, de sueur rance et de fumée de cigarette. Il régnait là un désordre et une atmosphère typiquement masculins.

Alors que le clown appliquait de l'alcool sur sa blessure, Hannah tressaillit et serra l'accoudoir de son fauteuil pliant.

— J'étais encore un bleu en 1962, lui raconta-t-il, quand la pyramide humaine des Grands Wallendas s'est effondrée en plein numéro, à Detroit. Cela vous dit quelque chose ? Non, bien sûr, vous étiez encore dans votre berceau.

Hannah sourit.

— C'est flatteur, mais vous devriez porter des lunettes.

— Pourquoi faire ? répliqua le clown en imbibant d'eau un morceau de coton. J'y vois plus clair que vous. On dit souvent qu'une tragédie, comme l'accident qui est arrivé aux Wallendas, se déroule au ralenti. Eh bien, moi qui étais là, je peux vous dire que c'est la vérité ! Le premier des Wallendas a chaviré de la corde raide, puis un autre, encore un autre, jusqu'au dernier. Ils chutaient de douze mètres. C'était si haut que j'avais l'impression qu'ils allaient s'envoler.

Johnny fit claquer sa langue.

— Bien sûr, aucun n'avait les ailes pour. Et, ce soir-là, il n'y avait pas de filet de protection.

Hannah, qui connaissait l'histoire, se rappelait en effet ce détail.

— Pourquoi pas de filet ?

— Le vieux Karl Wallenda était contre. Il détestait les acrobates maladroits. Selon lui, rien de tel pour avoir le pied sûr qu'un grand vide sous la corde raide et un sol de pierre tout en bas. C'était horrible ! se souvint Johnny en s'accroupissant devant Hannah. Ils étaient éparpillés sur toute la piste. Les Wallendas morts, ceux qui agonisaient, ceux qui était salement blessés. On aurait dit des poupées brisécs. Alors, l'orchestre a enchaîné avec la musique qui annonçait le numéro des clowns.

Chacun à sa façon, Johnny et David empruntaient les mêmes chemins détournés pour dire leur fait, songea Hannah. Leur roublardise était un concentré de bonne humeur et de sagesse patinées par les vicissitudes de la vie.

— Difficile pour des gens de l'extérieur de comprendre, poursuivit Johnny, mais au cirque, le spectacle doit continuer, quoi qu'il arrive. Pour les artistes, c'est une question d'honneur et de respect du public. AnnaLeigh aurait réagi de même.

Il humecta un autre morceau de coton pour désinfecter les paumes de Hannah.

— Elle est morte, n'est-ce pas ? demanda-t-elle.

Johnny se raidit.

— Elle l'était bien avant ce soir.

Le morceau de coton tremblotait entre ses doigts. Il le pressa pour l'assécher.

— C'était une bénédiction pour elle, d'être morte. Mieux vaut couper court dans la Vallée de la Mort que de prendre un long chemin de misère.

Hannah repensa à sa mère, au long chemin de douleur qui avait été le sien. Caroline Garvey et AnnaLeigh Boone n'avaient rien en commun, excepté leur amour d'un même homme et leur mort prématurée.

— Dites-moi tout, Johnny. Qu'est-ce qui n'allait pas entre elle et Reilly ?

— Deux tempéraments soupe au lait. AnnaLeigh croyait qu'en criant plus fort, elle aurait le dernier mot. Leur couple se déchirait de jour en jour. Et elle n'est pas la première victime de La Cible Humaine.

Que voulait-il dire ? Quels secrets cachait leur vie conjugale ? Qu'avait fait AnnaLeigh pour s'attirer les foudres de son mari ? Rien, peut-être. Mais Hannah rejeta cette hypothèse : hautaine, instable et remuante, AnnaLeigh n'était pas le type de femme à rester bras croisés…

L'instant d'après, Johnny avait déjà changé de sujet. Il s'y entendait, pour noyer le poisson. Aussi bien que David, qui lui avait tu la mort d'AnnaLeigh, lui faisant croire que Doc Pennington était à son chevet et qu'une ambulance emporterait bientôt la blessée.

— Vous allez voir que, sitôt la représentation terminée, Frank et Vera vont se précipiter sur le téléphone pour joindre nos commanditaires, déclara encore Johnny. Une mort sous un chapiteau, c'est le meilleur moyen de perdre tout l'argent qu'on veut. S'il ne tenait qu'à moi, on serait déjà en train de plier la toile.

— Vraiment ? s'exclama Hannah en retirant brusquement sa main blessée. C'est donc cela, la belle et grande famille du cirque ? Je suis sûre que Reilly apprécierait de vous voir partir, le laissant seul avec sa douleur. Le spectacle doit continuer, c'est ça ?

Johnny jeta rageusement le morceau de coton taché du sang de Hannah dans un sac en papier, au pied de sa chaise. Il déchira un paquet de gaze, tout en farfouillant sur la table de maquillage à la recherche d'onguent et de sparadrap.

— Si vous désirez le savoir, posez-lui la question. Sans cette tuerie, on aurait fait un succès monstre demain après-midi et en soirée, avec des gradins bourrés à craquer.

Johnny balança presque la gaze, le sparadrap et la pommade sur les genoux de Hannah.

— Et puis, tant que vous y êtes, demandez-lui donc comment il se sent maintenant qu'il nous a fichus dans le pétrin. C'est pas demain qu'on retrouvera un tel public et qu'on affichera complet.

Reilly Boone était affalé sur une chaise pliante.

— Je suis sincèrement désolé pour ce vient de se passer, déclara David, mais nous avons quelques questions à vous poser.

Reilly hocha la tête. Il regardait d'un air absent la portion de sol comprise entre les bouts carrés de ses deux bottes bien cirées.

A l'autre extrémité de la tente qui faisait office de réfectoire, Andrik prenait congé du policier de Sanity qui avait fait sortir Reilly de la piste et veillé à ce qu'il soit isolé des autres. D'un signe de tête, l'inspecteur principal fit comprendre à David que l'illusionniste n'avait rien dit.

Tant pis. En vérité, David ne s'attendait pas à ce que Reilly se montre bavard. La réalité différait sur bien des points avec les feuilletons télévisés. Dans la vie, il y avait aussi peu de poursuites en voitures que de suspects qui se confessaient d'emblée.

Du bout du pied, David attira une chaise à lui et s'assit en face de Reilly à qui il adressa un regard amical. Son carnet à la main, le visage indéchiffrable, Andrik s'installa à son tour.

— Je me sens mieux, plus calme, déclara Reilly. J'y vois aussi plus clair. A mon sens, l'accident n'a pu se produire que d'une seule façon.

Il se redressa sur sa chaise et jeta un bref coup d'œil vers Andrik.

— Ce n'est pas de gaieté de cœur que je trahis le code d'honneur des magiciens… La Cible Humaine est un numéro vieux comme le monde. Il existe quantité de variantes, mais ma version est assez proche de l'originale. On montre au public une authentique balle en plomb. Ensuite, on la cache dans le creux de sa main et on charge le fusil avec une balle truquée — en fait, une imitation en cire. Quand on fait feu, la balle truquée commence à fondre dans la chambre du fusil, mais jaillit avec encore assez de force pour frapper l'écran de verre et le briser. A ce moment, le partenaire visé titube dans un nuage de fumée pour faire croire qu'il est touché. Et puis, une fois la fumée dissipée, la cible vivante s'approche des spectateurs au premier rang et leur montre la balle de plomb coincée entre ses dents. Le public ne comprend pas qu'il soit indemne et applaudit.

— Revenons un peu en arrière, proposa David. Où se trouve la fausse balle en cire ?

— Posée sur la table à accessoires, à côté du fusil. On cache la balle truquée dans sa paume en même temps qu'on se saisit de l'arme.

David visualisait les différentes phases de la manœuvre.

— Et que devient la vraie balle, après que vous l'avez dissimulée dans votre main ?

Reilly eut l'air surpris, comme si la question était stupide.

— A votre avis ? répliqua-t-il d'un ton sec.

— C'est à vous que je le demande, monsieur Boone.

— Eh bien, votre partenaire coince la balle entre ses dents, tout en se dirigeant vers le bouclier métallique où il doit s'adosser.

Il est indispensable de montrer la vraie balle, à la fin du numéro, sinon le trucage perd son sens.

Andrik intervint.

— Puisque trucage il y a, je suppose que l'angle de tir a peu d'importance, du moment que le public ne s'aperçoit de rien.

— Pas du tout : de temps à autre, la balle en cire troue le verre sans le briser en mille morceaux. Si l'impact n'est pas dans l'axe de la bouche du partenaire jouant la cible, la supercherie est flagrante. C'est pourquoi je ne peux pas viser trop haut, trop bas ou de côté.

Drôle de façon de gagner sa vie ! songea David. La Cible Humaine était un mélange hasardeux de roulette russe et de grand spectacle à la Barnum.

— Mon grand-père avait un vieux fusil à poudre, se souvint-il à voix haute. Pas aussi joliment décoré que le vôtre bien sûr… Quand j'étais gosse, il me laissait m'en servir. Je tirais sur de vieilles boîtes de conserve posées sur une clôture. C'était diablement difficile d'en toucher une. Je me souviens que la chambre était brûlante, même après avoir tiré une seule fois.

Reilly ricana.

— Tout juste. C'est à se demander comment on a fait pour canarder les Anglais pendant la guerre d'Indépendance et les renvoyer dans leurs pénates.

— Et c'est à se demander, ironisa David, pour quelle raison une balle en cire ne se liquéfie pas instantanément quand la poudre explose dans la chambre de mise à feu.

— Ce serait le cas si le fusil était normalement chargé. Mais j'utilise en réalité un mélange de poudre et d'une substance de même couleur.

Reilly devança David.

— Toutes les boutiques fournissant du matériel pour illusionnistes ont cette fausse poudre en stock, expliqua-t-il. Personnellement, je l'achète avec les balles en cire chez un grossiste de Dallas.

Voilà qui répondait à une autre des questions de David. Il s'était en effet demandé si l'illusionniste fabriquait lui-même les balles truquées ou s'il les achetait toutes faites.

Andrik prit la relève.

— Ces balles truquées sont-elles entièrement en cire ou moulées autour d'un projectile de plomb ?

— En cire. Le fabriquant colore directement ces fausses balles en noir afin qu'elles ressemblent aux vraies. Avec du plomb à l'intérieur, ce serait trop dangereux. C'est que je tire très bien.

David et Andrik échangèrent un regard entendu. Reilly parlait un peu trop facilement de lui, comme s'il était le seul à accomplir le numéro. Depuis le début de leur conversation, pas une fois il n'avait fait allusion à AnnaLeigh.

— Bon, conclut David, nous connaissons le secret de La Cible Humaine. Avez-vous une idée de ce qui a pu se passer ce soir ?

Un masque de chagrin et de douleur se plaqua soudain sur le visage de Reilly. Ses gants, jetés sur la table, étaient tout tachés de maquillage. Il avait encore des traces de rouge sur les joues. Serré dans son costume de scène en satin noir, il avait l'allure d'un vieux Dracula de série B.

— Quand AnnaLeigh s'est levée ce matin, elle n'était pas en forme et souffrait de migraine et de nausées. Ce qui ne l'a pas empêchée d'aller faire des courses avec Vera, cet après-midi, vous l'avez bien vu, souligna-t-il en s'adressant à David. Moi, je crois qu'elle aurait dû rester au lit, se reposer et se soigner. Elle m'a affirmé que tout allait bien, avant le numéro, mais ses mains tremblaient, au point qu'elle n'arrivait pas à se maquiller. Chaque fois que je disais un mot, elle me tombait sur le râble, si vous voyez ce que je veux dire, conclut-il en lorgnant sur l'alliance d'Andrik.

— Je vous comprends parfaitement, répondit l'inspecteur principal. Une fois le doigt dans l'engrenage, c'est fini. La femme a toujours le dernier mot.

David intervint.

— Comment AnnaLeigh se comportait-elle avant d'entrer en piste, de manière générale ?

— Oh ! elle adorait son public ! Je devais même lui rappeler, à l'occasion, que nous étions partenaires, que les gens n'étaient pas là seulement pour elle. Mais ce soir, dans les coulisses, malgré son sourire et son assurance, j'ai compris qu'il se passait quelque chose.

L'illusionniste changea légèrement de position.

— Quand l'orchestre a joué les premières notes annonçant notre numéro, il me semble bien avoir entendu AnnaLeigh murmurer : « Il est temps d'en finir avec tout ça. »

David et Andrik tiquèrent. Si le numéro de magie de Reilly et d'AnnaLeigh était aussi vieux que le monde, alors la tactique consistant, pour un suspect, à faire porter le chapeau à la victime remontait au Big Bang. Les deux policiers n'étaient pas dupes ; leur apparente neutralité n'était qu'une tactique pour mieux confondre l'illusionniste.

— Tout est ma faute ! gémit Reilly. Ce soir, j'aurais dû faire l'impasse sur La Cible Humaine. Le public ne se serait douté de rien. Et ceux qui connaissent notre numéro par cœur en auraient de toute façon déjà eu assez pour leur argent.

Il se tut, hochant la tête avec tristesse et contemplant les insectes qui bourdonnaient autour des ampoules jaunes suspendues en rang d'oignons sous la toile du chapiteau.

— A mon sens, reprit-il, AnnaLeigh s'est trompée pendant l'échange des balles. Il n'y a pas d'autre explication. Elle a chargé le fusil avec la balle de plomb au lieu de le charger avec celle en cire.

Sa voix se brisa. Des larmes luisaient aux coins de ses yeux.

— Elle aurait pourtant dû s'en rendre compte ! s'écria-t-il. La cire est plus légère que le plomb. Pourquoi ne m'avoir rien dit quand il était temps ? Elle aurait pu faire un pas de côté avant que je tire…

Reilly esquissa un pâle sourire, comme s'il était incapable de comprendre l'attitude d'AnnaLeigh.

— Si je vous suis bien, résuma Andrik, elle aurait chargé le fusil avec la vraie balle et coincé la fausse entre ses dents.

— Peut-être bien… C'est même sûrement ça ! AnnaLeigh était une vraie professionnelle. Une fois l'erreur commise, elle est allée jusqu'au bout. Elle avait sûrement l'intention de faire un écart au moment où je tirerais et, après, de montrer la balle entre ses dents sans s'approcher des gradins.

— Cela se défend, reconnut David en lançant un coup d'œil entendu à Marlin.

Ce dernier prit le relais.

— Il n'y a qu'un problème, dit-il en se penchant vers Boone. Le coroner a bien trouvé une balle dans la bouche de votre femme. Mais il s'agit d'une balle en plomb, pas d'une balle truquée en cire.

Reprenant son souffle, il colla presque son visage contre celui de Boone. Les yeux de ce dernier se mirent à briller sous le coup de la panique.

— Tu veux savoir ce que je pense ? lui lança Marlin en passant au tutoiement. Je crois que ta femme a caché la balle de plomb dans sa main et qu'elle a chargé le fusil avec la balle truquée en cire et le mélange de poudre habituel — comme des milliers de fois auparavant. Sauf que quelqu'un avait déjà chargé le fusil, avant le numéro, avec une poudre noire non édulcorée et une balle cent pour cent en plomb.

Une expression méprisante déformait ses traits. De quoi impressionner les suspects les plus récalcitrants.

— Je parie même que la poudre que tu as utilisée ce soir était encore plus édulcorée que d'ordinaire. Tu es un malin, Boone, et tu as pris soin de garantir tes arrières, les preuves que toutes les précautions étaient prises, et bien prises.

Marlin recula un peu.

— Bien joué, Boone, une mise en scène peaufinée jusqu'au moindre détail !

L'illusionniste bondit de sa chaise.

— Espèce de salaud ! Vous croyez vraiment que j'ai tué AnnaLeigh ?

Il agrippa la manche de David.

— C'était un accident, un fichu accident, vous m'entendez ? D'accord, je me trompe peut-être en disant qu'elle a raté l'échange des balles. Mais je ne vois pas d'autre explication.

Son regard passait de David à Marlin.

— Vous devez me croire : *je n'ai pas tué ma femme !*

David lui attrapa le poignet et lui fit lâcher prise.

— J'aimerais que vous me parliez de cette histoire d'homicide, dans l'Illinois, Boone. A l'époque aussi, vous avez plaidé non coupable…

David poussa le rabat de toile et déboucha dans l'Allée des Clowns, les coulisses du cirque. Le lieu était désert à l'exception d'une jeune femme aux cheveux cuivrés et aux yeux bruns recroquevillée sur sa chaise. David nota le pansement qu'elle portait au niveau du tibia.

— Où est Pince-sans-Rire ? demanda-t-il.

Hannah lui lança un sourire tiède.

— Pince-sans-Rire s'appelle Johnny.

Elle s'étira, puis se passa la main dans les cheveux.

— Il est allé se changer et se démaquiller dans les loges, avec ses partenaires.

133

David vit le désordre éparpillé sur la table surmontée d'un miroir. Au pied de la chaise de Hannah, un sac en papier vide servait de poubelle.

— J'aurais juré qu'ils faisaient ça ici.

— D'ordinaire, oui, mais pas ce soir. On raconte, ici et là, que je suis la fille de Reilly. Ils doivent trouver incorrect de l'accuser de meurtre en ma présence.

Hannah fronça les sourcils.

— Et puis, il a choisi son moment ! Il aurait pu attendre demain soir pour commettre son crime, histoire de préserver la recette.

— Qu'est-ce que tu racontes ?

La voix naturellement grave de Hannah prit une tonalité criarde.

— Voyons, shérif, ce n'est pas à toi que j'apprendrai que le crime ne paie pas, surtout quand on dirige un cirque. Le public boude le sang.

David n'était pas dupe de cette ironie tranchante que Hannah adoptait parfois, et qui n'enlevait rien à son charme.

— Comment as-tu fait pour t'esquinter les jambes comme ça ? demanda-t-il en se penchant vers elle.

Hannah se mit à rire.

— C'est amusant : moi aussi, je disais « esquinter » quand j'étais enfant.

Nostalgique, elle suivit du doigt sur sa peau nue les marques d'anciennes cicatrices, que le temps n'effacerait jamais.

— J'adorais courir et jouer. Et j'étais douée pour me casser la figure.

Elle replia ses genoux sur sa poitrine.

— Pourquoi m'avoir caché la mort d'AnnaLeigh ?

— Aïe ! fit David en se redressant. Ne me dis pas qu'un nouveau round du match Garvey-Hendrickson vient de commencer ?

— Si, et on se bat sans protège-dents et à poings nus.

134

Il en avait toujours été ainsi. Cela faisait tout le sel et la beauté de leurs joutes verbales.

— Pourquoi t'ai-je caché la mort d'AnnaLeigh ? répéta-t-il. A vrai dire, je n'en sais rien.

— S'agit-il d'un accident ?

— Non.

Et il lui dévoila le secret du fonctionnement de La Cible Humaine.

— Pour qu'un accident se produise, il fallait obligatoirement commettre deux erreurs de manipulation. Cela en fait au moins une de trop, pour moi.

Hannah hocha la tête.

— La balle en plomb confondue avec la balle en cire, et le fusil chargé à poudre réelle et non avec le mélange inoffensif.

— Exact. Et pour ta gouverne, sache que Reilly affirme avoir toujours tenu sous clé fusil et munitions, dans le camping-car. Avant chaque représentation, lui ou AnnaLeigh confiait leur arsenal au responsable des accessoires.

Dans la charmante tête brune de Hannah, tous les rouages de son pouvoir de raisonnement fonctionnaient. Il lui semblait presque les entendre. Et il savait à quelle conclusion la jeune femme allait arriver : si on oubliait la thèse de l'accident, celle du suicide restait l'unique alternative à celle du meurtre.

Le suicide ? David, Marlin et Junior Duckworth y avaient brièvement pensé. Mais cela ne tenait pas. Il était avéré que très peu de femmes se suicidaient avec des armes à feu. La crainte de la souffrance, du bruit et des dégâts physiques. Le fait que ce soit quelqu'un d'autre qui presse la détente n'y changeait rien. Et pourquoi AnnaLeigh serait-elle allée fixer un rendez-vous à Hannah après le spectacle si elle comptait mourir pendant son numéro ?

— Tu veux bien que je parle à Reilly ? demanda Hannah.

David refusa d'un signe de tête. Elle s'y attendait, il le savait. A force de le fréquenter, elle en avait appris bien plus sur les procédures criminelles que nombre de jeunes flics en uniforme. Suspect et témoin d'un meurtre présumé, Reilly Boone ne devait communiquer avec personne.

Par délicatesse, David lui cacha que Boone, lors de leur entretien, n'avait pas une fois fait allusion à elle. Il espérait qu'elle ne le questionnerait pas à ce sujet, le contraignant à mentir et à rompre du même coup la promesse qu'ils s'étaient faite de tout se dire.

Pour la protéger, il devait du même coup protéger Reilly Boone.

— Reilly est en état d'arrestation ? demanda-t-elle.

— Non. En simple garde-à-vue. En ce moment, on le conduit à l'hôpital pour une prise de sang.

— Pourquoi ?

David tendit à Hannah les feuillets imprimés au bureau et relatant le passé judiciaire de Boone. Il profita de ce qu'elle les lisait attentivement pour se justifier.

— Une prise de sang effectuée d'emblée empêche l'accusation ou la défense d'invoquer un quelconque délit de négligence. Reilly a déjà été condamné pour des actes de violence commis en état d'ivresse. Je n'ai pas eu à lui tenir le poignet pour qu'il signe l'autorisation de prélèvement sanguin.

Hannah lui rendit les feuillets, qu'il replia et rangea dans sa poche.

— En revanche, poursuivit David, il a refusé qu'on fouille le camping-car et la remorque. Il dit qu'il ne veut pas que des étrangers touchent aux affaires d'AnnaLeigh ou aux siennes. Avec nos grosses pattes « nous casserions leurs accessoires de scène en mille morceaux. »

David se figea soudain.

— Mais j'y pense ! En tant qu'ancien condamné, Boone n'a pas le droit de détenir d'armes à feu ni d'explosifs. Je peux obtenir tout de suite du juge un mandat de perquisition en bonne et due forme. La mort d'AnnaLeigh n'y change rien.

Hannah intervint.

— Le fusil, la poudre et les munitions n'étaient peut-être pas à Reilly, mais à AnnaLeigh. Que je sache, aucune loi n'interdit à la femme d'un ex-détenu d'avoir des armes et des explosifs.

— Voyons, Hannah !

— Bon, je te promets de ne plus faire d'effets de manches…

Elle cala son menton sur ses genoux.

— Tout compte fait, j'aurais préféré que tu continues à me cacher des choses…

— Hannah !

— C'est vrai, David. Cette histoire est décidément trop compliquée. Même le *National Enquirer* crierait forfait.

Plagiant le célèbre journal d'investigation, elle déclama :

— *La famille pas-de-chance paie le prix du sang !*

David la regarda au fond des yeux et fut bouleversé par le chagrin qu'il y lut.

— Je suis désolé, Hannah, mais si tu laisses Boone s'immiscer entre nous…

— Essaie de comprendre, pour l'amour de Dieu ! Reilly fait désormais partie de ma vie. Pas question que je le laisse tomber.

David rumina sa hargne en silence.

Idiot ! lui dit une petite voix. *C'est toi qu'elle laisse tomber, alors que Reilly n'a jamais rien fait pour elle.*

Alors qu'un battement sourd martelait ses tempes, une autre voix se mêla au débat :

Oui ou non, aimes-tu Hannah ? As-tu confiance en elle ? C'est le moment ou jamais de le prouver. Peu importe que Boone soit, ou non, son père. Il est le seul lien que Hannah ait avec sa mère. Et cette mère, elle n'a pas pu la sauver du suicide. Voilà pourquoi elle souffre tant, depuis.

Il aida Hannah à se lever et l'enlaça, la berçant d'avant en arrière, savourant la chaleur de son corps serré contre le sien. Le visage enfoui dans sa chevelure, il respira son parfum auquel se mêlait une note acide de fruit exotique et une odeur douceâtre de noix ce coco.

Hannah était pure, toujours prête à défendre la veuve et l'orphelin. Sans oublier un père saltimbanque. Boone n'avait pas menti en parlant du grand cœur de sa « fille ».

L'ambiance devenait troublante.

— Si nous ne réagissons pas, nous allons sécher sur place, plaisanta David.

— Tout ce que tu veux, du moment que je reste avec toi… Non, oublie ce que je viens de dire !

Elle posa la tête contre son torse.

— Dis, David, tu crois aux rêves de gosses ?

— Je ne pense pas, non. En tout cas, j'ai oublié les miens.

— Un beau matin, tu découvriras le poney de tes rêves sous ta fenêtre.

Une boule d'émotion bloqua soudain la gorge de David. Vite, chasser cette envie de pleurer.

— Quelle drôle de prédiction ! En fait, dans mes rêves d'adolescent, il y avait une des pom-pom girls de l'équipe de foot du lycée qui revenait assez souvent. Elle se baladait en petite tenue. Et chaque nuit, la couleur de ses dessous changeait.

Pas dupe, Hannah s'écarta doucement et lui sourit. David comprit qu'elle l'aimait, ou du moins qu'elle éprouvait pour lui un sentiment qui se rapprochait fortement de l'amour. C'était nouveau. Une chaleur intense l'envahit.

Hannah murmura :

— Merci de répondre à mes attentes, David.

— Je suis là pour ça, mon ange.

Une voix râpeuse les interrompit.

— Nom d'un petit bonhomme ! Mais vous êtes insatiables. Si j'avais autant traîné pour faire mes adieux à ma chérie en 1943, la guerre aurait été terminée avant que j'aie franchi l'Atlantique.

— Delbert ! Que faites-vous ici ? s'exclama Hannah avec stupeur en identifiant la silhouette qui venait de pousser le rabat de toile.

David intervint.

— Il m'a prévenu, après le spectacle, qu'il t'attendrait pour te raccompagner à Valhalla Springs.

— Ouais, et maintenant je prends la direction des opérations ! lança Delbert avec impatience.

Puis, s'adressant à Hannah :

— Allez, ma puce, dépêchons-nous avant que mon gyro ne me mette la batterie à plat.

— Votre quoi ? demanda Hannah.

— Mon gy-ro, répéta-t-il en détachant chaque syllabe.

David renseigna Hannah.

— Delbert veut dire « gyrophare ».

— C'est drôlement pratique, compléta Delbert. Le mien se branche sur l'allume-cigare. En plus, le socle est muni de ventouses.

Poing dans la paume, il reproduisit un bruit de succion.

— Cette petite merveille se fixe sur le tableau de bord, sur le toit ou encore…

— Cette merveille se fixe partout à condition de pouvoir l'utiliser, coupa David. Je vous rappelle que seul un représentant de la loi est en droit de détenir un gyrophare.

— En êtes-vous sûr ? demanda Delbert en plissant les yeux. Le catalogue de La Maison de l'Espion ne mentionne rien à ce sujet.

D'un ton tranchant qui cachait mal son amusement, David mit les choses au point.

— Delbert, vous me cassez les pieds et oreilles. On va conclure un marché : je vous donne une longueur d'avance pour rejoindre votre voiture avec Hannah. Si jamais j'aperçois ce gyrophare, je le confisque et je vous traîne devant un juge pour transformation illégale d'un véhicule privé en véhicule d'urgence.

Delbert attrapa Hannah par le bras.

— Venez, ma chère, ne restons pas ici ! Ce fichu gyrophare m'a coûté soixante-trois dollars et cinquante-sept cents — frais de port non compris.

David saisit la radio suspendue à sa ceinture et appuya sur le bouton d'émission.

— Baker 2-03, ici Adam 1-01. A vous.

Il allait répéter l'appel quand le haut-parleur grésilla.

— Ici Baker 2-03.

— Où en est-on avec le mandat de perquisition ?

— Phelps en route pour l'hôpital pour remettre… un instant, shérif.

Des parasites crachotèrent dans le haut-parleur durant quelques secondes et fuirent suivis d'un feedback strident.

— C'était Phelps, sur le portable, reprit Marlin. On a aluni. A vous, Houston.

David se crispa, agacé. Ce charabia signifiait que le mandat de perquisition signé par le juge venait d'être remis à Boone, qui se trouvait toujours à l'hôpital !

— Rendez-vous dans cinq minutes pour perquisition du camping-car appartenant au suspect. Ici Adam-1-01. Terminé.

David allait quitter l'Allée des Clowns quand il se ravisa et se tourna, regardant autour de lui. Il n'y avait personne. Il se dirigea hâtivement vers l'endroit où Hannah avait été assise. Dans le sac en papier faisant office de poubelle, il aperçut les cotons et pansements rouges de son sang. D'un geste rapide, il s'empara du sac.

8.

Arrivé à l'intersection de Valhalla Springs Boulevard et de Main Street, Delbert braqua soudain à droite, puis à gauche, coupant la ligne médiane pour effectuer un demi-tour à 180°. Hannah aurait apprécié. Pas plus tard que la semaine dernière, elle avait viré en demi-tour serré sur le parking du magasin discount local et s'en était mieux sortie que Delbert. Il est vrai que la lourde et imposante Edsel du retraité ne se manœuvrait pas aisément.

Dans le rétroviseur, il entrevit les visages livides de Marge, Leo et Rosemary. On aurait dit trois figurants d'un crash test commandé par la prévention routière et destiné à un public de jeunes fous du volant. Assise à l'avant, à côté de Delbert, IdaClare avait allongé la jambe et écrasé une imaginaire pédale de frein. Son bras avait jailli vers le tableau de bord, hélas ! hors de portée, et ses doigts écartés, chargés de bagues, crochaient désespérément le vide.

— Par tous les saints, qu'est-ce que tu fabriques, Delbert ?

Celui-ci se réjouit d'obtenir enfin une réaction.

— Figure-toi que je viens d'accomplir ce que les détectives privés appellent un RSD.

IdaClare s'écarta de la vitre de sa portière, contre laquelle la force centrifuge l'avait projetée.

— Il n'y a pas RSD qui tienne ! Encore une cascade de ce genre, et je promets que tu vas entendre parler de moi.

Leo fit diversion.

— Est-ce que le R de ce code chargé de mystère signifie Reconnaissance ?

— Tout juste, Auguste ! répliqua Delbert en éteignant soudain ses phares. Je veux m'assurer que Hannah va se coucher bien sagement — et qu'elle n'a pas l'intention de retourner en ville s'attirer des ennuis.

Marge intervint.

— Et pourquoi irait-elle en ville ?

— Parce qu'elle a un cœur énorme et qu'on abuse facilement de sa naïveté, répondit Ida à la place de Delbert. Ce poivrot de vieux magicien sur le retour lui a dit qu'il était son père, et elle l'a cru.

Les roues avant de l'Edsel mordirent le bas-côté herbeux tandis que Delbert roulait jusqu'à une petite clairière. De là, cachés par les arbres, ils pourraient surveiller la maison de Hannah sans être vus. Ils apercevaient ainsi son salon, éclairé grâce au globe serti au centre du ventilateur de plafond.

Bien qu'il fût encore tôt, à peine 21 h 30, Hannah avait promis à Delbert et aux autres de se mettre au lit.

— Si R est l'initiale de Reconnaissance, demanda Rosemary, que veulent dirent le S et le D ?

— Stratégie et Déploiement. Et notre enquête a pour nom de code Gamma, expliqua Delbert.

IdaClare n'était pas satisfaite.

— Attends, nos deux premières enquêtes ont été codées Alpha et Bêta. Alors la troisième devrait être codée avec un C et non un G.

Leo rectifia.

— Non, car la lettre gamma suit la lettre bêta.

IdaClare se cala contre la portière pour faire face aux autres limiers, derrière.

— Puisque tu sais tout, quelle lettre vient après gamma ?

— Delta, répondit Leo en comptant sur ses doigts. Et puis vient le epsilon et le zêta, et la lettre eta et…

— N'en jette plus ! protesta Marge. Pour moi, tout ça, c'est du grec.

Rosemary éclata de rire.

— Tu ne crois pas si bien dire !

— Vous savez quoi ? demanda Delbert en coupant le contact. Ce Boone va utiliser Hannah pour se tirer du guêpier dans lequel il se trouve. Il la manipule depuis le début. Et il doit en moment même peaufiner son plan.

Adossé à la portière, il plissa les yeux.

— Hé ! réveillez-vous ! Vous n'avez pas entendu ce que racontait Hannah, tout à l'heure, lorsque nous l'avons raccompagnée chez elle ?

— Bien sûr qu'on a entendu ! répliqua IdaClare. Même que j'ai failli pleurer.

Rosemary en fit cliqueter ses boucles d'oreilles d'indignation.

— La façon que ce Reilly a eue de se jeter sans crier gare sur la pauvrette, cet après-midi ! Je suis surprise que le shérif Hendrickson ne l'ait pas immédiatement jeté en prison.

— S'il l'avait fait, observa Marge, AnnaLeigh ne reposerait pas dans le fourgon funéraire du jeune Duckworth.

Delbert frappa la banquette du plat de la main.

— Madame Rosenbaum, je pense que tu viens de mettre en plein dans le mille !

— Moi ? s'étonna Marge. Comment ça ?

— En déclarant que si Reilly Boone n'avait pas rencontré Hannah, AnnaLeigh n'aurait pas été refroidie.

— Je ne crois pas avoir dit cela…

Marge ouvrit son sac et chaussa ses lunettes. Les yeux écarquillés, elle dévisagea Delbert, comme si elle allait lire sur son front les propos exacts qu'elle avait tenus.

IdaClare intervint.

— Sans revenir sur ce que Marge a dit ou n'a pas dit, je voudrais qu'on m'explique ce que la mort d'AnnaLeigh vient…

S'interrompant, elle fronça les sourcils, avant de reprendre :

— Vient faire dans…

Elle s'arrêta de nouveau. Une espèce de grattement, intermittent, se faisait entendre à l'extérieur.

— Moi aussi j'ai entendu, déclara Marge en se recroquevillant sur la banquette.

— Probablement un putois qui…

— Chut ! fit Delbert.

La maison de Hannah se détachait dans l'obscurité à la manière d'un arrêt de bus dans un quartier désert et mal famé.

Schroumpf, schroumpf… clac-clap-clap…

Le bruit mystérieux s'amplifia. Il ne pouvait s'agir d'un putois. Si c'était un animal, il était de plus gros gabarit. Un daim ? Il y en avait, dans ces bois. Sauf qu'ils avaient le pied beaucoup plus léger.

— Par la barbe de Judas !

Delbert déglutit avec peine. Peu de temps auparavant, Roscoe Hocking avait aperçu des traces d'ours sur le parcours du trou numéro 11 du terrain de golf.

Soudain, un monstre hérissé de poils colla son museau infâme contre la vitre arrière de l'Edsel. Marge hurla et, folle de terreur, s'accrocha à Leo comme à un arbre.

IdaClare, quant à elle, se tourna vers Delbert.

— Sauve-moi, je t'en supplie !

Elle se colla à lui, leurs têtes se heurtèrent violemment, et le nez de Delbert absorba le gros du choc. Furieux, il la repoussa.

— Mais arrête un peu, voyons ! Tu vas me casser la jambe, avec ton genou !

Rosemary hoquetait de rire en tambourinant nerveusement sur sa vitre. IdaClare s'entortilla davantage autour de Delbert, en lui

144

infligeant de nouvelles souffrances. Suffoquant à moitié, il émergea par-dessus les énormes fesses tendues de rose d'IdaClare.

Le brave Malcolm, lui, était aux premières loges. Il scrutait l'intérieur de l'habitacle, persuadé sans doute d'assister à un audacieux spectacle de danse contemporaine. *Ouarf, ouarf !* commentait-il, visiblement satisfait.

— Donne-lui une tape sur le museau ! commanda Delbert à Rosemary. Et vous autres, pas un mot.

IdaClare salua le chien d'un roucoulement affectueux, le même qu'elle réservait à ses caniches nains Itsy et Bitsy.

— Ce bon vieux Malcolm ! Il était de sortie pour sa pause pipi, voilà tout.

— Si ce corniaud continue de japper, tonna Delbert, Hannah va rappliquer ! Et ce sera à toi de lui expliquer pourquoi nous l'espionnons.

Le silence se fit aussitôt. Les limiers retinrent leur souffle. Le cuir des banquettes de l'Edsel craquait chaque fois qu'un des passagers bougeait un tant soit peu.

A l'extérieur, Malcolm couinait en reniflant les interstices des portières. La crampe qui élançait Delbert dans la cuisse se propagea jusque dans son mollet. Il avait envie d'éternuer, aussi, et l'accoudoir lui brisait les vertèbres les unes après les autres. Pour couronner le tout, le postérieur géant d'IdaClare, tel un Fuji-Yama peint en rose, bouchait son horizon.

Après un *mouaourf* dépité, Malcolm tourna le dos à l'Edsel, jeta un dernier regard à ses occupants, leva la patte sur une des roues avant et se fondit dans l'obscurité.

Dans un concert de jurons et de grognements, les passagers respirèrent, dérouillèrent leurs articulations et reprirent leurs places respectives. Gémissante, Marge se tamponna le visage avec un mouchoir en papier.

— Dire que je j'adorais jouer à Un, Deux, Trois… Soleil ! quand j'étais petite. Il est vrai que ça n'était rien en comparaison avec ce que je viens d'endurer.

Delbert se massait le haut de la jambe.

— Que dirais-tu si on te collait une *Baigneuse* de Rubens sur les genoux !

Il réalisa sa gaffe un peu tard, et son sourire forcé n'y changea rien.

— Dis tout de suite que je suis trop grosse ! s'indigna IdaClare.

— Pas du tout, ma chère.

— J'espère bien !

Elle tira sur les pans de son pull-over et fit la moue. Delbert transpirait à grosses gouttes. Voilà bien les femmes ! A la moindre pique, elles réagissaient au quart de tour. Heureusement, son fidèle Leo vint à la rescousse.

— On a le nouveau code, Gamma. On a fait la reconnaissance. Il reste la stratégie et le déploiement. Et on n'a pas toute la nuit.

En quelques mots, il venait de débloquer la situation, à la plus grande satisfaction de Delbert — ainsi qu'à celle de sa vessie, qui commençait à donner quelques signes d'impatience. Seul problème, il avait perdu le fil de leur discussion. Que prévoyait l'auteur de *Secrets de métier des plus grands détectives* dans ce cas de figure ? Rien, évidemment, tant le fait d'être retenu en otage dans son propre véhicule par un stupide chien tout dévoué à sa maîtresse dépassait l'entendement.

Delbert se tira d'affaire comme il put en attaquant bille en tête.

— Ce que je voulais vous dire avant que Malcolm ne vienne vous terroriser, mesdames, c'est que j'ai surpris pas mal de ragots au cirque, quand j'attendais Hannah après la représentation. La mort d'AnnaLeigh ne serait pas accidentelle.

Marge résuma le sentiment général quand elle demanda :

— Elle a été assassinée ?

— Je le crois. Et c'est le meurtre le plus rondement prémédité que je connaisse.

Avant que Leo puisse objecter, Delbert lui demanda :

— Quelle est la dernière des choses que souhaite un meurtrier ?

— C'est d'être pris.

— Bon. Et quelle est l'avant-dernière des choses qu'il souhaite ?

Leo réfléchit intensément, ce qui creusa une ride profonde sur son front. Son cerveau était capable de rivaliser avec les circuits d'un gros ordinateur, mais certains dossiers peinaient à émerger du disque dur.

Rosemary risqua une réponse :

— Avoir un témoin ?

— Tout juste ! répondit Delbert, très étonné qu'elle eût trouvé la réponse. Et cela mène à quoi, à ton avis ?

— Mais enfin, AnnaLeigh a été tuée devant des centaines de témoins, nous inclus ! intervint Marge.

— Exact, observa Delbert en jetant un coup d'œil éloquent à son public.

IdaClare prit une forte inspiration.

— Justement ! s'exclama-t-elle. C'est idéal pour Reilly. Qui irait penser qu'il ait voulu tuer sa femme sous un chapiteau bondé ?

Elle porta une main à ses lèvres.

— Mon Dieu ! j'en ai la chair de poule rien que d'y penser.

— C'est bien joué, n'est-ce pas ? murmura Delbert. L'illusion suprême, exécutée par un illusionniste fort de quarante années d'expérience.

— C'est un pari risqué, commenta Leo.

— Pas tant que ça. En cas de meurtre, l'époux survivant est automatiquement le suspect numéro un. Si Reilly avait assassiné AnnaLeigh chez eux, les flics lui seraient aussitôt tombés dessus.

Mais ce malin a agi en pleine lumière, devant des centaines de témoins.

— Montrer pour mieux cacher, observa Marge. Cela me rappelle un film. Un des personnages était à la fois infirmière et tueuse à gages pour la mafia. Un agent du FBI le découvrait, mais il était presque aussitôt terrassé par une crise cardiaque. Dans la dernière scène du film, on le voit aux mains du SAMU, bardé d'aiguilles et de cathéters. L'infirmière chef de l'hôpital où il est soigné manque de personnel et elle recrute la tueuse en blouse blanche…

Rosemary eut un claquement de langue impatient.

— Et ça se termine comme ça ? Je déteste les films qui se finissent par des points de suspension…

— Moi, j'ai imaginé que l'agent du FBI feignait d'avoir une crise cardiaque pour pouvoir prendre l'infirmière tueuse sur le fait.

— C'est plausible, approuva IdaClare. Surtout de la part d'un agent fédéral. On dit que les as du FBI ne lâchent jamais leur proie.

Leo intervient.

— Non, je crois qu'on dit plutôt ça des cracks de la police montée.

— Et voilà M. Je-sais-tout qui la ramène ! Tu devrais t'inscrire à des jeux télévisés…

Faute d'avoir un maillet sous la main, Delbert tapota le plafonnier à coups de phalanges.

— Arrêtez de vous éparpiller ! Avec vos caquetages incessants, on se croirait dans un poulailler. Je vous rappelle que nous avons affaire à un *vrai* criminel.

Soudain confronté à quatre visages navrés et repentants, il se calma.

— Chez Hannah, j'ai pris l'habitude de la sono un peu forte… Ici, il n'y a pas les murs pour absorber les décibels.

Ses excuses n'eurent pas l'effet escompté, et un grand silence plomba l'atmosphère déjà confinée.

Ce fut Marge qui reprit la parole au bout d'un moment.

— Je propose la motion suivante : si Delbert s'engage à ne plus se mettre en colère et à crier à tue-tête, nous promettons de ne plus nous perdre en digressions.

IdaClare approuva la proposition de Marge, qui fut adoptée à l'unanimité. Mais nul n'avait d'idée sur la suite des événements.

Delbert se posait en chef naturel des limiers. IdaClare faisait un très acceptable lieutenant, parce qu'elle était une grande gueule et la mère de Jack Clancy. Quant à Hannah, d'abord chargée par la bande de missions diplomatiques, elle était montée en grade grâce son don d'arrondir les angles et de tenir le cap de cette nef de survoltés. Sans elle, les limiers auraient dérivé Dieu savait où.

— Je voudrais poser une question, dit Rosemary.

Delbert l'aurait embrassée.

— Je t'écoute.

— J'admets avec vous que Reilly a combiné astucieusement la mort d'AnnaLeigh devant un public nombreux — et devant nous, puisque nous étions aux premières loges. Soit. Mais pourquoi voulait-il la tuer ?

Delbert s'éclaircit la gorge.

— Il était marié avec elle. Tu ne penses pas qu'il s'agit d'une raison suffisante ?

— Oh ! fit Rosemary en cherchant Leo des yeux. Jamais je ne toucherai un seul cheveu de ta tête !

IdaClare était perdue dans ses réflexions.

— Dieu sait que je ne suis pas bégueule, mais AnnaLeigh n'avait pas froid aux yeux pour s'exhiber dans cette tunique ultra-courte qui menaçait à chaque seconde de tomber.

— Oui, renchérit Marge, une tunique vraiment courte. Surtout pour un numéro de cirque.

— Le sexe fait vendre, murmura Leo.

— C'est vrai, admit Rosemary. Néanmoins, AnnaLeigh était illusionniste, pas danseuse de cabaret.

Delbert s'agaçait de ce nouvel accès de jacassement. Jusqu'à ce qu'une image d'AnnaLeigh s'impose à son esprit.

— Je vois ce qui vous chagrine, déclara-t-il. Sa tunique scandaleuse détournait le public du numéro de magie. Une pianiste virtuose ne donne pas ses concerts en string.

— Exactement ! acquiesça IdaClare.

— Reilly, qui était magicien depuis des années, devait bien être conscient du problème, ajouta Delbert. Pourquoi laissait-il faire AnnaLeigh ?

— Tu sembles oublier qu'il était *aussi* son mari. Très peu d'hommes apprécient de voir leur femme fixée par des centaines de regards masculins emplis de convoitise.

— Objections recevables ! admit Rosemary en jouant avec l'échancrure en V de son pull-over. Mais de quel droit Reilly, second couteau vieillissant, aurait-il pu imposer à AnnaLeigh, la vedette du numéro, le choix d'une tenue ?

— Oh ! je vous en prie ! s'exclama Marge. Vous n'allez quand même pas me faire croire que Reilly a trucidé sa femme parce qu'il jugeait sa tunique un peu trop légère à son goût !

— C'est l'idée du second couteau, qui est intéressante ! intervint Delbert avec fougue. C'est parce que Reilly avait les mains percluses de rhumatismes qu'AnnaLeigh l'avait supplanté et assurait de belles rentrées d'argent. Reilly avait besoin d'elle, et non l'inverse.

Marge éclata de rire.

— Et il aurait tué sa poule aux œufs d'or ?

— Pourquoi pas, si elle avait menacé de le mettre rebut et se trouver quelqu'un de mieux que lui. J'en mettrais mon Edsel au feu qu'AnnaLeigh était sur le point de quitter Reilly.

150

— Ce sont des suppositions gratuites et tu le sais, objecta Marge d'une voix aiguë.

— Tiens, tiens, remarqua Delbert, je croyais qu'il ne fallait pas crier...

Marge s'affaissa sur la banquette arrière — sans s'avouer vaincue pour autant.

— Désolée, mais j'ai du mal, avec cette histoire. Personne ne sait si le coup de feu mortel est accidentel ou prémédité. Et puis, ce qui m'intrigue, c'est ce qu'on a dit tout à l'heure — qu'Anna-Leigh serait encore en vie si Reilly n'avait pas rencontré Hannah dans l'après-midi...

— Cela m'a aussi tracassée, admit IdaClare, jusqu'à ce que nous parlions des témoins. Si Reilly est coupable, la présence de Hannah parmi le public ne fait que contribuer à mieux brouiller les pistes.

D'un geste, elle devança l'objection de Marge.

— S'il ne semble pas logique pour un homme de tuer sa femme devant des centaines de témoins anonymes, agir devant une fille miraculeusement retrouvée l'est encore moins. Sauf s'il s'agit d'une stratégie destinée à éloigner les soupçons.

— Mais c'est vrai, mon Dieu ! gémit Rosemary. J'avais fini par oublier que Reilly est le père de Hannah.

— Moi aussi, avoua Leo en hochant la tête.

— Arrêtez donc, avec ça ! s'emporta Delbert. Ce bonhomme n'est pas le père de Hannah, et je ne veux plus entendre un mot sur le sujet.

Le ressentiment lui étreignait la gorge et l'empêchait de parler normalement. La même souffrance qu'au cirque, lorsqu'il était venu chercher Hannah dans l'Allée des Clowns, et que Frank et Vera Van Geisen avaient surgi.

— Vous êtes Hannah, n'est-ce pas ? avait demandé Vera. Vous êtes la fille de Reilly ?

Delbert avait eu l'impression de recevoir un direct à l'estomac. Ensuite, il y avait eu la panique de Hannah peu après le coup feu : elle avait bondi vers l'estrade comme si sa vie en dépendait. Et lui, Delbert, il s'était fait rembarrer quand il avait tenté de la retenir.

Tout s'était éclairé, alors. Et dans le même temps, tout lui avait semblé incroyablement confus.

Peu après, il y avait eu les paroles de Vera Van Geisen :

— Reilly nous parle de vous depuis des années, Hannah. Mais nous ignorions votre présence parmi nous. Oh ! ma pauvre, pauvre petite ! Comme cela doit être horrible, pour vous. Juste au moment où vous retrouvez Reilly, l'irréparable survient et emporte AnnaLeigh avant que vous ayez pu la…

Hannah avait riposté avant même qu'elle n'ait fini.

— C'est Reilly qui m'a retrouvée, et non l'inverse. Et j'ai fait la connaissance d'AnnaLeigh quand elle est rentrée après avoir fait des courses avec vous. Enfin, pour être très franche, je suis un peu fatiguée de voir des étrangers vouloir se mêler de mes affaires. Ma vie privée ne regarde que moi.

Frank Van Geisen avait poussé sa femme du coude et joué la carte de la gentillesse offensée :

— Allons, viens, Vera. Tu vois bien que cette personne ne veut pas des condoléances de gens tels que nous.

Plus tard, alors qu'ils roulaient vers Valhalla Springs, Hannah avait livré une version abrégée du récit de son enfance ; elle avait dit sa souffrance de ne pas avoir eu de père, et Delbert en avait conçu une douleur intense. Car Hannah était un peu la fille qu'il n'avait jamais eue. La perdre au profit d'un roublard sans scrupule tel que ce Reilly Boone lui était insupportable.

— Delbert ? s'enquit IdaClare, inquiète de son long silence.

Se reprenant, Delbert déglutit pour chasser le mauvais gout d'amertume qui lui emplissait la bouche.

— Tu as raison de penser que la présence de Hannah au cirque contribue à brouiller un peu plus les pistes, reprit-il. Aussi sûr que le soleil se lève chaque jour, je pense que Reilly Boone a attendu pendant des semaines et des mois le moment favorable pour mettre en scène le crime parfait. Il s'est servi de Hannah, lui a raconté des sornettes sur elle et sa mère. C'est une combine usée jusqu'à la corde : il a dû jeter ici et là des éléments tout à fait banals, et c'est Hannah qui a rempli à sa guise les blancs qu'il y avait forcément dans l'histoire de cet escroc. Un as, ce Boone ! Il pouvait tranquillement endosser son costume tout neuf de papa et utiliser sa charmante fille comme témoin de moralité — avec en bonus le petit ami shérif.

Un silence stupéfait accueillit cette démonstration en forme de réquisitoire. Brusquement, l'Edsel avait tout d'un canot de sauvetage perdu dans le brouillard.

Delbert mesura vite combien ses propos avaient choqué. Aucun de ses complices ne disait le moindre mot — un silence qui en disait plus que toutes les condamnations du monde.

Après un temps, Marge se pencha en avant et posa la main sur le bras de Delbert.

— Voilà donc de quoi il s'agit ? De Hannah. Tu es jaloux de Reilly. Tu te moques bien de savoir pourquoi AnnaLeigh est morte.

Le regard de Delbert dériva vers la maison de Hannah, à présent plongée dans l'obscurité, à l'exception d'un lumignon éclairant le porche. Dieu qu'il était difficile de vieillir ! Quelques années plus tôt, il aurait tenu tête à ses troupes avec la force et l'autorité d'un général en chef. Il n'était aujourd'hui qu'un ratatiné du bulbe, un vieil imbécile gâteux qui se laissait émouvoir par un rien.

— Que Reilly Boone soit ou non son père, poursuivit Marge, Hannah le croit innocent. Le moins qu'on puisse faire, c'est de la soutenir.

Delbert soupira. Depuis tout à l'heure, sa conscience et son cœur s'affrontaient en un débat insoluble.

— Oui, elle le mérite, admit-il.

Marge lui tapota une dernière fois le bras et se recula pour aller s'adosser à la banquette arrière. Personne n'avait envie d'ironiser sur les sentiments de Delbert à l'égard de Hannah, ni de souligner qu'il s'était conduit en vieux gâteux. Un ange passa, puis Delbert reprit la situation en main.

— Nous allons passer à l'étape Déploiement de la mission Gamma. Vous, mesdames, êtes chargées de traîner dès demain matin dans les coulisses du cirque. Parlez avec les femmes. Dites que vous chapeautez le comité de bienvenue aux artistes de la ville de Sanity, apportez-leur des beignets. Glanez autant de renseignements que possible sur la mort d'AnnaLeigh.

— Je conduirai, décida IdaClare, et nous profiterons d'être en ville pour expédier nos dernières courses en vue du mariage.

Rosemary gloussa.

— Chic, alors ! On fera d'une pierre deux coups.

Le regard de Delbert se posa sur Leo, qui eut un léger mouvement de recul.

— Quant à nous, *compadre*, c'est une opération d'infiltration qui nous attend. Briefing chez moi demain matin, à 7 heures précises.

— Tu sais, ça ne me plaît pas trop tout ça… osa répliquer Leo.

— Tu ne sais même pas de quoi il s'agit ! Attends au moins d'être au courant pour juger…

Les bajoues de Leo s'affaissèrent au point de rejoindre son triple menton.

— Une chose est sûre : quand tu m'auras dit de quoi il retourne, j'aimerai sûrement encore moins !

*
* *

154

Dans la rue principale de Sanity, l'ambulance ralentit l'allure, coupa sa sirène et son girophare, et bifurqua vers Mercy Hospital. Après avoir accéléré pour gravir le raidillon, le véhicule blanc franchit le portail à double battant du service des urgences.

Stationné devant le grand bâtiment, David s'apprêtait à démarrer. La curiosité l'emporta et il se retourna. Il vit les ambulanciers se précipiter à l'arrière du véhicule pour en faire sortir un chariot brancard.

Les messages radio faisaient état d'une jeune femme enceinte de vingt-deux ans. Son premier enfant se décidait à naître alors que le futur papa pêchait avec des camarades. Eugene Vaughn, l'un des adjoints du shérif, était déjà parti chercher l'heureux élu à Jinks Creek, avec mission de le conduire au chevet de sa femme avant que la cigogne ne soit passée.

Daniel, le frère de David, avait avoué — dans la plus grande confidence — qu'assister à la naissance de son enfant relevait autant du miracle divin que d'un film d'horreur. Il n'avait pas encore décidé s'il comptait renouveler ou non l'expérience.

En temps normal, le souvenir de ces propos aurait fait sourire David. Mais en ce moment précis, l'image de Hannah et celle de Reilly Boone le taraudaient. Il en avait aussi gros sur la conscience, après avoir cinq minutes plus tôt jeté ses principes aux orties pour satisfaire sa curiosité et son orgueil.

Tant pis, le mal était fait, et il lui faudrait attendre le lendemain pour obtenir les résultats. En attendant, une enquête pour homicide était en cours, et une reconstitution avec témoins aurait lieu dans trente-six heures sur les lieux du drame.

La fouille du camping-car avait livré un indice capital expliquant peut-être le meurtre d'AnnaLeigh... pour autant que David fasse l'impasse sur quelques éléments de taille.

Pensif, il démarra le moteur de sa voiture et gagna la rue principale. La circulation était dense pour un vendredi soir ; mais cela s'expliquait par les festivités prochaines des Journées du

Cornouiller. Il prit vers le nord, jetant au passage un œil sur les voitures qu'il croisait et sur leurs occupants. Il surveillait aussi les devantures des boutiques et les parkings.

Peu à peu, à mesure qu'il pénétrait dans la banlieu de la ville, les lumières se firent plus rares, moins intenses. Quelques collines plus loin, commençait la vraie campagne, plongée dans l'obscurité. Le dos bien calé contre le dossier de son siège, David revécut la perquisition qu'il venait d'effectuer…

Dès son entrée dans le camping-car d'AnnaLeigh et de Boone, un détail insolite activa son système d'alarme interne. Mais impossible de mettre le doigt sur la cause de son malaise. Il échangea un coup d'œil avec Andrik et comprit que celui-ci partageait son trouble.

Rien ou presque ne semblait avoir changé dans le poste de conduite et la partie aménagée du véhicule depuis que David y était venu avec Hannah, dans l'après-midi. Sur la table dînette, les bretzels, le soda et les pastilles antiacides voisinaient à présent avec un pot de beurre de cacahuètes, du pain de mie et un couteau sale.

Mais ce qui attirait d'emblée le regard, c'était cette traînée d'objets : flacons de vernis à ongles, brosses à maquillage, éponges et produits de beauté, jonchant le sol selon une diagonale partant du corridor et aboutissant à la minuscule salle de bains. Celle-ci était sens dessus dessous. Comme si un célibataire s'était mis en tête de se livrer à un nettoyage de printemps durant la pause publicitaire d'un match de base-ball.

Si l'armoire de toilette avait été intégralement vidée, les placards de l'entrée étaient grands ouverts et leur contenu toujours en place. Il n'en allait pas de même dans la chambre à coucher, à l'arrière du camping-car.

156

L'édredon capitonné, les couvertures et les draps avaient été arrachés du lit et jetés en boule sur le sol. On apercevait aussi par terre un déshabillé de soie froissé et la tenue que portait Boone dans l'après-midi, ainsi que certains de ses vêtements jetés en vrac.

Un radio-réveil pendouillait au bout de son fil, sur le devant de la table de chevet. Les abat-jour des suspensions avaient été arrachés, mettant les ampoules à nu.

— A première vue, déclara Marlin, je dirais que les responsables de cette corrida ont eu une petite divergence d'opinion.

Il jeta un coup d'œil au-delà de la chambre, dans le couloir et la mini-salle à manger, et ajouta :

— Compte tenu de la dimension des lieux, j'ajouterais que ce capharnaüm est tout ce qu'il y a de relatif.

David s'accroupit et souleva tour à tour les draps et les couvertures, sur la moquette. Il découvrit ainsi, cachée par l'amas de linge, une photo Polaroïd déchirée montrant AnnaLeigh en train de faire l'amour avec un homme non identifié, mais trop costaud pour être Boone. Saisissant la photo par un coin, David l'agita en direction d'Andrik.

— Tu as vu ça ? Si Boone l'a trouvée, il a dû être contrarié.

Marlin siffla.

— A sa place, je me serais fait du mauvais sang.

L'inspecteur principal glissa la photo dans une pochette en plastique et ajouta :

— Si nous enfilions nos gants ? Inutile de semer nos empreintes un peu partout. Je te rappelle qu'on cherche avant tout des armes, de la poudre et des munitions.

L'espace étant compté, Marlin alla s'occuper de l'avant du camping-car, abandonnant à David la chambre à coucher, la salle de bains et les placards de l'entrée. Il déplaçait quelques objets quand David le rejoignit pour lui montrer un classeur à documents et deux photos Polaroïd, plus la partie manquante de celle qu'ils avaient déjà pu admirer.

— J'ai trouvé ces papiers dans le placard de la chambre à coucher. Et regarde les photos : Boone a eu l'exquise courtoisie de les déchirer soigneusement en deux, plus au moins au milieu, au lieu de les réduire en confettis.

Andrik jeta un coup d'œil aux clichés.

— Dommage que le photographe ait fait le timide. Il aurait pu enclencher le dispositif de retardement et participer aux réjouissances.

Il assembla les deux parties de la plus sulfureuse des trois photos et apprécia le résultat final.

— Mme Boone était vraiment une belle femme.

— C'est indéniable, approuva David.

— Cela me rappelle une fille que j'ai fréquentée quand j'étais au lycée. Pas le même corps qu'AnnaLeigh, mais une certaine ressemblance au niveau du visage.

Marlin regarda la photo sous un angle légèrement différent.

— Un type doit attraper des complexes quand la fille qu'il honore tombe de sommeil au lit avant qu'il ait pu conclure…

David objecta.

— Le cliché n'est pas assez net pour pouvoir dire si AnnaLeigh a les yeux complètement fermés, ou non.

Marlin posa les photos sur le comptoir de la kitchenette et fit le point.

— Ce matin, d'après Boone, AnnaLeigh était malade.

— Maux d'estomac et mal de tête. Ce qui ne l'a pas empêchée d'aller faire ses courses avec Mme Van Geisen dans l'après-midi.

— Même souffrant d'intoxication alimentaire, ma femme aurait assez d'énergie pour se précipiter sur les soldes des magasins de chaussures ! rouspéta Marlin. Les femmes ont seulement deux pieds. Quel besoin ont-elles de posséder huit douzaines d'escarpins ?

Sortant une loupe de sa poche, il étudia la photo.

— Pas de date au verso. Et… hum, pas de numéro de téléphone tatoué sur le membre de cet étalon.

L'œil collé à la loupe, il déplaçait celle-ci lentement.

— Tomber sur un truc pareil doit être sacrément dur à avaler, pour un mari.

Haussant les épaules, il glissa la photo dans un nouvel étui plastique.

— Autre chose, David ?

— Boone devait faire une fixation fétichiste sur Dracula : ses chemises, ses pantalons, et jusqu'à ses slips sont noirs.

— Quel intérêt pour l'enquête ?

— Je suis consciencieux. Ah ! j'ai aussi trouvé deux autres fusils à pierre, une boîte de poudre et une boîte du mélange inoffensif, cachés dans un compartiment secret aménagé derrière l'armoire de la chambre à coucher.

— Bonne prise, j'aurai de quoi travailler. Moi, tout ce que j'ai déniché, c'est une boîte de balles en cire dans le frigo.

Andrik fouilla sa poche de chemise pour en extraire un paquet de cigarettes. Il se demanda s'il était convenable de secouer ses cendres dans l'évier de la kitchenette, et décida que non. Enervé, il apostropha David avec la hargne d'un braqueur en quête de butin.

— Qu'y a-t-il dans ce classeur ? Et la planque à billets, tu l'as trouvée ?

— Pas le moindre billet vert. Quant à ce classeur, il contient les paperasses du ménage : des reçus, des factures et divers documents sans intérêt. Mais j'ai quand même noté deux choses intéressantes.

— Lesquelles ? demanda Andrik.

— La première, c'est que M. Boone a le démon du jeu. Il ne résistait pas à la devanture d'un casino. Il pariait aussi dans les courses de poneys et de chiens. Regarde : ces relevés de carte de crédit indiquent les montants de ses enjeux. Mille dollars chaque fois. Mais comment savoir s'il a gagné, perdu, ou fait jeu égal ?

Andrik raisonna à voix haute.

— Quand il dépensait plusieurs fois mille dollars par soirée, c'est qu'il perdait. A moins bien sûr qu'il ait eu la main heureuse après coup, et qu'il ait échangé ses jetons gagnants contre du cash.

Du doigt, David désigna les dernières lignes des relevés.

— La banque lui infligeait des pénalités plutôt lourdes à cause de ses découverts, ce qui...

— Mmm, fit Andrik en secouant la tête.

— Quoi ?

— Pourquoi aller jouer à crédit ? Le cirque est l'un des derniers sanctuaires où les transactions en liquide sont courantes. Si un type reçoit sa paie en cash, il va jouer avec du liquide, bien sûr, et si jamais il gagne, les types du fisc s'arracheront les cheveux pour récolter ce qui leur revient. Jouer sur son compte, avec sa carte de crédit, c'est laisser derrière soi un sillage bien visible.

— Je croyais que les casinos avaient obligation de prélever les taxes régionales ou fédérales sur les sommes gagnées.

— Bien sûr que tous les directeurs de casinos s'acquittent scrupuleusement de ce devoir ! De même qu'une barmaid déclare ses pourboires jusqu'au dernier cent...

— Epargne-moi ton ironie, monsieur l'expert ! répliqua David en passant en revue les autres documents du classeur. Et dis-moi plutôt pourquoi les Boone acceptaient de payer des agios alors qu'ils avaient près d'un quart de million de dollars en banque ?

— Quoi !

Andrik arracha les relevés bancaires des mains de David, et les examina, côté recto, puis côté verso. Il en sélectionna un et l'observa par transparence, devant la lampe éclairant la cuisine, devant l'évier.

— Je te parie que cette banque, la Cattlemen's Union Fidelity, sise dans l'illustre bled perdu de Molalla, au Texas, a tout d'une petite entreprise familiale. Seul problème : les relevés devraient être imprimés sur des formulaires standard — ce qui n'est pas le cas.

David mit le nez sur les lignes imprimées sans rien observer de suspect. Son ignorance montrait bien ce qui pouvait séparer un shérif généraliste et un inspecteur principal de la police du comté, fort d'une longue expérience dans le domaine criminel.

— Papier médiocre, rien à voir avec la qualité standard, commenta Andrik. Police de caractères non conforme, lettres trop petites. Et regarde bien : certains mots ne sont pas en gras, alors qu'ils devraient l'être.

Son index zigzagua sur le papier.

— Que vois-tu d'autre, David ? interrogea-t-il.

— Le relevé n'est même pas plié. Bon sang ! Quelle banque envoie sa correspondance non pliée ?

Andrik émit un sifflement d'impatience, proche de celui d'une cocotte minute.

— Apparemment, la très spéciale Cattlemen's Union Fidelity, à Molalla, au Texas.

David frémit. L'infidélité d'AnnaLeigh, surtout si elle en faisait une habitude, pouvait expliquer qu'on l'ait tuée. Mais ces grosses sommes dilapidées par Boone au casino, et ces relevés de banque falsifiés, suggéraient un tout autre mobile de meurtre.

Argent et infidélité, les deux démons du crime. Si David et Andrik découvraient qu'AnnaLeigh avait souscrit une grosse assurance sur la vie, aucun avocat au monde, pas même le pape, ne pourrait convaincre les jurés d'acquitter le bénéficiaire du capital.

— A mon tour de faire l'inventaire, dit Andrik en montrant du doigt les affaires de toilette jonchant le corridor, puis le pot de beurre de cacahuètes, le pain de mie et le couteau sale sur la table dînette. A ton avis, Sherlock ? Nos tourtereaux ont fait une pause sandwich avant la dispute, ou après ?

— Avant, en toute logique.

— Mouais, répondit Marlin en prenant à témoin la boîte de bière aplatie et couverte de poudre à empreintes. Je l'ai trouvée dans ce coin du comptoir.

— Il me semble bien l'avoir aperçue cet après-midi, quand Hannah et moi étions avec Reilly, observa David.

— On a relevé dessus les empreintes d'AnnaLeigh. Curieux, non ? J'ai fouillé partout, y compris le frigo et la poubelle, sans trouver d'autres boîtes de bière.

— Où veux-tu en venir ?

— Je n'en sais trop rien. Aussi difficile à imaginer que ce soit, AnnaLeigh était peut-être une adepte du jus de houblon, et cette boîte était la petite dernière d'un pack de six…

Marlin leva les yeux.

— Mais dis-moi, shérif, quand as-tu écrasé pour la dernière fois une boîte de bière dans ta main ?

— Ce devait être mardi soir, répliqua David.

Marlin grogna.

— Tu étais sur la touche, en congé administratif forcé : ça ne compte pas.

— Eh bien, j'ai dû en aplatir une quand l'équipe des Rams a perdu le ballon à deux mètres de la ligne d'embut. Sinon, je les jette directement dans la poubelle.

— Une vraie fée du logis !

— Ceux qui le pensent ne commettraient jamais l'erreur de me le dire en face.

Les deux policiers firent une pause. David se sentait vaguement oppressé. L'atmosphère pesante qui régnait dans le camping-car, sans doute.

— Ton opinion, Andrik ?

— Je n'en sais rien, répondit l'inspecteur principal. Et toi ?

— La même chose.

Quelques minutes après, ils avaient quitté le camping-car.

Et une heure et demie plus tard, David se retrouvait seul au volant de sa Crown Victoria, roulant à travers une campagne plongée dans la nuit.

L'aiguille du compteur de vitesse avait une fâcheuse tendance à pencher vers la droite. Il leva le pied. Dépasser de quelques kilomètres à l'heure la vitesse autorisée n'avait rien d'un crime. Mais même un shérif cherchant un peu de calme après la tempête devait continuer de donner le bon exemple.

Hannah leva son mug et but quelques gorgées d'un vin chaud dans lequel avaient macéré citron, cannelle et noix de muscade.

Lorsqu'elle était venue s'installer sous le porche, un peu plus tôt, elle avait posé près de sa chaise, sur le plancher de bois, une bouteille Thermos pleine du mélange chaud et sucré. A présent, il n'en restait plus qu'un fond, à peine de quoi remplir la moitié de son mug.

Souriant aux étoiles, Hannah tenta d'estimer le temps qu'elle avait passé dehors, blottie sous la couverture afghane crochetée par sa mère. Il devait s'être écoulé des heures et des heures. La bouteille Thermos était de contenance raisonnable et elle n'était pas une grosse buveuse.

Malgré ce qu'elle avait absorbé, elle avait la chair de poule — et, s'avisa-t-elle, les fesses glacées. La faute au vin, qui réchauffait le cœur mais pas le reste.

Il en allait de même pour la couverture afghane de sa mère. Elle lui tenait chaud sentimentalement sans la garantir du froid, songea-t-elle en passant le doigt dans l'un des nombreux trous. Sa mère avait dû sauter quelques points, ou peut-être laisser tomber sa cigarette sur la laine.

A l'époque, son médecin traitant jurait que l'oisiveté était source de vices. Pour occuper les mains de Caroline Garvey et l'empêcher d'engloutir ses dix-huit bières quotidiennes, il lui avait prescrit le crochet. Ces travaux d'aiguille occupaient les mains. La laine passée autour du coude, Caroline enfonçait et tirait son crochet avec conviction. Un bol en équilibre sur ses genoux recueillait les cendres brûlantes de sa Chesterfield.

Elle l'avait terminée, cette couverture afghane. Et offerte à Hannah pour son dix-huitième anniversaire. Un mois plus tard, Caroline sombrait dans le coma et mourait. Depuis, cette couverture ne quittait plus Hannah. Sans elle, il aurait fait encore beaucoup plus froid dans sa vie.

Emue et frigorifiée, elle renifla puis enfouit son nez au plus profond de la laine rugueuse. Elle ne devait pas s'en faire. Cesser de gémir. Et, par-dessus tout, respecter les souvenirs de famille — le rare qu'elle possédât étant justement cette couverture afghane — en évitant de pleurer dessus.

« On ne peut pas empêcher le chagrin de franchir son seuil, mais on peut se retenir de lui offrir un fauteuil », disait son grand-oncle Mort de sa voix grave.

Malcolm se hissa brusquement sur ses pattes. Debout sur le porche, scrutant la pénombre, il poussa des *mouarf* vers l'est, puis vers l'ouest. S'il avait entendu quelque chose, ce devait être dans les profondeurs de ses rêves.

— Au pied ! Assis ! Ça suffit ! lui lança Hannah en pure perte.

Malcolm griffa en cadence le plancher et s'éclipsa par le portillon de la balustrade. Elle le vit piquer à droite pour aller dans le jardin, devant. Un modèle d'obéissance, vraiment !

Seule, Hannah frissonna, faillit rentrer et, les dents serrées, décida de rester encore. Les étoiles n'étaient-elles pas des soleils en miniature ? Le thermomètre affichait quinze degrés. A Chicago, une température pareille en pleine nuit était réservée aux périodes de canicule.

Attentive à ne pas renverser son mug de vin chaud, elle releva les genoux. emmaillota ses pieds dans un bout de la couverture afghane, dont elle serra les pans sur ses hanches pour se protéger du vent froid. Malgré ses précautions, le vin déborda du gobelet et quelques gouttes tombèrent sur sa poitrine.

— Et zut ! s'exclama-t-elle.

— Quel accueil !

Elle sursauta, renversant un peu plus de vin, cette fois sur ses cuisses.

— David ! Qu'est-ce que tu fais ici ?

— J'allais te poser la même question.

— Je suis chez moi.

Il grimpa les marches et la rejoignit sur le porche. Malcolm lui faisait fête en dansant une sarabande endiablée entrecoupée de *mouarf* et de *hurmph* retentissants.

— Sacré corniaud ! s'exclama David. Quand apprendras-tu donc à aboyer à bon escient ?

Hannah éclata de rire.

— Figure-toi que Malcolm fait des rondes de nuit. Je crois qu'il est en progrès. La semaine dernière, il a attendu que tu sois dans le salon pour donner l'alarme.

— Cette fois, il a reconnu ma voiture. S'il n'était pas venu à ma rencontre, j'aurais pensé que tu dormais.

165

David s'assit sur la chaise Adirondack voisine de celle de Hannah. Il remarqua la bouteille Thermos et le gobelet qu'elle tenait à la main.

— Je vais reformuler ma question que, du reste, je n'ai pas tout à fait posée. Que fais-tu ici, toute seule, dans le noir ?

— J'attends.

— Vraiment ?

— Des réponses à mes interrogations. Des certitudes. La confirmation que j'ai raison de vivre, qu'aller me fourrer la tête dans le four de ma gazinière serait un peu prématuré, et tout et tout.

— Hannah, tu vas bien ?

— Bon, j'ai un peu bu, je le reconnais.

David hocha la tête.

— Ouais, tu peux le dire.

— Veux-tu un peu de vin chaud ? proposa-t-elle en levant son mug. C'est délicieux.

— Je n'en doute pas. Mais non merci.

— A ton aise.

Elle avala une bonne gorgée et se passa la langue sur les lèvres.

— Crois-tu en Dieu ?

La question fit réfléchir David.

— Bien sûr, répondit-il enfin. Oh ! je n'ai jamais été un pilier de sacristie, du moins pas depuis longtemps ! Pour moi, Dieu est un peu partout, pas seulement dans les églises.

— Déjà vu le film *Oh, God !*?

David lui adressa un regard complice.

— Au moins six ou sept fois.

— Pfft ! Ce n'est rien. J'ai dû le voir au moins quinze fois, peut-être même vingt. J'ai la cassette. Maman et le reste de la famille ne juraient que par l'Eglise baptiste, qui leur fournissait des colis à Noël. Mais moi, je m'autoproclame fidèle de George Burns.

166

— Oui, bien sûr.

— Quand j'étais gosse, Dieu m'apparaissait sous l'apparence d'un vieillard terrifiant, avec une barbe interminable, un nez de rapace et des yeux d'obs..., d'obsi..., enfin des yeux vraiment noirs. J'en avais une peur bleue car on me disait que si jamais j'allais piocher dans le bocal à biscuits de grand-mère Garvey, c'était l'enfer assuré... Par la suite, quand j'ai conquis mon indépendance, j'ai banni le concept de religion de mon existence. Jusqu'à ce que je voie ce film.

Elle posa le gobelet à ses pieds, puis se cala dans sa chaise longue.

— Pour moi, Dieu aurait dû ressembler à George Burns : un adorable vieil homme plein de sagesse, avec un sens de l'humour exquis et une pointe de culot pour assaisonner le tout.

Elle haussa les épaules.

— Une sorte de Delbert — sans lunettes ni cigare et, si possible, débarrassé de ses manières théâtrales.

David se mit à rire. Hannah aurait pu admirer ses dents blanches si la lumière du porche avait été allumée.

— Qu'y a-t-il d'amusant ? C'est ce que j'ai dit sur la religion qui te fait rire ?

— Excuse-moi, mon cœur, je suis navré. Tout ce que tu dis me touche, mais quand tu as mentionné Delbert, je n'ai pas pu me retenir.

Et son rire s'éleva de nouveau dans la nuit.

Quand il eut recouvré son sérieux, il renouvela ses excuses et promit que, désormais, Dieu et George Burns seraient associés à jamais dans son panthéon intime.

— Moi aussi, Hannah, j'aime imaginer Dieu sous les traits de Burns : ni barbe, ni traits sévères ni regard glaçant.

Elle sourit faiblement.

— Il est moins intimidant, ainsi. Si tu promets de ne pas rire, je vais te faire une autre confidence.

— Je promets.

Elle lui prit la main.

— Depuis que j'ai vu ce film, je me fie davantage aux manifestations surnaturelles, comme on en voit dans le film. Il m'est même arrivé une expérience qui, depuis, m'aide à y voir plus clair dans ma vie.

— Vraiment ?

David ferma les yeux. Un long silence se fit, s'éternisa, au point de devenir presque inconfortable. Il le rompit en changeant de sujet.

— Si je suis venu ce soir, c'est parce qu'il y avait trop de choses en suspens entre nous, depuis hier soir. Moi aussi, j'ai besoin de certitudes. J'ai besoin de quelque chose à quoi me raccrocher. Et pour longtemps. Assez longtemps pour ne plus me sentir comme un…

Il rassembla ses pensées.

— Parfois, poursuivit-il, j'ai l'impression d'être collé sur une balançoire à bascule. Quand mes pieds touchent le sol, la brute assise à l'autre extrémité me propulse aussitôt dans les airs, et ainsi de suite.

Emue, Hannah s'avisa qu'elle aussi avait été confrontée à ces mêmes brutes. Certaines avaient un visage, d'autres non, mais toutes s'étaient nourries d'elle et de ses émotions.

Quelque chose à quoi se raccrocher, avait dit David. C'était exactement ce que désirait Hannah. A condition que cela dure pour toujours.

Une lumière argentée baignait la chambre à coucher. Dans le lit, sous les draps frais, David pressait son torse nu contre le dos de Hannah. Elle portait son ample chemise de nuit extra large tandis qu'il avait seulement gardé son jean. Leurs bras étaient enlacés, leurs doigts emmêlés. Tous deux savouraient la langueur de la nuit, sa douceur, qui leur donnait le sentiment de partir à la dérive sans pour autant lever l'ancre, et donc d'être en sécurité et, par-dessus tout, en paix.

— Je n'avais besoin de rien d'autre, murmura David. Je ne veux rien d'autre.

Du bout du nez, elle caressa la barbe naissante qui couvrait la joue de David.

— Tu te souviens de ce qu'on s'est dit, un jour ? chuchota-t-elle. Sur la différence entre... faire l'amour la première fois, pour les bonnes raisons et... pour les mauvaises raisons.

— Mmm.

— Si on avait fait l'amour cette nuit-là... cela aurait été pour une mauvaise raison.

— Oui.

— Tu te souviens de cette nuit ?

— Bien sûr, mon cœur.

— On aurait dû rester blottis l'un contre l'autre et s'endormir.

Des lèvres, il lui frôla la tempe.

—C'est pourquoi je suis ici, ce soir.

Hannah écoutait battre le cœur de David, elle épiait sa respiration, ce souffle qui lui caressait le visage. Le froid de la nuit était oublié. Il n'y avait plus de fantômes, plus de brutes menaçantes.

Hannah basculait dans un monde de sérénité.

— Je t'aime, David.

9

Marlin Andrik raccrocha et garda la main posée sur le combiné, battant la mesure dessus avec trois doigts.

— Qu'il pleuve ou qu'il vente, qu'il fasse jour ou nuit, rien ne m'empêchera d'aller clouer la bite d'un repris de justice à l'arbre de la loi.

Il pivota sur sa chaise afin de savourer la réaction de Josh Phelps, nouveau venu dans la section des inspecteurs. Phelps occupait le bureau du fond, près de la glace sans tain donnant sur la salle d'interrogatoire. Il avait haussé les sourcils, attendant la suite.

« Ce n'est qu'un début, mon garçon, lui dit Marlin du regard. Le pire reste à venir. »

Malgré son grade d'inspecteur principal, Marlin ne jouissait d'aucun privilège particulier, hormis la possibilité de malmener un jeunot de temps à autre. Il y prenait un certain plaisir. Et encore y allait-il doucement en comparaison de ce que Neimon Vestal, son instructeur de l'époque, lui avait fait subir.

Normalement, un bon flic devait apprendre à penser, écouter et lire entre les lignes. Mais Vestal l'avait assuré du contraire : « On ne te demande pas de prendre des initiatives, Andrik. Tant que tu seras sous mes ordres, c'est moi qui t'expliquerai la différence entre le lard et le cochon. »

Toute leur relation avait été au diapason de cette mise en garde.

Marlin alluma une cigarette et inspira la fumée. Une nouvelle minute de son existence partait en volutes bleutées. D'un geste brusque, il remisa paquet et briquet dans sa poche de chemise. « La dernière, Beth », promit-il en adressant une pensée fervente à cette petite blonde châtain qui était sa femme.

Il l'imagina recroquevillée, trop seule, dans leur grand lit. Elle lui reprochait de ne pas assez participer aux tâches ménagères, d'être trop dur avec leur fils et trop laxiste avec leur fille. Mais elle ne faisait jamais allusion à ces heures supplémentaires qui bouleversaient leur vie de famille ou à la consommation effrénée de cigarettes Marlboro de son mari. Une femme futée, Beth, qui avait compris que ses silences culpabilisaient bien plus Marlin que toute parole.

Phelps montra du doigt le dessous de pot de fleur qui servait de cendrier à Marlin.

— Un de ces jours, chef, vous allez mettre le feu à la baraque.

La section des inspecteurs dépendait du shérif du comté de Kinderhook. Les locaux occupaient la moitié d'un immeuble à façade étroite situé dans la même rue que le palais de justice, mais sur le trottoir opposé. Par dérision, les intéressés appelaient leurs locaux « la Remise ».

Marlin tira une nouvelle bouffée de sa cigarette et jeta un coup d'œil au faux plafond, gondolé par endroits, puis aux lambris imitation noyer et enfin à la moquette mitée. Posés sur de vieux bureaux métalliques cabossés, ordinateurs et périphériques étaient connectés à des prises de fortune.

Dans les toilettes, plusieurs équipes de cafards véloces s'essoufflaient dans d'incessantes olympiades. Et chaque fois qu'on s'avisait d'ouvrir un tiroir des meubles classeurs, des éjections de rongeurs jaillissaient hors des glissières.

Andrik ne verserait pas la moindre larme si ce petit Versailles devait partir en fumée… Mais, pour l'heure, il avait d'autres préoccupations. Il désigna à Phelps la salle d'interrogatoire.

— Que fait cet abruti ?

Phelps jeta un coup d'œil.

— Il regarde droit dans la glace.

Marlin tira une dernière fois sur sa cigarette, qu'il écrasa.

— Allons le secouer un peu.

Il emporta un dossier à l'intérieur duquel il y avait des notes prises sur le lieu du crime, des croquis explicatifs et la liste des objets découverts dans le camping-car. Pour inquiéter le suspect, il avait ajouté à ces documents de la paperasse sans rapport avec l'affaire. C'était son truc à lui : brandir sous le nez d'un suspect affolé les procès-verbaux d'affaires déjà résolues ou closes, que les intéressés prenaient pour des preuves à charge.

Si Reilly Boone n'était pas un génie, il avait séjourné derrière les barreaux, connaissait la musique et jouerait la montre. Le temps jouait en sa faveur. Marlin voulait agir vite. Il espérait que cet épais dossier truqué inciterait le bonhomme à parler.

Ces méthodes ne lui posaient aucun problème de conscience. Il éprouvait même une jouissance secrète et délectable à les employer.

— Je croyais qu'on attendait le retour du shérif, objecta Phelps.

— Tu crois à tort, mon gars. On a suffisamment enquêté sur place pour passer à l'interrogatoire. Et à l'heure qu'il est, Hendrickson s'occupe d'une affaire personnelle.

Phelps regarda ostensiblement sa montre.

— C'est l'excuse que je donnerai la prochaine fois que je voudrais aller faire dodo.

Marlin leva son épais dossier et l'abattit sur la tête du jeune insolent.

— Josh, mon garçon, laisse-moi te mettre au parfum. Dans ce service, je suis réputé pour donner mon temps sans compter. Eh bien, Hendrickson me bat de plusieurs longueurs. Avant Hendrickson, il y avait Larry Beauford. En douze ans, ce vieux Larry a dû bouger son gros cul pour quatre ou cinq affaires criminelles, tout au plus. Il passait le plus clair de son temps à se tourner les pouces et n'avait pas son pareil pour avoir sa photo dans les journaux.

Marlin ricana.

— Beauford ne craignait personne pour descendre des bières. Il a fini au cimetière à cause d'une affaire de cambriolage. Il avait pris la chose à la légère, comme d'habitude, sans penser que le suspect pouvait être armé. Tu piges, Phelps ?

Bien visible au-dessus du col de chemise, la pomme d'Adam du bleu montait et descendait à la manière d'un yo-yo. Marlin jugea opportun de réduire la vapeur, sous peine de voir Phelps demander son transfert express à la circulation.

— T'en fais pas, mon garçon, c'est pas toi que je veux affoler, mais cet Houdini à la manque. Il va en baver des ronds de chapeau, crois-moi.

Ouvrant la porte de la salle d'interrogatoire, il ajouta :

— « Le silence conduit à la félicité, petit scarabée. »

L'expression du visage de Phelps passa de l'étonnement à la perplexité.

« On dirait le passager d'un ascenseur pris d'une envie pressante », pensa Marlin, avant d'ajouter :

— Aurais-tu oublié ce sage dicton ? C'est ce que serinait à longueur d'épisode le vieux sage du feuilleton *Kung Fu* à son disciple, David Carradine.

Phelps était livide de stupeur, à présent. Un pensionnaire rêvé pour Duckworth le croque-mort. Marlin se demandait si Hannah en disait d'aussi bonnes à Hendrickson, histoire de combler le fossé des générations. Il était persuadé que la flamboyante rouquine et le juvénile shérif s'opposeraient tôt ou tard sur ce sujet.

Revenant à Phelps, Marlin précisa :

— Dis, mon garçon, tu crois pouvoir garder la bouche fermée et tenir tes oreilles grandes ouvertes ?

— Oui, chef.

Satisfait, Marlin actionna d'une pichenette l'interrupteur commandant la caméra vidéo fixée au plafond de la salle d'interrogatoire. Après avoir vérifié que la lumière rouge s'allumait correctement sous l'objectif de la caméra, il pénétra dans la pièce.

Apposé au mur, un logo de la taille d'une carte de crédit lilliputienne rappelait que le local était soumis à une surveillance électronique permanente. Des caméras et micros étaient discrètement disséminés ici et là. Si un suspect monologuait pour tromper son ennui et se faisait enregistrer à son insu, qu'y pouvait la police ?

Isolé depuis plus d'une heure, Boone n'avait pas bougé un cil. En voyant les deux hommes, il se leva de sa chaise en plastique blanc moulé. Ses yeux suivirent Phelps, qui alla s'asseoir derrière lui, dans un coin. Reilly prit ensuite Marlin dans sa ligne de mire et remarqua forcément dans ses mains le gros dossier en papier kraft frappé d'une étiquette « Boone, Reilly J. »

Des poils drus et blancs hérissaient le menton et le dessus de la lèvre supérieure du magicien, dont les rides étaient soulignées par le reste de son maquillage. Sa veste en satin froissée semblait trop grande pour lui, notamment au niveau des épaules. Et l'éclat impitoyable des néons lui donnait l'air d'un vagabond capable de vendre sa mère pour une bouteille de Jack Daniel's.

L'analyse de sang prouvait que l'illusionniste n'avait pas bu au moment de la mort d'AnnaLeigh. Marlin aurait pourtant juré qu'il lui avait fallu quelques verres pour trouver le courage d'expédier sa chère et tendre dans l'autre monde.

Qu'il n'en soit rien ne faisait que rendre un peu plus troublante encore cette histoire.

Ignorant le bourdonnement de la caméra, au-dessus de leurs têtes, Andrik entra dans l'arène. Il décida de vouvoyer Boone, du moins au début.

— Pour protéger nos droits respectifs, monsieur Boone, je dois vous rappeler que nous sommes actuellement filmés en vidéo et que nos propos sont enregistrés. Est-ce entendu ?

— Ouais, répondit Boone en cherchant son regard. Ça me va parfaitement.

Il avait refusé l'assistance d'un avocat. Dans l'univers carcéral, avocat égale coupable. Et, toujours selon cette logique erronée, quelqu'un qui refuse l'aide juridique est forcément innocent. Marlin n'était pas dupe. Le moment arrivait presque toujours où le suspect interrompait l'interrogatoire pour exiger son avocat en pleurnichant.

Au grand bal de la causette, on dansait jusqu'à ce que la cantatrice chante, ou que les musiciens rangent leurs instruments.

— Monsieur Boone, désirez-vous quelque chose à boire, avant que nous commencions ? Du café ou un soda, peut-être ?

— Non merci.

Marlin ôta sa veste de sport et la suspendit au dossier de sa confortable chaise. En se mettant ainsi à l'aise, il suggérait au suspect que l'interrogatoire pouvait durer longtemps et que la balle était toujours dans le camp des flics.

Contrairement à la plupart de ses collègues, il tournait le dos à la porte, bloquant ainsi le passage. Si Boone avait des velléités de fuite, il le trouverait en travers de sa route.

Interroger un suspect était un art, une science qui nécessitait le sens de l'improvisation théâtrale, mais aussi celui de raconter des conneries. Marlin adorait jouer la comédie. Mentir lui plaisait, surtout si c'était pour arracher la vérité aux suspects. Et aucune honte à avoir, puisqu'il agissait pour la bonne cause.

Afin d'éclairer Josh Phelps, Marlin fit répéter à Reilly sa version des faits : La Cible Humaine, le coup de feu truqué, la balle réelle cachée dans sa main, et ses explications sur ce qui avait pu provoquer le drame.

Quand Boone eut fini, Marlin attaqua.

— Votre femme cuisinait rarement, quand vous étiez en tournée.

Reilly se crispa.

— Effectivement. Mais quel rapport ?

— Vous aviez peu de provisions, dans le frigo. Cela laissait de la place pour stocker, par exemple, une boîte de fausses balles en cire.

— Ah ! oui, c'est pour les empêcher de se déformer à la chaleur. Quand je les sors du frigo, elles transpirent un peu, se ramollissent rapidement et sèchent.

— Que se passerait-il si elles n'étaient pas dégelées ?

— On les utiliserait telles quelles. Je ne crois pas que l'humidité qu'elles dégagent puisse gâcher le mélange de poudre. Mais à quoi bon courir un risque ?

En fait, Marlin accordait peu d'importance au degré de dureté des balles truquées.

Boone jouait à fond la carte de l'échange fautif des balles. Quand il débita une nouvelle fois son histoire, celle-ci parut du goût de Phelps, qui hocha la tête. Cette version des faits semblait d'autant plus plausible qu'aucun fragment de balle en cire n'avait été retrouvé sur la scène. Le jeune flic oubliait que plus de vingt personnes avaient piétiné l'estrade en tous sens, avant qu'on en interdise l'accès. Leurs semelles avaient pu décoller les fragments du sol et les emporter à l'extérieur.

Marlin poursuivit.

— Avec votre femme, vous preniez vos repas sous le chapiteau réfectoire ?

— C'est exact, mais AnnaLeigh chipotait dans son assiette. Elle accusait les cuisiniers de tailler leurs steaks dans de vieux pneus.

— Et avant la représentation, vous avez dîné ?

— Pas eu le temps. AnnaLeigh nous a préparé deux sandwichs sur le pouce.

— Votre femme en a donc mangé un, elle aussi ?

— Je crois… Oui, cela me revient : elle grignotait en se maquillant dans la salle de bains du camping-car.

— Avant ou après votre dispute ?

Boone se laissa aller contre le dossier de sa chaise.

— Quelle dispute ? AnnaLeigh était un peu grincheuse quand le temps pressait et qu'elle devait se préparer. Mais cette fois, il n'y a pas eu de grabuge.

— Cherchez bien, Boone…

— Mais je vous assure, inspecteur ! On a eu à peine le temps d'échanger deux mots.

Marlin sortit du dossier les photos Polaroïd recollées par ses soins. Fallait-il tenter le coup ? Boone pouvait jurer n'avoir jamais rien su de ces photos, donc ne pas s'être disputé avec AnnaLeigh à leur propos. La thèse d'un crime passionnel s'effondrerait du même coup.

Les éléments dont disposait Marlin pour étayer ses soupçons étaient peu nombreux. Le camping-car sens dessus dessous ? Boone reconnaîtrait tout au plus qu'AnnaLeigh était soupe au lait et s'était un peu énervée. Rien à voir avec une dispute — encore moins une bagarre conjugale.

Au bout du compte, mieux valait garder les photos en réserve jusqu'aux résultats de l'autopsie préliminaire. Qui sait ? Une trace de coup antérieure au décès, une rougeur suspecte, des fragments de peau sous les ongles de la victime… il ne faudrait pas grand-chose pour amener Boone à se montrer plus coopératif.

177

Les services de médecine légale de Columbia étant surchargés, Junior Duckworth avait demandé à un ami légiste de Springfield de se charger de l'autopsie. Le praticien, qui s'intéressait à cette histoire, avait promis de faire diligence, Marlin lui avait indiqué dans quel sens mener ses recherches ; depuis, il attendait que le téléphone sonne.

Rangeant à regret les photos dans le dossier, il repartit à l'offensive.

— Bon, admettons que le calme régnait dans votre ménage. Il vous arrivait quand même de vous disputer, non ?

Boone faillit nier, avant de se raviser.

— Bien sûr. Comme tous les couples.

— Quel a été le motif de votre dernière dispute ?

— Mais je n'en sais rien ! Dites, inspecteur, vous vous en souvenez, vous, de la cause de votre dernière empoignade avec Mme Andrik ?

Marlin ne se laissa pas démonter.

— L'argent, mentit-il. Avant que Beth travaille, tout ce que je gagnais était *notre* argent. C'est toujours le cas, aujourd'hui… mais le salaire qu'elle touche est *son* argent, et je n'ai pas le droit d'en voir la couleur.

— Nous sommes des frères d'infortune ! lança Boone.

Il se tapota le torse du pouce.

— A l'époque où c'était moi la vedette, je partageais mes gains avec AnnaLeigh. Mais dès qu'une femme commence à gagner des sous, on dirait que ça lui monte à la tête. Quand le succès est venu, AnnaLeigh a eu son avis sur tout. Je n'existais plus… enfin, je faisais juste partie du tableau. Elle m'a même plus d'une fois traité de ringard.

Marlin sentit monter dans sa gorge un picotement annonciateur d'une grosse envie de tousser. Surtout pas ! Il fallait laisser parler Boone, ne pas l'interrompre. Il avala sa salive, contracta son diaphragme serré à craquer, tout en suppliant secrètement son client : « Grouille-toi, accouche ! Je vais mourir, moi ! »

— Je n'ai jamais pu faire comprendre à AnnaLeigh que le cirque est avant tout une question de traditions, poursuivit Boone sans se douter de ce qui se passait. Même s'il n'est pas dupe, le public vient sous le chapiteau pour retourner en enfance.

Marlin fut incapable de se retenir plus longtemps. Une toux grasseyante, violente, le secoua tout entier. Par chance, il n'avait pas coupé Boone à un moment crucial.

— Ne le prenez pas mal, Boone, mais face à des magiciennes de cirque aussi peu vêtues qu'AnnaLeigh, vos collègues à haut-de-forme et queue-de-pie et vous-même êtes plutôt dépassés…

— C'était son choix, pas le mien ! s'exclama Boone, écarlate. Un bon magicien est supposé vendre de l'illusion — mais pas de la sorte. AnnaLeigh avait beaucoup changé depuis plusieurs mois.

— En quoi ?

Boone faillit répondre, mais un coup d'œil à la caméra le retint. Finie la connivence entre Marlin et lui. Il venait de se rappeler où il se trouvait et pourquoi.

Marlin fit mine de parcourir le dossier.

— En quoi votre femme avait-elle changé, Boone ?

Un silence.

— AnnaLeigh était une vraie beauté. Une plastique spectaculaire, comme tout le monde pouvait s'en rendre compte. Elle n'avait pas pour habitude de cacher ses avantages, hein, Reilly ?

— Ce n'était que pour son numéro. En dehors de la piste, elle s'habillait normalement.

Marlin hocha la tête, sans cesser de feuilleter l'épais dossier.

— Je ne peux pas dire que j'aie été surpris d'entendre que vous vous disputiez avec elle parce qu'elle avait tendance à flirter avec d'autres hommes.

— Mais c'est un mensonge !

— Que votre femme était un peu volage ? Ou que vous vous soyez affontés à ce sujet ?

— Les deux… enfin, je veux dire, ni l'un ni l'autre.

— Donc, tous ceux qui affirment qu'AnnaLeigh était une allumeuse et que vous vous accrochiez à ce sujet au moins deux fois par semaine sont des menteurs ? C'est bien ce que je dois croire, n'est-ce pas, Boone ?

Bouleversé, l'illusionniste frémit comme si un courant électrique le parcourait de la tête aux pieds. Puis il riposta, entre ses dents serrées :

— Je me fous de ce que vous pouvez penser, Andrik.

Il était à bout et perdait la mesure. Marlin croisa ses avant-bras sur la table.

— Mensonge, monsieur Boone. Le premier, peut-être, depuis le début de notre conversation. Et sans doute pas le dernier. Car je crois au contraire que mon opinion vous importe beaucoup.

Se penchant en avant, il ajouta :

— Et si ce n'est pas le cas, Boone, dépêchez-vous de changer d'attitude.

Tous les rouages du cerveau de Boone se mirent en marche.

— C'est vrai, avoua-t-il soudain d'un ton conciliant, je n'aimais pas trop voir AnnaLeigh porter ces tenues sexy. Que voulez-vous, elle était coquette et aimait plaire aux hommes. Et parfois, elle allait un peu trop loin.

— Qu'entendez-vous par « trop loin » ?

L'effort que fournissait Boone pour maîtriser ses émotions contracta son visage.

— J'ai bientôt soixante-deux ans, inspecteur. Si vous aviez mon âge et AnnaLeigh comme femme, vous auriez des raisons d'être jaloux, non ?

En répondant à une question par une autre question, il s'épargnait une réponse embarrassante.

— Vous vous êtes marié tard, remarqua Marlin.

Boone marqua le coup.

— J'avais quarante-six ans quand AnnaLeigh et moi avons convolé.

Marlin apprécia cette entrée en matière digne de Paul Harvey, le célèbre homme de radio spécialisé dans les histoires touchantes ou édifiantes. Il aiguillonna Boone.

— AnnaLeigh n'était pas votre première épouse.

— C'est vrai, inspecteur.

Et ce n'était probablement pas la seconde, songea Marlin, sans quoi Reilly n'aurait pas manqué de le spécifier.

— Combien de fois avez-vous été marié ?

— Trois fois. Pourquoi ?

— Trois fois en comptant AnnaLeigh ?

— Oui.

Par le shérif, Andrik savait que Reilly n'avait pas épousé Caroline Garvey ; et qu'il n'avait rien dit de ses différents mariages à Hannah.

— Des enfants ?

— Pas à ma connaissance. Mais si cela vous intéresse, sachez que Darla, ma première femme, avait un garçon d'un précédent mariage. Ma deuxième femme, Jeannette, avait quant à elle un fils et une fille.

— Combien de temps ont duré ces mariages ?

— Cinq ans avec Darla. Sept ans avec Jeannie.

— Des pensions alimentaires à verser ?

— Non.

Boone se renfrogna. Marlin vit sur l'horloge murale qu'il était minuit passé de dix-sept minutes. On était samedi. D'une pichenette, il fit jaillir une cigarette de son paquet, l'alluma et réquisitionna une tasse à café en plastique pour en faire un cendrier.

— Je veux tout savoir de vos divorces successifs, Boone. Année, lieu, jugement, etc.

Boone gémit en chassant de la main la fumée que Marlin avait soufflée vers lui.

— Mais c'est qu'il n'y a pas eu de divorce.

— Oh ! fit Marlin en secouant sa cigarette dans le gobelet. Vous êtes bigame, alors ?

— Evidemment ! répliqua Boone, les yeux chargés de haine.

Andrik le tutoya brusquement.

— Tu me prends pour un crétin, ou quoi ? Trois mariages enregistrés, et pas un seul divorce ? Explique-toi, sinon l'inspecteur Phelps ici présent ira consulter dare-dare les registres d'état civil sur Internet.

Andrik bluffait. Il ne disposait que de quelques noms, et les recherches prendraient une ou deux semaines. Mais, grâces soient rendues aux pouvoirs magiques d'Internet, cet idiot de Boone n'en savait rien…

Après un ultime regard assassin, Boone consentit à s'expliquer.

— Pour son numéro, Darla montait à cru. Un jour, alors que son cheval habituel boitait, elle a dû se rabattre sur un autre, qui n'était pas encore assez entraîné. Lors de la représentation, le cheval a été effrayé par les cris du public, la lumière des projecteurs… Il a fait un écart. Darla, debout sur son dos, a perdu l'équilibre. Elle est tombée sur la piste et n'a pas pu se dégager à temps. Le cheval qui suivait s'est cabré et l'a piétinée.

Le pouls de Marlin s'accéléra. Et l'effet excitant de la nicotine n'y était pour rien.

— Qu'est-il arrivé à ta seconde épouse ?

— Jeannie et trois partenaires présentaient La Toile Espagnole, une des meilleures attractions, à l'époque. Ils s'élançaient du haut des cintres dans le vide, au bout de leurs cordes respectives, et se croisaient en formant des 8 et toutes sortes de figures spectacu-

182

laires. Avec l'orchestre qui les accompagnait ; on aurait vraiment dit un ballet aérien.

Boone avait la voix tendue par l'émotion. Il fit une pause et reprit :

— Durant cette tournée, nous avons fait un détour par une petite ville pour donner une représentation supplémentaire, qui n'était pas prévue au programme. On devait rester sur place une demi-journée et repartir dès le spectacle terminé. Nous avions très peu de temps, pour le montage. Le chef monteur a dit qu'on se passerait des filets de protection.

— Une procédure habituelle ? demanda Marlin.

— Bah ! les représentations de dernière minute ne sont pas si courantes et…

— Je veux une vraie réponse, Boone.

— Cela arrive trop souvent, oui. Mais le chef monteur doit obtenir l'accord de tous les artistes — je dis bien : de tous.

Le message était clair. Lors de la représentation, Jeannette, comme les autres, avait accepté de travailler sans filet. Marlin fit signe à Boone de continuer.

— Jeannie exécutait son final : une boucle en vrille. Il lui restait une dernière rotation à effectuer, trente secondes au plus et c'était gagné.

Boone transpirait.

— Elle était attachée à la corde par une courte sangle munie d'un étrier pivotant. Le pivot a cassé net.

Boone regarda alternativement Phelps et Marlin.

— On l'aurait sauvée si elle avait été transportée tout de suite à l'hôpital. Mais la ville la plus proche se trouvait à trois ou quatre cents kilomètres de là.

Marlin avait rarement vu suspect plus compromis que Boone. Un super candidat ! Un meurtrier, qui agissait par simple intérêt, contrairement au tueur en série guidé par son seul plaisir pervers.

Boone vit clair en lui.

— Je sais ce que vous pensez, et vous avez tort. Je vous jure devant Dieu que ces morts étaient accidentelles — y compris celle d'AnnaLeigh.

Il se redressa.

— Je prouverai que j'ai raison ! s'exclama-t-il avec véhémence. Faites-moi passer au détecteur de mensonge, si ça vous chante.

— Asseyez-vous ! ordonna Phelps.

— Je vous en prie ! Vous devriez…

— J'ai dit : « Assis ! »

Boone se laissa tomber sur sa chaise, répétant d'une voix plaintive :

— C'étaient des accidents. Des accidents… Vous pouvez aller demander dans les cirques.

Il scruta tour à tour le visage d'Andrik et de Phelps.

— Interrogez Vera Van Geisen — Jeannie et elle étaient amies. Johnny Perdue aussi vous dira que je n'y suis pour rien. On se connaît depuis vingt ans, lui et moi.

Marlin assura qu'il parlerait au clown et à Mme Van Geisen. Il demanda ensuite les dates et lieux de naissance de Darla et de Jeannette, ainsi que leur numéro de sécurité sociale… Boone ne s'en souvenait pas.

— Parle-moi un peu de leurs primes d'assurance-vie, déclara alors Marlin.

— Elles n'avaient pas d'assurance-vie. Les primes d'un artiste de cirque sont deux à trois fois plus élevées que la normale.

— Que sont devenus les enfants de tes deux épouses ?

Le front de Boone se plissa.

— Les enfants ?

Phelps lui montra sa main, avec trois doigts tendus.

— Vos trois beaux-enfants, que sont-ils devenus ?

184

— Oh ! eux ? Le fils de Darla vit aujourd'hui avec son père. Quant au père des enfants de Jeannette, il n'a pas voulu s'en occuper, et ce sont les grands-parents maternels qui les ont recueillis.

— Pratique pour vous, remarqua Phelps.

Boone se tourna vers Marlin.

— J'ai fait ce que j'ai pu quand ils vivaient avec nous.

— Mais ce n'était pas la chair de ta chair…

— C'est v…

Une fraction de seconde trop tard, Boone perçut l'ironie de la remarque et grimaça.

— AnnaLeigh avait-elle souscrit une assurance sur la vie ? interrogea Marlin.

— C'était son idée, et…

— Donc, tu reconnais les faits. Pour quel montant ?

— Deux cent mille dollars.

Marlin émit un sifflement.

— Un sacré bonus, non ?

— Je n'y suis pour rien.

— La mort d'AnnaLeigh te rapporte deux cent mille dollars, Boone. Un pactole. Auquel il faut ajouter les autres deux cent mille et quelques dollars placés dans cette banque du Texas.

Marlin jeta sur la table une pochette plastifiée contenant les relevés bancaires de la Cattlemen's Union Fidelity.

— Tiens, regarde un peu.

Boone devint encore plus blanc que les relevés.

— Moi, poursuivit Marlin, je suis d'une nature sceptique. Tout à l'heure, j'ai tiré du lit le chef de police de Molalla, qui est allé réveiller un des responsables de la banque. Ce dernier a vérifié le solde du compte « Boone » sur son ordinateur portable.

Du doigt, il pointa la date, vieille d'un mois, qui figurait en haut du relevé. Puis il souligna, plus bas, le montant à six chiffres indiquant le solde du compte.

— Surprise, Boone ! D'après cet éminent banquier, il faut soustraire deux cent mille dollars et des poussières au solde figurant sur ce relevé.

Boone gémit, sa tête dodelinant lentement de droite à gauche. Il semblait hypnotisé par le relevé bancaire.

— Allez, secoue-toi ! lui ordonna Andrik. Où est passé l'argent ? Réponds ! Pas dans ce super camping-car, quand même ?

Tandis que Boone bredouillait des propos incompréhensibles, Marlin poursuivit sur sa lancée.

— Maintenant que ta femme est morte, ce véhicule tout confort t'appartient. Un peu de diluant... et hop ! tu effaces son nom de la carrosserie. En plus, elle a eu le bon goût de souscrire une assurance décès lors de l'achat, et il n'y a plus de crédit auto à rembourser.

Les mains posées à plat sur la table, Phelps colla son visage à celui de Boone.

— On sait que vous flambez, Boone. Qu'est-ce qui vous a pris ? Un coup de folie sur le tapis vert ? Un coup de dés malheureux et adieu les dollars ? Ou bien la tuile à cause d'un canasson ringard ? Ce doit être de famille, Boone : votre première femme non plus n'avait pas la main heureuse avec les chevaux.

— Enfant de salaud ! rugit Boone. Je l'ai pas tuée ! J'ai jamais tué personne !

— Ah oui ? fit Marlin en haussant le ton. Et Sheldon Altman, c'est peut-être pas toi qui l'as tué ? On t'a collé dix ans au trou pour l'avoir tabassé à mort dans un bar.

— C'était un accident.

Boone repoussa Phelps et montra du doigt la caméra.

— Eteignez cet engin. Je veux un avocat, vous entendez ? Et tout de suite !

10.

Dans un demi-sommeil, Hannah recula en ondulant des hanches pour réduire la distance qui la séparait du corps puissant, chaud et presque nu de David.

Qu'il était bon d'avoir un homme…

Grrrmph.

Elle souleva une paupière et la ferma vite tant la lumière du soleil était éblouissante. *Grrrmph.* Que devait-elle faire pour que David lui adresse un « Bonjour » civilisé ? Lui acheter quelques voyelles ? Elle fit glisser son bras hors des couvertures et, du pouce et de l'index, pinça les fesses de son compagnon.

Deux yeux chocolat, émouvants à pleurer et emplis d'un amour infini, émergèrent de sous les draps et la fixèrent intensément. Sidérée, Hannah donna un grand coup de pied pour soulever la literie blanche.

— Mais qu'est-ce que tu fabriques dans mon lit ?

Malcolm bondit du matelas, effectua un saut à l'horizontale suivi d'une virevolte, se récupéra *in extremis* sur le sol et fila comme si sa queue avait pris feu.

Le seul fait de le regarder lui donna un terrible mal de tête. Dans son crâne, son juke-box interne s'était mis à jouer *Red, Red Wine* en boucle. Une gueule de bois avec en fond sonore une chanson de Neil Diamond atteignait la limite du supportable.

Les yeux enflés, douloureux, Hannah fit pivoter sa tête avec précaution.

La cartouchière et le pistolet de David n'étaient plus suspendus au montant du lit. La salle de bains était vide. Sa radio de service avait disparu, ainsi que la petite monnaie, l'alphapage, le portefeuille et les clés posés la veille au soir sur la table de chevet.

Pas de doute, le shérif était déjà parti remplir son devoir.

Le réveil entra dans le champ de vision de Hannah. Les chiffres électroniques géants rouge vif l'informèrent qu'il était 9 h 88. Bizarre… Clignant des yeux, elle fixa de nouveau le cadran et lut tout d'abord 7 h 33 puis, quelques secondes après, 7 h 34.

Il était temps de se lever. Elle se traîna jusqu'à la salle de bains, en sortit deux minutes après d'un pas toujours aussi traînant, puis, à petite allure, alla ouvrir la porte-fenêtre afin de libérer un Malcolm impatient d'arroser son arbre favori.

Sonnée par tant d'efforts, Hannah gagna poussivement la cuisine où elle trouva un grand pot de café chaud. A côté, une tasse propre et un flacon de comprimés d'aspirine extra-forte. Sous le flacon, une serviette en papier où l'on avait griffonné un message en alternant curieusement lettres majuscules et minuscules.

J'aurais bien voulu être là à ton réveil. Je t'aime. David.

Hannah en attrapa des palpitations au creux du ventre. Il lui sembla que son corps la démangeait de la tête aux pieds. Des picotements d'émotion.

Je t'aime… Beaucoup de gens, à commencer par elle-même, avaient le « je t'aime » facile. Pas David. Il ne le prononçait jamais, que ce soit pour parler d'un film, d'un restaurant, de son travail, d'une chanson, ou même de sa camionnette, son pick-up adoré, rouge cerise et bardé de chromes étincelants.

« Oui, mais nous avons dormi ensemble », songea-t-elle en remplissant son mug de café brûlant. Et même s'il ne s'était rien passé entre eux, elle imaginait mal David conclure son mot d'un « Bien sincèrement ! » ou d'un « Bonne journée ! »

Encore toute remuée, elle fit glisser trois comprimés d'aspirine du flacon dans sa main et les avala avec un verre d'eau. La veille au soir, elle avait forcé sur le vin chaud et sombré dans un oubli noir. Selon toute vraisemblance, David l'avait aidée à se mettre au lit avec le dévouement d'un dépanneur professionnel en intervention de nuit.

Lui avait-elle vraiment dit que Georges Burns *était* Dieu ? Ou était-ce un songe ?

Sur l'évier, le pélican en céramique dont le bec ouvert accueillait un grattoir éponge lui jeta ce qu'elle prit pour un regard en biais.

Soit. Il la prenait pour une cinglée. Et alors ? Cela ne changeait pas beaucoup de d'habitude…

Elle posa brusquement son verre vide sur le plan de travail et, fixant le pélican insolent, se mit à penser tout haut. Allait-elle dire *Je t'aime* la première ? Non, pas question ! Pour une fois dans sa vie chaotique, elle jouerait la prudence. L'émancipation et la libération des femmes, les initiatives progressistes, elle connaissait. C'était parfait dans la vie publique et professionnelle, mais zéro dans la chambre à coucher.

Elle planta ses mains sur ses hanches et riva ses yeux à ceux du pélican mécontent.

— Mon coco, les films où une Daphné roucoule son amour à un Reginald, un Alphonse ou un Gaétan qui lui rend illico la pareille, se terminent toujours mal. Oui, oui, je sais ce que je dis, mister Pélican, et j'ai appris ma leçon.

Pivotant sur ses talons, elle récupéra la tasse de café et la serviette en papier sur laquelle figurait le message. David comptait vraiment beaucoup pour elle. Elle donnerait cher pour lire dans son cœur et connaître ses intentions. Son « Je t'aime » était-il une déclaration sincère, ou une simple variante de « Salut, et à plus » ?

189

Braquant le pistolet sur sa chemise d'uniforme, David pressa sans état d'âme la détente. Un nuage de vapeur s'éleva au-dessus du fer à repasser lorsque celui-ci glissa en chuintant sur le tissu humide. Repasser n'avait rien à voir avec le tir sur cible, sauf lorsqu'on se trouvait, comme David en cet instant, seulement vêtu de son caleçon et ses chaussettes, vulnérable.

Si Hannah s'était trouvée là, elle l'aurait taquiné sur le dur métier de ménagère et mis en garde contre le faux pli qui jurait à l'empiècement de la chemise…

Mais à bien y réfléchir, David ne recevrait jamais Hannah à moitié nu derrière sa planche à repasser, en plein milieu de son salon. Soit il aurait enfilé son pantalon, soit tous deux seraient déjà couchés à l'horizontale, dans le plus simple appareil.

Il soupira et regarda par la fenêtre, en direction d'une certaine maison de style colonial, distante d'environ quarante kilomètres et qui, en ce moment précis, lui semblait plus éloignée que le pôle Nord. Que ne donnerait-il pas pour se trouver en cet instant même au lit avec elle, blotti contre son dos, sans autre intention que de lui prodiguer toute la tendresse du monde ?

La nuit dernière, profitant de ce que Hannah était dans la salle de bains, il avait appelé Claudina Burkholtz en lui demandant de le réveiller par alphapage à 5 heures du matin. Selon toute probabilité, sa collègue avait bien deviné où il se trouvait, mal deviné ce qu'il pouvait être en train d'accomplir, et s'était sûrement méprise sur la raison qui le poussait à vouloir se lever aux aurores.

En fait, David était doté d'un réveil interne naturel qui l'aurait tiré assez tôt du sommeil pour qu'il rentre chez lui, prenne une douche, se rase et honore son rendez-vous avec l'avocat Terry Woroniecki. Le signal d'appel de l'alphapage devait simplement lui donner une petite longueur d'avance sur les lève-tôt de Valhalla Springs qui, s'ils découvraient sa voiture de patrouille stationnée devant chez Hannah, risquaient de jaser.

190

David pouvait presque entendre Hannah en rire. Elle lui ferait remarquer qu'il était trop protecteur, désespérément vieux jeu, avant de lui rappeler le fait que sexe et troisième âge n'avaient rien d'incompatible.

Malgré tout, il voulait partir. Après avoir raturé en vain treize serviettes en papier afin de justifier sa fuite, il s'était décidé pour une phrase simple exprimant son regret de ne pas être resté avec elle. Provincial dans l'âme, il n'aimait pas mettre son cœur à nu et sa phrase, en apparence anodine, était déjà un aveu sentimental destiné à toucher le cœur de Hannah. David espérait en outre qu'elle ne prendrait pas Delbert et son harem pour modèle : sortir avec le shérif n'impliquait pas automatiquement de coucher avec lui.

Sa chemise enfin prête, il l'enfila et la boutonna. Ses pensées convergeaient vers Hannah, qu'il revoyait allongée sur le côté, ses cheveux emmêlés brillant doucement dans la pénombre, une jambe étirée vers le pied du lit, l'autre repliée au niveau du genou.

Le parolier d'une chanson aurait comparé son visage à celui d'un enfant, insisté sur son air d'innocence et de vulnérabilité. Si David n'avait rien contre cette analogie, il se demandait pourquoi les poètes avaient besoin du clair de lune pour s'en rendre compte.

Ce que David avait vu de Hannah dans l'aube naissante ne différait pas de ce qu'il voyait d'elle en pleine lumière. Dans les deux cas, il s'agissait de cette femme qu'il désespérait jusque-là de rencontrer, dont il était tombé amoureux au premier regard et qui, dans son sommeil, murmurait tendrement son prénom.

A grandes doses de caféine et d'antalgiques, et après la longue brûlure du jet de la douche, Hannah se sentit mieux. Seul un léger malaise lui rappelait sa gueule de bois carabinée.

Mais elle frémit en découvrant dans le miroir de la salle de bains son regard vitreux, qui rappelait celui d'un poisson rouge anémique. Deux couches de maquillage et des touches appuyées de mascara rendirent à ses yeux un peu d'éclat.

Sa dernière expédition chez Henri, son coiffeur de Chicago, remontait déjà à quelques semaines. Depuis, ses cheveux avaient poussé en mèches échevelées. On n'était pas loin de l'état de catastrophe naturelle. Heureusement, ce matin, le vent soufflait en rafales. Hannah se promit d'invoquer le mauvais temps si elle croisait des curieux étonnés par ses boucles protéiformes aux allures d'antennes.

Après avoir serré dans son jean le bas d'un T-shirt de soie blanche et les pans d'un chemisier, Hannah s'assit sur le lit pour lacer ses bottes. Elle regarda machinalement la photo encadrée posée sur sa commode. Aussitôt, elle se pencha en avant et, du bout des doigts, ramena le cadre à elle.

Bizarrement, la photo n'était plus à sa place.

Elle aurait dû se trouver de l'autre côté de la lampe, près du coffret à bijoux.

Et après ? songea-t-elle en haussant les épaules. Cela n'avait aucune importance. Elle scruta le portrait de sa mère, un des rares qu'elle possédât. Elle aimait son expression ! De quand datait la photo ? Elle l'ignorait, de même que le lieu où elle avait été prise lui était inconnu.

Caroline semblait intemporelle, et donc actuelle, très présente, sur ce cliché. Peut-être était-ce cela qui rapprochait la mère et la fille.

Hannah s'imaginait posant à ses côtés, face à l'objectif du photographe. Elle rêvait. C'était si bon de jouer avec le temps.

Sur la photo, Caroline était de face, ses cheveux cuivrés et ondulés rabattus en arrière par la brise. Elle avait les yeux plissés à cause du soleil ; le menton volontaire et la bouche ouverte, elle riait aux éclats, sans qu'on sache de quoi. D'elle-même, peut-être.

Hannah suivit du doigt les contours délicats du front de sa mère, de son nez racé, de son visage ovale en cœur. Où était passée cette ressemblance dont parlait Reilly ?

Il y avait quelques traits communs, mais… Hannah se leva devant le miroir de sa coiffeuse et tint la photo à bout de bras, près de son visage. Caroline avait tout juste trente ans sur la photo. Hannah, elle, en avait aujourd'hui quarante-trois.

Elle soupira en scrutant leurs deux images dans le miroir. On aurait pu les prendre pour des cousines. Sûrement pas pour des jumelles.

Reposant le cadre à sa place habituelle sur la commode, Hannah jeta un dernier regard ému au portrait. Par la pensée, elle juxtaposa un instant le visage usé de Boone et celui, rieur, de Caroline. Etait-elle issue de leur union ?

— Oh ! maman, pourquoi ne m'as-tu jamais parlé de mon père ! Le détestais-tu au point de me cacher son nom ?

Jefferson Davis Oglethorpe, le vieil original rencontré à la parade, lui avait expliqué que sa famille n'adressait plus un mot depuis des temps immémoriaux à une autre famille de Sanity, dont le nom était synonyme de blasphème. « Aucun Oglethorpe n'a parlé à ces gens depuis la guerre de Sécession », avait-il ajouté.

Hannah se résigna. Caroline était morte, emportant ses secrets dans sa tombe, sous une plaque de granite érodée par le vent et la pluie.

Tournant le dos à la commode, elle se pencha et défit le lit. Un cycle de lavage à quatre-vingt-quinze degrés aurait-il raison des sautillantes bestioles noires qui proliféraient dans la fourrure de Malcolm ? Si cela ne suffisait pas, elle essorerait ces satanées intruses jusqu'à ce qu'elles rendent l'âme.

Les bras encombrés par la literie, Hannah fit une pause à l'orée de la chambre et se retourna pour regarder cette commode depuis laquelle Caroline lui souriait.

— Si tu détestais Reilly à ce point, maman, pourquoi avoir gardé ce ridicule petit chien en peluche qu'il t'avait offert avant ma naissance ?

En trois enjambées, Delbert eut traversé Main Street.

— Accélère un peu l'allure, Schnur ! lança-t-il. On est déjà en retard.

Leo le rejoignit, hors d'haleine.

— C'est ta faute, j'étais prêt à 7 heures précises. Tu n'es sorti de la salle de bains qu'à 7 h 46.

Delbert se massa le ventre. Il avait l'impression qu'un alligator faisait des loopings à l'intérieur. Quelque chose qu'il avait mangé, peut-être ? Non. La veille, au cirque, il avait à peine dîné d'une bratwurst géante accompagnée de choucroute et d'oignons. Alors, un virus qui traînait dans l'air ?

Le déclic se fit. Virus, mon œil ! Mardi soir, avant qu'ils aillent danser le quadrille, Maxine McDougal lui avait donné quelques capsules de ginseng afin de pallier ses troubles de mémoire. Mais à quoi bon se souvenir de tout si c'était pour rester coincé dans les toilettes ?

Derrière lui, Leo s'essoufflait.

— Tu vas trop vite ! On aurait mieux fait de prendre une voiture.

Mais leurs petites voitures de golf électriques étaient au garage. Quant à la limousine de Delbert et au monstre orange que conduisait Leo, elles étaient identifiables même par temps de brouillard. Un curieux en goguette aurait eu des soupçons — alors, une Sherlock en jupons à cheveux cuivrés prénommée Hannah…

Pour Delbert, une femme intelligente *et* soupçonneuse était à peu près aussi dangereuse qu'un missile à tête nucléaire.

— Ma foi, je me suis dit qu'un peu d'exercice te ferait du bien, affirma Delbert en renfonçant sa casquette de golf, sur le point d'être emportée par le vent. Il n'est jamais trop tôt pour une séance de remise en forme. Pense un peu à ta lune de miel qui approche. Tu veux être fringant pour ta pouliche, non ?

Leo ouvrit de grands yeux que les épais verres correcteurs de ses lunettes à monture d'écaille rendaient exorbités.

— Le mariage n'est que demain.

— Oui, et qu'est-ce que ça change ? répondit Delbert en surveillant les parages.

En semaine, et malgré l'heure matinale, vingt ou trente retraités seraient déjà en train d'arpenter la promenade en planches reliant la boulangerie Flour Shop et le kiosque à journaux de Wiley Viet. Mais le samedi matin, les résidents aimaient paresser au lit — ce que Delbert le Vaillant réprouvait en secret.

Le quartier commerçant de Valhalla Springs s'étendait d'un bout à l'autre de Main Street, dans des petits bâtiments à deux niveaux. Sur chaque trottoir, quatre belles portes aux finitions en bronze s'intercalaient à intervalles réguliers entre magasins et boutiques. A côté de chaque porte était affichée la liste des différents comités bénévoles et des bureaux privés qui occupaient le premier étage des immeubles.

Aussi avisé que son père, Jack Clancy avait choisi de faire installer des portes pare-feu capables de contenir un moment les flammes dans les halls du rez-de-chaussée. Si, sous l'effet de la fumée et de la chaleur, l'alarme retentissait dans un bâtiment, elle déclenchait aussi les extincteurs du bâtiment voisin.

Delbert s'immobilisa devant la porte ouvragée qui se dressait entre la clinique de Doc Pennington et la pharmacie Oliver.

— Amène-toi par ici, Leo, et place-toi de façon à me couvrir.

Tout en marmonnant qu'il ne comprenait pas en quoi cette expédition matinale l'aiderait à faire des étincelles au lit durant sa lune de miel encore lointaine, Leo obéit docilement. Quand

Delbert sortit d'une sacoche en toile son rossignol de serrurier, il demanda :

— C'est pour quoi faire ?

Delbert soupira. Que Dieu le préserve des amateurs !

— A ton avis ?

D'un air appliqué, titillant son dentier du bout de la langue, Delbert introduisit le bec de l'outil dans la fente de la serrure.

— Tout à l'heure, chez toi, tu as dit que tu avais une clé, fit remarquer Leo.

A petites touches du doigt, Delbert faisait aller et venir le bec de son outil entre les ressorts de la serrure. L'oreille à l'affût, il guettait le *clic* indiquant qu'une gorge venait de se rabattre.

— Clé ou rossignol, c'est la même chose, non ?

— Ah non ! répondit Leo en s'accroupissant près de lui. Une clé, ça veut dire qu'on entre avec la permission. Ce que tu fais, ça ressemble plutôt à du cambriolage.

Delbert le fusilla du regard, mais Leo ne s'en aperçut même pas, les yeux fixés sur l'imposante serrure en cuivre.

— Vraiment ? Bon, puisque c'est comme ça, je veux que tu me rendes mon livre.

— Quel livre ?

— Tu sais bien, celui sur les secrets des détectives, que tu m'as emprunté. Puisque tu ne comprends pas ce que tu lis, je vais le reprendre.

Delbert perçut avec un frisson de délice un claquement sec, signe qu'un ressort affaibli venait de céder. Pour lui, cela valait une sonate de Mozart.

— Si tu l'avais vraiment lu, tu saurais qu'il ne s'agit pas d'un cambriolage, puisque nous n'avons pas l'intention de voler quoi que ce soit.

Un nouveau *clac*. Delbert, hautain, manœuvra la poignée et ouvrit la porte.

196

— Nous sommes simplement venus emprunter quelques affaires, tu comprends ?

Leo hocha la tête et entra en premier dans le hall. Aussitôt, il freina des quatre fers. Son triple menton tremblota. Il venait de repérer l'imposant escalier qui conduisait au premier étage.

Une seconde plus tard, ses yeux se posaient sur le monte escalier électrique, et il eut un geste de triomphe, jusqu'à ce qu'il aperçoive la notice affichée sur l'appareil :

POIDS MAXIMUM 100 KG. LE NON RESPECT DE LA CHARGE UTILE PEUT ENTRAÎNER UN ACCIDENT GRAVE OU MORTEL. MERCI DE VOTRE COOPERATION.

Quel était l'illuminé qui avait conçu des escaliers raides comme l'Everest dans une communauté de retraités aux jambes flageolantes ? Le poing dressé en signe de protestation, Leo fit demi-tour.

— C'est de la discrimination ! A l'encontre des gens âgés et des gens trop gros. Et aussi des handicapés ! Et aussi...

Leo haussa la tête pour regarder ce que Delbert lui désignait, de l'autre côté du hall. Il poussa un « Oh ! » embarrassé, s'éclaircit la gorge et sourit d'un air penaud.

— J'avais oublié l'ascenseur.

Delbert lui asséna une claque sur l'épaule.

— Si tu as des problèmes de mémoire, j'ai précisément ce qu'il te faut, *amigo* : un flacon de gélules de ginseng que Maxine m'a offert.

— Ah ! tu veux dire du Gingko Biloba, répondit Leo en marchant lourdement vers l'ascenseur. J'en prends déjà. C'est ma Rosemary qui le veut. Bon pour ma caboche, qu'elle dit.

Delbert s'installa à reculons sur le siège du monte-personne et baissa les accoudoirs.

— Si ce Gingko-machin-truc est bon pour ta tête, alors à quoi sert le ginseng ? demanda-t-il.

Les portes de l'ascenseur se fermaient lentement. D'une main, Leo bloqua leur course.

— Ça sert… enfin, tu sais bien quoi !

Delbert s'agaçait.

— Si je le savais, je ne te le demanderais pas ! Tu ne pourrais pas finir une phrase, une fois dans ta vie ?

Mal à l'aise, Leo se dandina et fit la grimace. Glissant hors de leurs niches verticales, les portes de l'ascenseur se rapprochèrent l'une de l'autre en grondant. Leo prit un ton théâtral.

— Le ginseng, c'est pour… enfin, tu sais ce que je veux dire.

Delbert commença à donner des coups de poing rageurs sur les accoudoirs.

— Nom de nom, Schnur !

— *Der männliches*, brailla Leo à travers l'interstice des deux portes réunies. C'est pour *der männliches*, tu comprends ?

Delbert passa en revue le peu d'allemand qu'il connaissait. Soudain, ses sourcils se haussèrent et il émit un drôle de gargouillis. Son regard dégringola vers son bas-ventre : le ginseng, c'était pour *ça* ? Et Maxine McDougal estimait qu'il en avait besoin, *lui*, Delbert ?

De toutes les sournoises et intrigantes, elle méritait le pompon. Lui refiler en douce ces satanées pilules, alors qu'ils se connaissaient si bien ? Comment osait-elle ?

Il tâtonna pour trouver le bouton de mise en marche du monte escalier. Quelle enragée du sexe, cette Maxine ! Et à soixante-quatre ans ! Une vraie nymphomane, voilà ce qu'elle était. Par Dieu, elle devrait se trouver un nouveau cavalier pour aller danser le quadrille, le mardi !

Le siège s'agita, puis commença de s'élever le long de la rampe. Delbert regarda par-dessus son épaule et, d'une pression sur le bouton, coupa le contact. Lui, au moins, il n'avait pas besoin d'aide pour monter des escaliers — pas plus que pour le reste, d'ailleurs.

Sur la droite du palier, les bureaux étaient loués à un psychologue, un conseiller financier, un avocat, un expert-comptable agréé et une parapsychologue, Mme Rue, qui tirait les cartes. Tous ces professionnels exerçaient à Sanity, mais se mettaient à disposition des résidents de Valhalla Springs deux ou trois fois par semaine, les recevant le soir sur rendez-vous.

A gauche, se trouvait le bureau de diverses commissions, chargées du transport et des voyages, de l'entretien ménager, de la santé, de la communication, mais aussi le magasin d'accessoires de la troupe théâtrale de Valhalla Springs, la Valhalla Springs Thespian Society — un nom que Delbert était incapable de prononcer correctement.

En face de l'escalier et contre le mur du fond, les sacro-saints bancs de repos. Assis sur l'un d'eux, Leo scrutait la rue à travers une fenêtre.

Valhalla Springs comptait plus de bancs par tête d'habitant qu'aucun autre endroit au monde. Que ce soit dans la rue, sur le parcours de golf, au centre commercial ou dans les bâtiments publics, on trouvait toujours un siège disponible. Idéal, pensait Leo, pour guetter l'apparition de l'ami Delbert.

Quand celui-ci arriva en haut des marches, hors d'haleine, épuisé par sa rude montée, Leo se garda de sourire et n'émit aucun jugement ironique relatif à leur récente conversation — même s'il savait sans doute que Delbert, à sa place, ne se serait pas gêné pour lancer quelque remarque désobligeante.

La porte défendant le local de la Thespian Society était munie d'une serrure de rien du tout. Le rossignol de Delbert en eut raison en cinq secondes.

Derrière la porte, de vieux décors en carton-pâte ; rien qui puisse faire monter la tension d'un cambrioleur.

Leo s'empara d'une épée en plastique.

— *Yo ho ho, moussaillon !* lança-t-il. Je suis Zorro, venu sauver le monde.

Delbert attrapa une épée encore plus longue que celle de Leo, munie d'un bouchon de lavabo en guise de garde.

— Mon pauvre Leo, ce sont les pirates qui disent « *Yo ho ho, moussaillon !* » Pas Zorro.

— Alors que dit Zorro ?

Delbert ploya les genoux et prit appui sur ses Hush Puppies, dans une pose d'escrimeur.

— Zorro s'écrie : « En garde, *señor !* » avant de balafrer ses ennemis d'un « Z » magistral.

Revenus en enfance, les deux complices firent assaut de piques et de feintes, ébranlant les montagnes en papier mâché d'un décor voisin. Delbert scalpa une longue rangée de perruques posées sur une étagère. Leo embrocha malencontreusement une lune en papier aluminium. Le bouquet de palmiers du décor de l'opérette *South Pacific* bascula dans un faux drakkar de Vikings qui, déstabilisé, heurta et fit tomber l'enclos en mousse de la comédie musicale *Oklahoma*.

— Arrêtons avant de casser quelque chose ! lança soudain Delbert, haletant.

Leo jeta un coup d'œil circulaire sur le champ de bataille et aperçut la lune factice déchirée.

— Houla ! C'est déjà fait, je pense.

— *No problemo*, Bernardo, répliqua Delbert en aplatissant la fausse lune pour lui donner la forme d'un croissant. Tu vois, c'est du neuf, à présent.

Au vu du résultat, Leo en douta un peu. Il tira un mouchoir de sa poche.

— C'était bien de s'amuser, mais j'ai oublié pourquoi on est là.

Il s'épongea le front.

— Non, je n'ai pas oublié. Tu ne me l'as pas dit.

200

— Que si, je l'ai dit ! riposta Delbert en farfouillant parmi les produits de maquillage posés sur une des étagères. Et pas plus tard qu'il y a une heure et demie, pendant le briefing de l'opération Gamma.

Il empilait dans sa sacoche de toile des tubes de rouge à lèvres, des brosses à sourcils, du fard à paupières bleu métallique et vert, avec applicateur. Il ne dénicha pas de fond de teint blanc épais, sans doute parce que la Thespian Society n'avait pas mis l'opéra *Madame Butterfly* au répertoire.

Delbert se consola vite. En d'autres circonstances, le cirage noir avait fait un fond de teint honorable. Cette fois, il utiliserait du cirage blanc.

Leo peinait à suivre.

— Pendant le briefing chez toi, tout à l'heure, tu as dit que la mission était d'infiltrer le cirque.

— Bravo ! acquiesça Delbert en récupérant les perruques éparses sur le sol, pour les reposer sur leurs supports en mousse.

— Tendre l'oreille pour épier ce que disent les gens, fouiner un peu ici, un peu là… poursuivit Leo.

— Encore bravo !

— Puis, tu m'as fait sortir, et hop ! on est venus par ici. Mais pourquoi, je ne sais toujours pas.

— Nom d'un petit bonhomme, Schnur ! Est-ce que je dois tout t'épeler ? Déguisement pour une mission d'infiltration, plus une VPPE dans la réserve d'accessoires de la Thespian Society, cela donne quoi ?

— VPP… euh, qu'est-ce que c'est ?

— Une VPPE : Violation de Propriété Privée avec Effraction.

Leo réfléchissait pendant que Delbert jaugeait les dimensions des fausses têtes en mousse sur lesquelles étaient posées les perruques. La plupart de ces dernières étaient trop petites pour se conformer au crâne volumineux de Schnur. Seules deux semblaient assez souples pour lui aller. Delbert fit la grimace. Il voyait mal Leo coiffé d'une perruque au carré à la Lauren Bacall, ou d'un modèle Betty Boop.

— Ah ! j'y suis ! s'exclama Leo, le visage radieux. On est venus ici pour les déguisements.

— Tout juste : sans déguisements, l'opération tombe à l'eau. Au cirque Van Geisen, ils se connaissent tous. Pour passer inaperçu, il faut être habillé exactement comme eux.

Delbert lui tendit deux perruques.

— Laquelle choisis-tu, vieux frère : Lauren ou Betty ?

— Plutôt mourir que de porter cette… chose.

— Il n'y a pas beaucoup de choix, convint Delbert, mais les autres perruques sont trop petites pour ta grosse tête. N'oublie pas que les clowns chauves n'existent pas.

Leo soupira avec mélancolie, les bras croisés sur son ventre proéminent.

— Je me rappelle avoir vu beaucoup de clowns chauves, moi…

— Non, vieux frère, ils ne sont pas chauves : ils portent des perruques qui les font paraître chauves, nuance. Si on avait des perruques « crânes dégarnis », tout irait bien. Mais ce n'est pas le cas.

Si Leo cédait toujours à Delbert, il avait souvent la malice de ne pas le montrer. Du doigt, il désigna les perruques alignées sur l'étagère.

— Montre quelle est la tienne.

— Je n'ai pas encore choisi, avoua Delbert, embarrassé.

— Ah ! tu as des cheveux, et moi je n'en ai pas. Mais bon, les clowns n'ont pas les cheveux blancs, insista Leo d'un docte signe du doigt. Tu ne peux pas dire le contraire.

C'était la pure vérité, sauf que Delbert n'avait aucune intention de porter une perruque. Une bonne teinture suffirait. Il trouverait bien en magasin ce qu'il lui fallait.

— Mon vieux Schnur, mentit Delbert, j'ai tout prévu et je vais t'épater. Tout ce que je peux dire, c'est que mes cheveux ne seront plus blancs quand on partira en mission.

Il tendit à son complice la perruque Lauren Bacall.

— Ce n'est pas pour moi que tu consens à ces sacrifices. C'est pour Hannah, qui a besoin de notre aide.

11.

— Déposer dans le cadre d'une procédure civile est l'équivalent d'une hémorroïdectomie mentale, affirma Luke Sauers. Sans anesthésie.

David lui lança un regard en coin.

— Je te remercie. Je me sens déjà beaucoup mieux, maintenant.

Ils étaient tous deux adossés au coffre de la BMW de l'avocat, leurs épaules se touchant presque, face à un élégant immeuble en brique rose à deux étages, classé patrimoine historique de la ville.

Le bâtiment avait été rénové et abritait à présent les bureaux de Sachs, Woroniecki et Pratt, le plus grand cabinet d'avocats de Sanity, une machine de guerre spécialisée dans les procédures avec dommages et intérêts.

David se souvenait du délabrement de l'immeuble, avant qu'il soit remis à neuf. On pouvait féliciter les nouveaux propriétaires qui, d'une ruine, avaient fait une petite merveille et non une quelconque bâtisse sans âme.

C'était à peu près la seule chose qu'il trouvait à mettre au crédit de Sachs, Woroniecki ou Pratt mais, comme on disait, « même une truie aveugle trouve parfois un gland sur son chemin. »

L'entrée du bâtiment était flanquée de splendides buissons de pivoines, dont les grandes fleurs blanches et roses formaient une composition harmonieuse. David huma l'air saturé de leur parfum capiteux.

C'est alors que la plainte aiguë d'un avertisseur fut suivie d'un hurlement de freins. David se crispa et avala une bouffée d'oxygène. Il chassait l'air de ses poumons quand une nouvelle plainte, celle du métal froissé, le fit sursauter.

L'accident s'était déroulé hors de son champ de vision. Il présuma qu'il s'agissait d'un refus de priorité, puis envisagea un non respect de la distance de sécurité entre deux véhicules. Mais, quand on emboutit un véhicule par l'arrière, on ne klaxonne pas avant le choc.

Estimant les dégâts à l'oreille, David décida que l'accident n'avait pas fait de victimes, pour autant que chacun ait bouclé sa ceinture. Le policier de service ferait la part des choses. Les deux conducteurs, forcément véhéments, défendraient leur version de l'accident. Si tout se déroulait normalement, le fautif écoperait d'une sanction.

David renoua avec ses pensées. Ce qui l'attendait promettait d'être une dure épreuve.

— Pourquoi une telle urgence ? demanda-t-il en se tournant vers son avocat. Cela fait deux jours à peine que la plainte a été déposée.

— On aurait pu faire traîner les choses en longueur, répondit Luke, mais je préfère réserver cette possibilité pour plus tard. Ta déposition n'est qu'une formalité, le premier coup d'une partie d'échecs.

David n'eut pas besoin de demander plus de précisions. Luke reprit :

— Terry Woroniecki, l'avocat de Lydia Quince, la plaignante et veuve soi-disant éplorée, a défendu à sa cliente d'épouser son amant tant que la plainte n'aura pas abouti.

— Pas de chance ! compatit David. Mais pourquoi lui défendre de se remarier ?

— Ce serait plutôt coton pour un avocat de convaincre les jurés que sa cliente, qui vient de convoler, a subi et continue de subir un préjudice moral estimé à un million de dollars, et ne se console pas du vide affectif consécutif au décès injustifié du précédent mari.

— Même si Woroniecki les persuade que je suis responsable de la mort de son conjoint ?

— Il ne faut exclure aucune possibilité, admit Luke. Mais une plainte en dommages et intérêts s'apparente à un coup de dés. J'ai l'intuition que notre affaire n'ira même pas devant les jurés. Woroniecki sait que si c'était le cas, nous utiliserons tous les artifices légaux pour retarder le procès. Consciente qu'un mariage précipité ferait scandale, la plaignante est d'accord pour attendre quelques semaines avant de passer devant le pasteur. Mais si cela doit durer plus longtemps, elle risque de craquer.

— Tu veux dire qu'elle serait d'accord pour empocher la somme versée par l'assurance responsabilité civile du comté ? se réjouit David.

— En tout cas, corrigea Luke, elle serait mieux disposée qu'elle ne l'est aujourd'hui à accepter cet arrangement. Mais ne sous-estime jamais la cupidité d'autrui — en particulier celle de Woroniecki.

L'avocat marqua une pause, avant de reprendre :

— Ecoute, je sais ce que tu penses. Laissons l'affaire aller devant un jury. Si les jurés suggèrent à Mme Quince d'aller se faire cuire un œuf, tu seras une fois de plus innocenté des méfaits qu'on t'impute.

— Je n'attends que cela.

— Evidemment.

L'avocat montra le bâtiment flambant neuf du doigt.

— Affaire J.E. Michaels contre la quincaillerie de Sanity. Cela te dit quelque chose ?

206

David aspira une bonne bouffée d'air. Bien sûr qu'il connaissait ! Un jury avait accordé cinquante mille dollars de dommages et intérêts au dénommé Michaels, victime d'une chute à travers le plafond de la quincaillerie. Il s'était blessé au dos. Le fait qu'il ait été déjà condamné trois fois pour cambriolage, et qu'il ait pénétré dans le magasin par le toit vers 2 heures du matin ne semblait pas avoir étonné les jurés.

— Et puis, ajouta Luke, il y a aussi ce que coûte en honoraires d'avocat ta défense, celle de ton service et celle du comté. En comparaison, la somme versée par l'assurance responsabilité civile qui te couvre n'est que roupie de sansonnet.

David songea que cette somme n'était en rien de la « roupie de sansonnet » dès lors qu'on puisait dans les poches des contribuables. Et il se sentit responsable.

— Ceux qui croient que je suis un nerveux de la détente doublé d'un salaud ne changeront pas d'opinion parce qu'un juré m'aura accroché un écriteau « Flic sympa » autour du cou !

Luke remit les pendules à l'heure.

— Accepter de régler les choses à l'amiable en dehors du tribunal n'est pas un aveu de responsabilité ou de culpabilité. Plutôt un expédient.

Dans son jargon si particulier, l'avocat était en train de lui expliquer qu'un accusé sur la sellette avait intérêt à affronter la justice au plus vite. Quitte à passer sous les fourches caudines, mieux valait courber l'échine en souplesse.

— En conclusion, toi, mon défenseur, tu paries que la plaignante choisira le mariage plutôt que le gros lot.

— Je le parie.

— Et en ce qui concerne ma réélection ? Que dit le responsable de ma campagne ?

— Je ne répondrai pas à cette question.

— Trop tard, je l'ai déjà posée.

Le visage de l'avocat s'assombrit.

— En termes de calendrier, ça ne pourrait pas tomber plus mal. Jessup Knox va mettre le paquet pour te clouer au pilori. Dommage que tu aies emmené Hannah au restaurant et non au lit, le soir de la fusillade.

David lui lança un regard homicide, dont Luke comprit très bien la teneur.

— Je rectifie : disons que, ce soir-là, il aurait mieux valu que tu emmènes Hannah dîner une heure plus tôt.

— Oublions ça. Je sais que tu ne pensais pas à mal.

— Toi non plus, j'espère. Dis donc, tu l'as vraiment dans la peau.

— Ouais, c'est le moins qu'on puisse dire.

Luke eut un large sourire.

— C'est vrai qu'un pauvre bougre laid et rachitique dans ton genre a de quoi se faire du mouron. Non, je plaisante. D'après ce que j'ai vu de Hannah, il y a compatibilité de cœur entre vous deux.

Il tirailla son nœud de cravate.

— Evidemment, si je l'avais connue en premier, tout aurait été différent.

David ne releva pas l'ironie gentillette de Luke. Il regardait le revêtement imitation brique du parking. Tout à l'heure, dans sa voiture, il avait composé le numéro de Hannah sur son téléphone portable, mais c'est le répondeur qui avait pris la ligne. Rien de grave, bien sûr. Elle pouvait dormir, ou prendre sa douche, ou chahuter dans le jardin avec Malcolm, et ne pas avoir entendu la sonnerie.

Mais son instinct lui criait qu'il n'en était rien, qu'elle était bien éveillée et que le mur qui les séparait était de nouveau en cours d'édification. La prochaine fois qu'ils se verraient, David serait redevenu le shérif, l'ennemi, l'homme en uniforme qui faisait barrage entre elle et un suspect de meurtre qui se prétendait son père.

208

David ne faisait plus le poids face aux retrouvailles de Boone et de Hannah. « Je ne peux pas lui tourner le dos », avait-elle déclaré. Une phrase qui tranchait à vif dans les espérances de David.

Luke le tira de ses pensées lugubres.

— Tu en fais une tête, pour quelqu'un d'amoureux.

D'une poussée des reins, David se décolla de la voiture de Luke. Les pouces enfoncés dans sa ceinture, il feignit de s'intéresser au flot de véhicules qui alimentait la rue principale de Sanity.

— AnnaLeigh Boone, la magicienne tuée la nuit dernière au cirque, cela te dit quelque chose, Luke ?

— Oui, bien sûr.

— Trois ou quatre heures avant le drame, son mari Reilly Boone, l'homme qui a tiré sur elle, a confié à Hannah qu'il était son père biologique.

Luke sursauta.

— Il le lui a dit comme ça ?

— A peu près.

David savait que Luke garderait le silence. Ils étaient amis et s'estimaient. Et David ne l'avait pas choisi par hasard pour avocat.

— La mère de Hannah a toujours gardé le secret sur la naissance de sa fille. Mais celle-ci, tu t'en doutes, n'est pas née par l'opération du Saint-Esprit.

Un mélange de compassion et d'inquiétude se lisait sur le visage de l'avocat. Adopté très jeune, il savait ce qu'était la tentation de retrouver ses parents biologiques et la crainte d'être déçu.

— Boone est son père ?

— Selon toute apparence. Mais quelle importance ?

— Tu plaisantes ?

David revoyait Hannah, les joues ravinées de larmes, se reconnaissant sur les photos que Reilly Boone avait tirées de son portefeuille. Dans ces larmes, il avait vu le l'émerveillement et le ressentiment, l'amour et la joie, le manque enfin comblé.

Et les yeux de Boone, il devait bien l'admettre, brillaient des même sentiments.

Il choisit d'être pudique.

— Hannah a quarante-trois ans. Depuis toujours, elle a souffert de ne pas même connaître le nom de son père. Indépendamment de l'enquête pour homicide dont Boone est l'objet, si elle croit qu'elle est la fille de cet homme, en quoi les preuves que je pourrais apporter contre lui la feraient-elles changer d'avis ?

Doigts croisés derrière la nuque, Luke hocha la tête, dubitatif.

— Si je comprends bien, il s'agit d'un mélange de faits avérés, de spéculations et d'hypothèses, auxquels il convient d'ajouter un zeste de morale et d'éthique… Crois-moi, David, la question de savoir si cet homme est ou n'est pas le père de Hannah a de l'importance. Est-il utile que j'insiste ? Quelle que soit mon opinion, tu as assez d'instinct pour savoir ce qui est juste ou pas.

David approuva de la tête.

— Sauf qu'en ce moment précis, mon instinct est un peu en froid avec ma cervelle.

Un bruit de pot d'échappement raclant l'asphalte signala l'arrivée de Paul Gray, commissaire aux affaires pénales du comté. Ray Bob Oates, son conseiller juridique, mari de la sœur cadette de Jessup Knox, l'accompagnait. Oates jaillit de la voiture avant l'arrêt complet du véhicule. Le vent jouait dans ses cheveux soigneusement coiffés en arrière, certaines mèches voltigeant à la manière d'herbes folles.

— Dites, Hendrickson, vous êtes censé diriger la police dans cette ville, oui ou non ?

David faillit l'envoyer au diable, répliquer avec ironie. Mais à quoi bon ? Il laissa Oates poursuivre d'une voix de crécelle :

— Figurez-vous, shérif, qu'un citoyen inquiet m'a posé *cette* question il n'y a pas cinq minutes. Clyde Corwin, pour ne pas le nommer, est furieux. On l'a cambriolé la nuit dernière et quelqu'un a encore empoisonné ses chiens. A sa place, je serais mécontent, moi aussi.

— Que voulez-vous, Oates, l'insécurité gagne du terrain, répondit David avec une insolence calculée.

Le cas Clyde Corwin n'était en effet pas nouveau. Le comté louait, derrière sa vieille station-service, un bout de terrain qui était devenu la fourrière municipale. Clyde se servait de cet enclos pour ses chiens, et les voitures étaient garées au beau milieu.

Citizen Knox, l'adversaire politique de David, détestait les affrontements directs. Il utilisait l'affaire Corwin pour venir le titiller, par le biais de son émissaire, Ray Bob. Ce ne serait pas la première fois.

— Voyons, shérif, reprit Oates de sa voix criarde, je ne peux pas me satisfaire d'une telle réponse !

Paul Gray sortit à son tour de la voiture et vint tempérer le débat.

— Reprends ton souffle, Ray Bob, ou tu vas t'étouffer.

Il tendit la main à David, puis à Luke, un geste de courtoisie dont Oates était incapable, trop occupé qu'il était à remettre de l'ordre dans ses cheveux épars.

— Clyde Corwin est furibard, reconnut Gray. Heureusement, ses chiens n'ont pas absorbé de poison cette fois, mais un somnifère.

— Je ne suis pas du tout d'accord ! intervint Ray Bob. Une goutte de trop et les chiens seraient morts, aussi sûr que je me tiens devant vous. Une sacrée chance qu'ils soient encore en vie.

Au-delà de cette histoire de chance, David était plutôt de l'avis de Ray Bob. Les pit-bulls de Corwin, nés d'unions consanguines, étaient sauvages et vicieux. Des pétitions avaient tenté de faire interdire cette race à travers le comté, sans recueillir suffisamment de signatures. Et par trois fois, on s'en était pris à eux. Jusque-là, cinq bêtes avaient trouvé la mort.

— Je vais examiner la question, promit David.

— Il faudra faire plus que ça, shérif ! s'exclama Ray Bob, la main posée sur le sommet de son crâne.

Luke ramassa son porte-documents posé sur le coffre arrière de la BMW.

— Bien, messieurs, si nous entrions pour tester les crocs de ces pit-bulls en costumes noirs qui veulent notre peau ?

A en juger par les allées noires de monde, on pouvait estimer qu'il y aurait aujourd'hui sur le champ de foire trois fois plus de monde que la veille. S'il vivait encore, Mort, le grand-oncle de Hannah, aurait énoncé de son ton sentencieux : « Les Journées du Cornouiller attirent la foule comme le vinaigre les mouches. »

Hannah paya la redevance du parking à une adolescente coiffée à la Cher et aux ongles peints en noir. Plus loin, un garçon joufflu trop jeune pour être au lycée et sûrement pas bénéficiaire, lui, du programme d'éducation alternatif, la dirigea vers la zone est.

Au passage, elle aperçut, dans l'enclos réservé aux véhicules officiels, une voiture de police et la berline banalisée de Marlin Andrik. Pas de trace de la Crown Victoria de David.

Tant mieux. Car si elle avait une chance de ne pas attirer l'attention de Marlin afin d'enquêter en douce sur la mort d'Anna-Leigh, échapper à la vigilance de David était mission impossible. Comique, d'ailleurs, car ils ne cessaient de se faire faux bond, du moins sur un plan intime.

Que faisait-il, en cet instant ? Elle aurait bien aimé le savoir. Un peu plus tôt, à la maison, elle avait déménagé le scanner radio de sa chambre à coucher jusqu'au petit meuble installé derrière son bureau. De cette façon, tout en expédiant sans entrain son travail courant, elle pouvait écouter les conversations de la police. En quinze ou vingt minutes, elle n'avait pas entendu une fois le code de David — Adam 1-01.

Elle avait tenté d'appeler Delbert, puis IdaClare et les autres limiers. En vain. Tous semblaient avoir déserté leur domicile. Elle s'en était inquiétée, avant de se rappeler que Leo et Rosemary se mariaient le lendemain soir. IdaClare et compagnie étaient allés faire les dernières emplettes indispensables à la réussite du mariage.

Du moins était-ce l'hypothèse la plus probable.

Hannah roula vers l'emplacement qu'on lui avait attribué. Son Blazer roulait et tanguait d'une ornière à l'autre. Vu du ciel, le véhicule devait ressembler à une tortue cubique effectuant un parcours de trial.

Une famille nombreuse jaillit sur l'allée réservée à la circulation des voitures. Hannah pesta contre ces imprudents qui traversaient n'importe où, comme si la terre entière leur appartenait. Et elle pesta encore davantage quand deux bambins délaissés se jetèrent presque sous ses roues. Il s'écoula de longues secondes avant que leurs parents se soucient d'eux et viennent les récupérer.

D'une manœuvre habile, Hannah se glissa à côté d'une camionnette et coupa le contact au moment où un type trapu, le visage orné de bajoues et surmonté d'un sombrero, se rangeait juste à côté d'elle avec son King-cab Nissan. Il klaxonna, sourit et lui adressa un clin d'œil. Qu'espérait-il ? On aurait dit un crapaud persuadé qu'il venait d'être changé en prince. En sortant de sa voiture, l'air indigné, elle envisagea de lui faire comprendre le fond de sa pensée d'un majeur tendu, puis elle renonça ; ce lourdaud était bien capable d'y voir une invite.

Pressée de fuir le parking, Hannah coupa court en franchissant, courbée en deux, la corde délimitant le périmètre de stationnement. Elle entendit, sur sa droite, des hennissements portés par le vent. Cinq poneys shetland tout harnachés étaient attachés à une roue géante et tournaient inlassablement dans le même sens. Des apprentis cow-boys et cow-girls les montaient en battant leurs flancs à coups de talons, dans l'espoir de leur faire prendre le galop.

C'était précisément ici qu'AnnaLeigh avait voulu la rencontrer. *Rendez-vous après le spectacle dans le parking, près de l'enclos à poneys. Pas de police.*

Quand la femme de Reilly lui avait glissé le bout de papier dans la main, Hannah avait lu la terreur sur son visage, vu le désespoir au fond de ses yeux. Le seul fait d'y penser la fit frissonner. Pourquoi AnnaLeigh tenait-elle tant au secret ? Par peur de Reilly ? Craignait-elle pour sa vie ? Dans ce cas, pourquoi refuser la présence de David ?

Toute décoiffée par le vent, Hannah se dirigea vers le chapiteau. Elle regardait de tous côtés, guettant Marlin Andrik. Elle ne voulait surtout pas le rencontrer, sous peine de voir ses plans compromis.

La mort d'AnnaLeigh n'avait pas mis un terme aux multiples questions que se posait Hannah. Au contraire. La défunte représentait une menace, pour quelqu'un. Une menace encore plus pressante qu'elle le croyait, sans quoi la magicienne n'aurait pas attendu la fin du specatcle pour leur rendez-vous.

Quelqu'un — et jusque-là tous les soupçons se portaient sur Reilly — avait eu vent de leur rencontre, avait paniqué et tué AnnaLeigh pour l'empêcher de parler. Mais comment était-il au courant du rendez-vous ? Pourquoi AnnaLeigh aurait-elle pris la peine de rédiger un message, de le glisser discrètement dans la main de Hannah, pour tout avouer à Reilly après ?

Il manquait une pièce au puzzle.

Dans le camping-car, David s'était constamment tenu à moins de deux mètres d'AnnaLeigh. Dans ces conditions, celle-ci n'avait eu aucun autre moyen de prévenir Hannah.

— Oui, mais cela n'explique pas pourquoi elle serait allée informer Reilly, raisonna-t-elle à voix haute.

— Excusez-moi, vous parlez bien de Reilly Boone ?

A travers ses boucles que le vent rabattait sur son front, Hannah aperçut un quadragénaire à lunettes trimballant deux appareils-photo à son cou.

— Désolé si je vous ai surpris, mademoiselle Garvey, je vous ai hélée il y a un instant, mais vous ne m'avez pas entendu.

Il tendit sa main et se présenta.

— Chase Wingate, du *Sanity Examiner*. Heureux de faire, enfin, votre connaissance.

— Tout le plaisir est pour moi, monsieur Wingate.

Elle le pensait vraiment, même si le moment était mal choisi pour une telle rencontre.

Hannah avait déjà eu l'occasion de converser par téléphone avec Wingate, propriétaire et éditeur du journal hebdomadaire du comté. Elle le jugeait intelligent, professionnel et de parole.

— Si c'est Mme Clancy que vous cherchez, elle a quitté le champ de foire avec ses amis il y a environ dix minutes.

Hannah encaissa la nouvelle comme elle put. Fallait-il faire sonner le tocsin pour alerter la population que les limiers étaient sur le sentier de la guerre ?

— Je n'étais pas à la recherche de cette dame, mais quelque chose me dit que j'aurais intérêt à la retrouver...

Le journaliste fit la grimace et siffota doucement.

— Ma foi, j'aurais peut-être mieux fait de me taire. Quand je vous ai aperçue, vous sembliez être en rogne, et j'en ai déduit que Vera Van Geisen vous avait déjà parlé.

— Et pourquoi l'aurait-elle fait ?

Il eut un gloussement gêné.

— Eh bien, d'après ce que j'ai entendu dire, Mme Clancy et ses amis sont venus offrir des beignets aux artistes et employés du cirque. Tout se passait bien jusqu'à ce que les caniches de Mme Clancy s'échappent du sac où ils étaient enfermés.

Hannah se frappa le front. Du calme ! D'abord, elle devait attendre la suite. Cette histoire avait peut-être une fin réjouissante.

215

Qui sait si un tigre du Bengale n'avait pas eu la bonne idée de mettre les caniches honnis au menu de son petit déjeuner ?

— Avant que quiconque ait pu réagir, poursuivit Wingate, les caniches ont filé tout droit jusqu'à l'endroit où les éléphants étaient en train de se baigner. N'ayez crainte, personne n'a été blessé dans la débandade qui a suivi. Mais les services de sécurité ont raccompagné Mme Clancy et son entourage hors des limites du cirque.

Hannah ouvrit et ferma la bouche, sans parvenir à émettre autre chose que des bruits indistincts.

— Qu'entendez-vous par « son entourage » ? put-elle enfin articuler.

— Désolé, mais je n'ai pas bien compris les noms de ceux qui l'accompagnaient. L'une de ces personnes était une femme bien en chair, avec des cheveux noirs coupés court. L'autre était plus grande et portait une casquette de golf avec l'inscription « Valhalla Springs ».

Hannah identifia sans trop de peine Rosemary Marchetti et Marge Rosenbaum. En ajoutant IdaClare à la liste, on totalisait trois cavaliers de l'Apocalypse sur quatre. Seuls Bisbee le Grand Détective et son inséparable acolyte Leo la Romance manquaient à l'appel.

Hannah désigna les appareils-photo numériques de Wingate.

— Ne me dites pas qu'il va être question de ce petit incident dans l'édition du journal de mardi prochain ?

— J'avoue être tenté. J'échangerais bien un mois de recettes publicitaires pour une photo de ces minuscules caniches rendant fous de terreur trois éléphants d'Asie dans la force de l'âge.

— Mais ? Car il y a bien un « mais », n'est-ce pas ?

— L'*Examiner* n'est pas une feuille de chou et humilier les autres ne fait pas partie de ma conception du journalisme.

Il changea d'expression, soudain plus réticent qu'amusé.

— D'ailleurs, nous n'avons publié aucun détail sur Mme Clancy, son club de bridge et sa plantation de marijuana, mis à part les comptes rendus des audiences du tribunal, bien sûr.

Hannah le prit pour elle. En tant que gérante de Valhalla Springs, elle avait été mêlée contre son gré à ces fâcheux événements. Agrippant la bandoulière de son sac, elle annonça d'un ton sec :

— Je dois partir. Heureuse de vous avoir rencontré.

Wingate voulut botter en touche.

— Un commentaire concernant la rumeur selon laquelle Reilly Boone serait votre père ?

Hannah laissa fuser un rire contraint, pendant obligé du ton faussement anodin du journaliste.

— Grand Dieu ! Hier après-midi encore, je n'avais jamais entendu parler de ce monsieur.

Le chasseur d'infos leva un sourcil interrogateur.

— Passez-moi le cliché, mais je tiens mon information de source sûre. De plus, juste avant notre rencontre, je vous ai entendue dire : « Oui, mais cela n'explique pas pourquoi elle serait allée informer Reilly. » Nous parlons du même homme, n'est-ce pas ?

— A votre place, je repenserais à ma définition d'une « source sûre » et j'irais me nettoyer les oreilles.

Elle lui décocha un sourire radieux en même temps que l'estocade.

— Passez-moi l'expression, mais je vous jure sur une pile de bibles que j'ai entendu prononcer le nom de Reilly Boone pour la première fois de ma vie hier.

Ils se séparèrent ; Wingate se dirigea vers l'entrée principale du champ de foire, et Hannah à l'opposé. Elle aurait parié qu'il se retourna plusieurs fois pour lui jeter des coups d'œil perplexes.

Face à cet inquisiteur, dire la vérité toute nue l'avait soulagée. Elle se sentait plus libre qu'avant. Sa sincérité de principe avait eu raison, un temps, de la presse toute-puissante.

Les badauds allaient et venaient un peu partout, exactement comme la veille. Tout semblait calme. Seule Mme Jumbo, un bel éléphant femelle qui posait fièrement pour les photographes amateurs, ne s'était à l'évidence pas complètement remise du traumatisme infligé par les deux infernales boules de poils d'IdaClare.

Peut-être cette histoire de pachydermes expliquait-elle l'absence de David. Lorsqu'il en avait eu vent, il avait dû être pris d'un tel fou rire qu'il avait fallu le mettre sous calmants. Et quand Hannah rapporterait à Jack Clancy les derniers exploits de sa mère, il faudrait sans doute un défibrillateur pour le ramener à lui.

Hannah arrivait devant les bornes plantées de drapeaux qui délimitaient, sur le champ de foire, l'espace public et la partie privée. Elle aperçut de dos un homme de taille moyenne, vêtu d'un manteau de sport et d'un pantalon en tissu écossais, en grande conversation avec Frank Van Geisen.

Hannah crut reconnaître l'inspecteur principal Marlin Andrik et prit la tangente. Elle marcha à pas rapides jusqu'au guichet où l'on vendait les billets d'entrée. Au même moment, le premier adjoint de David, ce grand flandrin de Jimmy Wayne McBride, enjamba sans peine le timon reliant la caravane-guichet à celle des Van Geisen.

Le cœur battant à se rompre, Hannah fit volte-face et, courbée en deux, se glissa sous le grand chapiteau. Un employé balayait les tribunes, soulevant une fine poussière qui restait en suspension dans l'air. Sur la piste centrale, des acrobates à vélo répétaient leurs figures sur un fil tendu au-dessus du sol.

Plus haut, vers les cintres, une fillette en maillot violet accomplissait le grand écart sur la corde raide. Des accessoiristes portant sur les hanches leur ceinture à outils déplaçaient le matériel nécessaire aux numéros en prévision de la séance de l'après-midi.

« Avoir l'air confiant, c'est l'être déjà un peu », songea Hannah. Le menton volontaire, les bras le long du corps, elle traversa la piste avec une fausse désinvolture. Sans la présence du public, sans l'orchestre et les éclairages, sans même les odeurs capiteuses qui accompagnaient le spectacle, l'enceinte circulaire avait tout d'une salle de patronage pour chanteurs ringards.

Hannah poussa un rabat de toile et sortit du chapiteau. Elle se faufila discrètement entre les groupes électrogènes, les câbles d'alimentation électrique et les amarres qui tendaient l'immense toile sur les piquets. Après avoir slalomé entre camions et véhicules divers, roulottes et caravanes, petites et grandes, elle déboucha enfin devant un rectangle de pelouse pelée.

D'abord, elle crut s'être trompée. Mais après avoir pris ses repères, elle se rendit à l'évidence. Sur sa droite se trouvait bien la caravane des Flying Zandonatti. Sur sa gauche, elle reconnaissait la caravane Airstream profilée en aluminium brossé. Elle n'avait pas la berlue : le camping-car de Reilly et d'AnnaLeigh, ainsi que la remorque, avaient bel et bien disparu.

Pour cacher son trouble, Hannah enfouit ses mains dans ses poches et serra les poings. N'avait-elle pas là la preuve que Reilly était son père ?

« Ton cher papa vient une fois de plus de filer et de t'abandonner ! » songea-t-elle.

12.

Une jeune femme à la silhouette pleine de grâce et aux cheveux bouclés blond vénitien déambulait entre les caravanes. Hannah remarqua le panier à linge calé contre sa hanche, avant de visionner mentalement une nouvelle fois sa rencontre avec Reilly Boone. Elle rejouait la scène à sa façon. Cette fois, pas question d'émotion. Elle le renvoyait à son néant et menaçait de le faire arrêter s'il l'importunait encore. David entrait en scène et demandait qui était ce type. Alors, Hannah riait et répliquait : « Oh ! c'est juste un vieux fou ! »

Et sur son écran virtuel, le mot FIN s'affichait.

Liquidés, les fantômes surgis du passé. Oubliés, ces rêves de bonheur avec papa. Taries à jamais, ces satanées larmes versées sur les années perdues. Oubliés les serments de gosse.

Il l'avait bien eue avec ses photos jaunies où une fillette en nippes chevauchait un vieux vélo bon pour la casse.

C'en était fini aussi des questions sans réponse.

Des coups de feu sur la piste aux étoiles.

Avec le temps et de l'imagination, Hannah se faisait fort d'arranger son passé. Rien de tel qu'une pincée de méchanceté sur les moments déchirants d'une vie pour faire rire aux éclats les invités d'une réception mondaine sirotant, d'un air blasé, leurs cocktails exotiques.

Un coup de ciseaux et *hop !* on débarrasse le film *La Vie de Hannah* de ses scènes indésirables. Et là, miracle, sur l'écran, l'histoire se déroulerait enfin telle qu'elle l'avait rêvée.

Une voix au fort accent sudiste la sortit de ses pensées et la fit sursauter.

— Les flics ont embarqué le carrosse d'AnnaLeigh à la fourrière, la nuit dernière. Sûr que ça fait un choc, quand on ne s'y attend pas.

Hannah reconnut la femme blonde qu'elle avait aperçue un instant plus tôt. Celle-ci posa son panier de linge à ses pieds. Les mains calées sur les hanches, elle détailla Hannah avec l'air d'un vendeur de décapotables estimant la valeur d'un vieux tacot et cherchant tous ses éventuels défauts.

— Bien sûr, reprit-elle de sa voix traînante, c'est plus facile pour vous de penser que Reilly est un salaud. Je me trompe ?

Hannah s'apprêtait à l'agonir d'injures choisies avec soin dans son répertoire, avant de se raviser. Cette femme ne cherchait pas à la blesser, plutôt à la défier. Et puis, elle parlait vrai.

— A ma place, vous ne penseriez pas la même chose de lui ?

— Certainement, rigola-t-elle avec ironie. Et moi, à votre place, je n'écouterais pas ce que les amis de Boone ont de bien à dire sur lui.

— Le message est reçu.

Cinq minutes plus tard, Hannah se retrouva assise à une petite table de pique-nique dressée devant la caravane de Gina Zandonatti. La blonde trapéziste lui servit une tisane fraîchement infusée puis s'excusa, le temps d'aller voir si son bébé était bien endormi.

D'après l'acrobate, la décoction fumante était excellente pour la santé et revigorante. Hannah lui trouvait pour sa part un fumet d'eau croupie.

Une quinquagénaire du nom d'Arlise Fromme lui faisait face. C'était elle qui s'occupait du petit garçon de quatorze mois de Gina quand celle-ci lavait du linge à la laverie automatique.

— Gina souffle un peu, à la laverie, expliqua Arlise. Cela lui fait du bien d'avoir une heure ou deux de répit, loin des gosses. En échange, elle lave aussi mon linge. Je suis vernie, trouvez pas ?

D'un air dégoûté, Arlise renifla le breuvage de Hannah.

— Ne me dites pas que vous aimez cette cochonnerie.

— J'avoue que l'odeur est dérangeante.

— Travaillez au milieu des chevaux pendant six mois, et vous saurez ce que veut dire « une odeur dérangeante », rétorqua Arlise en exhibant une dentition dorée.

Aussi petite et trapue que Gina était grande et svelte, la nounou par intérim avait de courts cheveux poivre et sel, à moitié cachés par sa bombe d'équitation. Sa grosse tête semblait vissée dans des épaules de déménageur. A ses oreilles brillaient et cliquetaient d'élégants bâtonnets sertis de diamants.

Les véhicules stationnés alentour faisaient écran au vent et aux conversations provenant des autres caravanes, dont des bribes indistinctes parvenaient aux oreilles de Hannah. Ici et là, des geais piaillaient pour défendre leur territoire contre les attaques des corbeaux.

Elle observa la berge de la rivière voisine. Deux éléphants entravés par des chaînes allaient et venaient, leur trompe oscillant au rythme de leur pesant déplacement. Hannah se dit que, peut-être, le murmure de l'eau agissait sur eux à la façon d'une berceuse.

Gina émergea de la roulotte, sa tasse dans une main et le panier de linge calé sur sa hanche. La table ploya quand elle y déposa son fardeau. Elle plaça à portée de main un haut-parleur qui permettait d'entendre les moindres bruits dans la chambre du bébé.

— Ecoutez un peu mon Nicky. Je parie qu'il est en train de faire ses besoins en dormant, le chéri. Ou alors, il grogne parce qu'il en a assez de dormir. On ne va pas tarder à être fixé.

Arlise ayant parlé d'enfants au pluriel, Hannah risqua une question.

— J'ai vu tout à l'heure une fillette qui s'exerçait sur la corde raide, sous le chapiteau…

— C'est ma Francesca ! répondit fièrement l'acrobate. Moi, mes parents ne m'ont pas laissé grimper tout là-haut avant mes six ans. Vincente, le père de la petite, dit qu'elle a l'étoffe d'une grande voltigeuse.

— Nicky est presque né sur la corde raide, renchérit Arlise, mi-figue, mi-raisin. Notre Gina est non seulement une beauté et une fille intelligente, qui est allée au lycée, mais en plus on ne voit pas son ventre : à neuf mois de grossesse, on aurait dit qu'elle avait fait un bon repas.

Hannah demanda.

— Vous exécutiez votre numéro enceinte ?

— Bien sûr ! répondit Gina en extirpant une serviette du panier de linge sec pour la défroisser. Au cirque, on en fait le plus possible et il n'y a pas de congés maternité.

— Ni de pension d'invalidité, de plan de retraite ou de congés payés, compléta Arlise en enroulant deux chaussettes en boule. Certains organisateurs de spectacles de danse haut de gamme accordent des avantages sociaux aux employés, mais les candidats se bousculent au portillon et puis… bah ! un cirque n'existe vraiment que sous le grand chapiteau.

Sous le regard approbateur de Gina et d'Arlise, Hannah piocha deux chaussettes assorties dans le panier.

— Reilly aussi est très attaché au cirque, n'est-ce pas ? interrogea-t-elle.

— Tous les enfants de la balle ressentent la même chose, confirma Arlise. Il faut vous dire que le cirque est né il y a très longtemps, dans les arènes, quand les Romains jetaient les chrétiens en pâture aux lions.

Hannah fit la grimace. Elle aurait préféré rester dans l'ignorance.

— Il ne reste plus beaucoup de cirques indépendants comme celui des Van Geisen, ajouta Gina. Seuls ceux qui offrent un spectacle de qualité surnagent. Voyez-vous, les grands chapiteaux ont englouti ou ruiné les plus petits. Aujourd'hui, pour nous, la difficulté est de trouver des villes à notre taille, mais de trop faible importance pour les géants de la profession.

Arlise fit claquer un torchon qui perdit un nuage de fines peluches.

— Si Vera et Frank n'avaient pas déniché un investisseur pour les soutenir financièrement cette année, Ernie et moi on n'aurait pas signé avec eux. Trop risqué. Car si on arrête de travailler en pleine saison, on ne trouve pas d'embauche dans un autre cirque. Et moi, je préférerais me jeter d'un huitième étage plutôt que d'enfiler un tablier de serveuse. Demander : « Et avec le steak, je vous sers quoi ? » jusqu'à la fin de mes jours est au-dessus de mes forces.

— Je peux le comprendre, répondit Hannah. Donc ici, vous êtes des sous-traitants et non des employés à plein temps.

Gina expliqua qu'un directeur de cirque avait intérêt à multiplier les numéros proposés au public, et que les artistes gagnaient à ne pas toujours se produire dans les mêmes villes, année après année.

— Si le patron d'un cirque a besoin d'un certain style de numéro pour boucler le spectacle, précisa Arlise, il sera prêt à mieux payer les artistes qu'il engage, ou à leur accorder un pourcentage sur les recettes.

— L'avenir me fait peur, admit Gina. C'est vrai que les cirques font beaucoup tourner les numéros. Encore faut-il qu'il y en ait assez. Du temps de mes parents ou même de Vincente, on comptait des douzaines et des douzaines de chapiteaux dans le pays.

Elle donna un petit coup de serviette à Arlise.

— Moi non plus, je n'ai pas envie de finir mes jours en vendant des hamburgers !

Par jeu, Arlise lui rendit son coup avec un caleçon.

— En tout cas, ma cocotte, on va pas tarder à se retrouver le bec dans l'eau. Dommage, car AnnaLeigh — que le diable ait son âme ! — aurait pu nous faire gagner de l'or durant une prochaine tournée.

— Tu parles ! L'Incroyable AnnaLeigh et ses Super Filles nous auraient tous conduits en prison pour atteinte à la pudeur, puis chez le juge pour régler nos divorces respectifs, et pour finir dans les joyeuses files d'attente de l'aide sociale.

Hannah, qui lissait un gant de toilette du plat de la main, fronça les sourcils.

— AnnaLeigh voulait démarrer son propre spectacle ?

— Reilly ne vous en a pas parlé ? Elle était obsédée par ce projet, un grand show dans le style Las Vegas, rien qu'avec des femmes. Vous imaginez : des filles montant le chapiteau, une Madame Loyale présentant les numéros... AnnaLeigh entendait même que tous ses animaux soient des femelles.

Voilà qui aurait comblé un publicitaire. Hannah s'imagina en train de lancer sur le marché une troupe exclusivement féminine. Campagne nationale, articles de magazines, spots télévisés, calendriers dénudés, posters pour camionneurs : il y avait de quoi faire.

— Y a-t-il déjà eu un cirque exclusivement féminin ? demanda-t-elle.

— Non, et AnnaLeigh avait l'intention d'inaugurer la formule la saison prochaine. Malgré les objections de Reilly. Il en devenait fou, répétait qu'un numéro se fait avec le mari et la femme, ou à deux concubins, ou au moins à deux partenaires de sexe opposé. Il refusait de croire qu'on puisse, d'un claquement de doigts, remplacer un partenaire homme par une femme quand le numéro était bien rôdé.

Hannah ne devait pas paraître très convaincue, car Arlise insista :

— Prenez l'exemple des Zandonatti. Gina est voltigeuse, Vincente porteur. A la fin de son triple saut périlleux, Gina représente une masse de cinquante-quatre kilos qui file à près de cent kilomètres à l'heure vers Vincente. Il doit attraper ses poignets au vol tout en restant accroché au trapèze à la seule force de ses cuisses et en veillant à ne pas se démettre une épaule à cause de la traction.

— Je n'avais jamais envisagé la chose sous cet angle. Je croyais que le porteur avait la tâche la moins pénible.

— Vincente a du métier et ne montre pas l'effort qu'il lui en coûte, répondit Gina. Je lui fais totalement confiance. Je ne dis pas qu'une femme ne peut pas être porteuse. Mais regardez : si je signais dans une troupe exclusivement féminine, alors Vincente devrait se trouver une nouvelle partenaire et… enfin, vous comprenez. On ne s'est pas mariés et on n'a pas eu des enfants pour vivre loin l'un de l'autre.

Elle jeta un coup d'œil à l'emplacement où, la veille encore, était stationné le camping-car d'AnnaLeigh.

— Reilly était contre cette idée d'un show féminin, poursuivit-elle. AnnaLeigh et lui se disputaient souvent à ce sujet.

— Ils se disputaient aussi au sujet des infidélités d'AnnaLeigh, intervint Arlise. Reilly est un homme, et son attachement pour elle avait tendance à le rendre stupide, mais j'ai de la compassion pour lui.

— De la compassion ? Pourquoi donc ? interrogea Hannah en regardant alternativement les deux femmes.

— Il traitait AnnaLeigh comme une vraie reine, expliqua Gina. Et, à la fin, elle a dû prendre ça pour argent comptant.

Arlise secoua la tête.

— Il y a surtout qu'AnnaLeigh avait été élevée par sa mère et qu'elle avait hérité d'elle son côté nez en l'air et snobinard. AnnaLeigh voyait grand, c'est aussi pour ça que son nez pointait vers les étoiles. Elle refusait de commencer au bas de l'échelle pour monter progressivement les échelons. Non, il lui fallait tout, tout de suite, et quand on la mettait en garde, elle n'écoutait pas — surtout quand le conseil venait de Reilly.

Gina poussa le panier à linge de côté et s'attabla.

— Je comprends que vous en vouliez à Reilly de ne pas avoir été là durant votre enfance et votre adolescence.

Hannah sursauta.

— Est-ce que ma vie privée alimente *toutes* les conversations de ce fichu cirque ? Dites-vous bien que je ne savais rien de Reilly avant hier après-midi.

— Il ne s'est pas passé un jour sans que Reilly parle de vous, répondit Arlise avec vigueur. Dès qu'il apercevait une petite fille dans le public, il cherchait une ressemblance. Il jurait la reconnaître au moins une fois tous les deux mois, non ? interrogea-t-elle en quêtant l'approbation de Gina.

Celle-ci approuva.

— J'étais encore toute gosse qu'il vous cherchait déjà. J'en faisais des cauchemars. Mon père nageait dans un océan de têtes blondes, sans jamais me trouver.

Ses yeux d'un bleu vif croisèrent longuement ceux de Hannah.

— Reilly et mon père étaient bons amis et puis, ça s'est gâté. Pendant des mois, ils ne se sont plus adressé la parole. Reilly rendait tout le monde fou à force de courir après sa petite fille perdue. Et quand il pensait vous avoir trouvée, il ne tardait pas à déchanter et se mettait à boire.

La gorge nouée, Hannah retenait son souffle. Ainsi, Reilly s'était vraiment soucié d'elle, il l'avait bien cherchée durant toutes ces années… Quel déchirement ce devait être pour lui quand il croyait l'avoir trouvée et découvrait son erreur ! En gardant le secret, Caroline lui avait épargné à elle ce genre de souffrances. En même temps, si Hannah avait su quelle piste suivre, Reilly et elle auraient pu se retrouver plus vite et faire l'économie d'années de chagrin.

Arlise relança la conversation.

— Rendons justice à AnnaLeigh : elle a obtenu de Reilly qu'il cesse de boire et ne touche plus à la bouteille.

— Et lui, il lui a appris toutes les ficelles de son métier, il a accepté d'être son faire-valoir sur la piste et, pour finir, il lui a laissé gérer l'argent du ménage.

— Le pauvre s'est mis à jouer pour compenser, expliqua Arlise. Cheval châtré devient docile. Même chose pour un homme : il faut lui couper les vivres. Reilly ne le supportait pas et pariait en espérant gagner gros.

A voir l'expression de Gina, il était clair que Reilly gagnait rarement.

— Reilly m'a dit qu'AnnaLeigh et lui étaient associés, remarqua Hannah.

— C'est une façon de présenter les choses, répondit Arlise. AnnaLeigh se taillait la part du lion — dans la proportion de un à dix. Exactement comme la petite Francesca quand elle partage ses biscuits avec Nicky.

Elle trempa les lèvres dans la tasse de Hannah, fit la grimace et poursuivit.

— Au temps où ses doigts n'étaient pas ruinés par les rhumatismes, Reilly voulait tout partager avec sa chérie. Il avait même obtenu que leur numéro, L'Incroyable Aurélius, devienne, contrat à l'appui, « Les Incroyables Aurélius *et* AnnaLeigh. »

— Quand elle a pris le contrôle du numéro, précisa encore Gina, AnnaLeigh n'a plus partagé les gains moitié-moitié — c'était quatre-vingt-dix pour cent pour elle et dix pour cent pour lui.

Voyant qu'Arlise allait protester, elle s'empressa d'ajouter :

— D'accord, je suis trop bonne. AnnaLeigh raflait quatre-vingt-quinze pour cent du cachet. Reilly n'avait plus son nom sur l'affiche et c'était AnnaLeigh qui choisissait les tours, leur ordre d'apparition, la musique et les costumes de scène.

— Si elle avait pu, elle lui aurait rationné son papier de toilette ! fulmina Arlise.

— Tu n'as pas honte ? s'exclama Gina en la tirant par la manche. Hannah va penser que nous sommes deux horribles mégères, pour parler aussi mal d'AnnaLeigh.

— Pourquoi dis-tu cela ? Parce qu'elle est morte ? Je tenais le même discours quand elle était vivante.

Arlise se pencha vers Hannah.

— Oh ! et puis, tant qu'à ouvrir les vannes, autant aller jusqu'au bout ! Hier, si j'en avais eu l'occasion, je lui aurais balancé à la figure tout le mal que je pense d'elle pour s'être envoyée en l'air, il y a deux nuits, avec un inconnu.

Hannah ouvrit la bouche de surprise. Mais Gina coupa court.

— Ça suffit, Arlise !

— Non, ça ne suffit pas. Hannah a le droit de savoir pour quelle raison Reilly a fait ce qu'il a fait. Ce n'est pas une excuse, certes, mais enfin…

Des hoquets d'enfant suivis d'un hurlement firent vibrer l'Interphone posé sur la table. On entendit des bruits divers. Hannah imagina les poings du bébé fermés sur des barreaux, secouant frénétiquement le lit.

Gina ferma la main sur l'épaule d'Arlise.

— Ça t'ennuie d'y aller ?

— Evidemment ! rouspéta Arlise en même temps qu'elle pivotait sur le banc pour se lever. Et si tu t'imagines que je vais me taire et garder ce que j'ai sur le cœur à cause du bébé, tu te trompes.

— Je te promets que Hannah saura tout. Mais restons mesurées.

— Tu veux dire moins vaches, c'est ça ? lança Arlise en ouvrant la porte de la caravane.

Gina roula des yeux exaspérés et s'adressa à Hannah.

— Je l'aime autant qu'une seconde mère, mais par moments…

Comme Arlise disparaissait dans la caravane, Hannah sourit.

— Je n'aimerais pas m'en faire une ennemie… Ecoutez, je vais vous paraître naïve et bêtement sentimentale, mais si Reilly a su gagner l'amitié de deux femmes telles que vous, il ne peut pas être vraiment mauvais.

Gina coupa le son de l'Interphone pour ne plus entendre les « Coucou, bébé ! » qu'Arlise distribuait généreusement à son fils. Le menton en appui sur les jointures de ses mains, elle déclara :

— Reilly a des torts, mais la poisse l'a accompagné toute sa vie. Mieux vaut que vous appreniez ses malheurs de ma bouche.

— Que j'apprenne quels malheurs ?

— Pour faire court, AnnaLeigh était la troisième femme de Reilly. Les deux premières sont mortes pendant des numéros de cirque. Et certains pensent qu'il ne s'agit pas d'un hasard.

— Mon Dieu ! répondit Hannah, avec l'impression que la tisane qu'elle avait bue lui mettait l'estomac à l'envers.

— Oui, je sais. Cela ne fait que rendre plus grave ce qui vient d'arriver.

— Ces deux femmes ont-elles également été tuées… par balles ?

— Non, à l'époque, Reilly travaillait avec un jeune apprenti, qu'il formait. Sa première femme avait son propre numéro d'équitation et l'autre était acrobate aérienne. Les circonstances de leur mort n'ont jamais été éclaircies. Demandez à dix personnes, vous aurez dix versions différentes. Et ce qui s'est passé hier ne va pas arranger les choses. Au cirque, on est solidaires, on se protège les uns les autres, mais on sait aussi punir ceux qui le méritent. Les étrangers nous prennent pour des romanichels sans foi ni loi, mais on dépend trop les uns des autres pour tolérer désordre et perturbateurs sous notre grand chapiteau.

Gina marqua une pause et posa ses doigts écartés sur la table.

— Jusqu'au drame de la nuit dernière, les problèmes de Reilly étaient d'ordre privé : la boisson, le jeu, les scènes de ménage avec AnnaLeigh, une jalousie maladive. Au cirque, tout se sait.

— Je comprends. Et l'acte qu'il a commis, ou plutôt qu'on l'accuse d'avoir commis, sème le trouble dans la communauté.

— Exactement.

— Et, bien sûr, on me fourre dans le même sac que Reilly.

— Ah bon ? Vous avez remarqué ? demanda Gina en plissant les yeux.

Depuis qu'elle parlait avec Gina et Arlise, Hannah avait noté le changement d'atmosphère. Tous les enfants qui jouaient sur l'herbe avaient réintégré les caravanes, qui résonnaient du beuglement des chaînes stéréo et des télévisions, compensation à l'interdiction qui leur était faite de jouer dehors. Alors qu'il faisait si beau, les chaises étaient vides sur la pelouse proche du bivouac des Zandonatti. Et ceux qui étaient venus boire un café sous le chapiteau-réfectoire s'étaient attablés le plus loin possible de Hannah et de ses compagnes. Ils papotaient et riaient par groupes de trois ou quatre, leur tournant ostensiblement le dos.

Hannah sentit sa gorge se serrer. Des souvenirs douloureux remontaient à la surface. On ne peut rien contre certaines choses. Elle s'était affranchie des vieilles barbes qui avaient empoisonné son enfance et son adolescence, mais souffrait encore d'avoir été ostracisée durant ses années de lycée. Aujourd'hui, sa mise en quarantaine réveillait le passé.

— Tout à l'heure, pour aller plus vite, j'ai coupé par la piste, sous le chapiteau, et personne ne m'a seulement regardée. J'ai cru que j'avais réussi à me donner l'air d'une habituée des lieux. Et puis, en réfléchissant à toutes les raisons que j'avais de détester Reilly Boone, j'ai compris que le fait d'être sa « fille » faisait de moi une paria aux yeux des gens du cirque.

— Je suis désolée, murmura Gina.

Hannah sourit tristement.

— Désolée de quoi ? D'être honnête avec moi et loyale envers Reilly ?

Elle risqua un coup d'œil sur la pelouse voisine et précisa sa pensée.

— Où trouvera-t-il refuge, si les services du shérif relâchent Reilly après l'avoir interrogé ? Dans la caravane de Johnny ?

— Certainement pas. Reilly sait à quoi s'en tenir. Johnny serait la dernière personne à qui il demanderait ce service. Je pense qu'il pourrait venir me voir, ou voir Arlise, même si j'en doute.

Hannah songea que David l'aurait avertie, s'il avait eu quelque chose de solide contre Reilly. Encore que rien ne l'empêchait de le cuisiner pendant vingt-quatre ou même quarante-huit heures sans avoir la moindre preuve. Cela laissait trois possibilités. Ou bien Reilly se trouvait toujours en détention provisoire. Ou bien il avait été relâché et se terrait dans une chambre de motel, non loin. Ou bien, enfin, il avait été libéré et avait pris le premier bus en partance pour n'importe où.

Pouvait-il prendre la fuite ? Il avait déjà été condamné pour homicide, ses deux premières épouses étaient mortes sous le chapiteau, et la troisième Mme Boone venait de mourir d'une balle de fusil en pleine tête, qu'il avait lui-même tirée, devant des centaines de spectateurs. Pour ceux du cirque, Reilly était d'ores et déjà coupable. Qu'avait-il à perdre en fuyant ? Rien. Absolument rien. A moins que…

— Pourquoi sont-ils tous convaincus que la mort d'AnnaLeigh n'est pas accidentelle ? demanda Hannah en se tournant vers Gina. Si, comme vous me l'avez dit, Reilly et elle s'entendaient si mal, pas besoin pour lui de la tuer : un divorce aurait suffi.

Gina lui expliqua en quoi consistait le secret de La Cible Humaine, confirmant ce que David lui avait exposé la veille.

— Croyez-moi, conclut-elle, j'aurais voulu penser autrement, mais la mort d'AnnaLeigh ne peut pas être accidentelle.

Hannah préféra ne pas polémiquer, réservant son jugement pour plus tard, quand elle aurait réfléchi à la question.

— Ils se disputaient pire que des chiffonniers, mais s'aimaient d'amour, reprit Gina. C'était devenu un jeu, chacun menaçant de quitter l'autre. Et une distraction parmi nous. Johnny, par exemple, prenait des paris sur le temps qu'ils mettraient à se rabibocher, à s'embrasser — ou, pour Reilly, à prendre son sac de couchage pour aller se réfugier une nuit ou deux chez un copain.

Secouant la tête, Hannah ouvrit les mains dans un geste de frustration.

— Attendez un peu que j'y voie clair. Reilly plaçait AnnaLeigh sur un piédestal. Pour le tenir, elle l'émasculait en lui coupant les vivres. Ils se disputaient tout le temps, mais pas question de divorcer parce qu'ils s'adoraient, exception faite de la nuit dernière, quand Reilly l'a tuée de façon préméditée et de sang-froid.

Elle s'interrompit net et demanda :

— Ai-je bien résumé la situation, ou bien manque-t-il quelque chose ?

Gina éclata de rire, avant de plaquer sa main sur sa bouche.

— Cette façon que vous avez de… Oh ! mon Dieu ! je… Ce n'est pas drôle ! Je sais que ça n'est pas drôle.

— Si, justement. Et il est bien là, le problème. Parce que, jusqu'à présent, je ne vois rien là-dedans qui ressemble de près ou de loin à un mobile. Je sors avec le shérif, mais je ne porte pas d'étoile. Ce que je dis ne reflète que mon opinion. Or, il est clair que soit il s'est passé quelque chose entre AnnaLeigh et Reilly qui vous échappe, soit vous ne m'avez pas tout dit.

— C'est vrai, il est arrivé quelque chose.

Les traits de Gina reflétaient un mélange de tristesse et de répugnance. Elle baissa le ton, comme si elle se trouvait au confessionnal.

— Jeudi, la veille du drame, nous venions de franchir la frontière du Missouri quand le moteur du camion d'Arlise et d'Ernie a rendu l'âme. Reilly est excellent mécanicien, meilleur même qu'il est magicien. Toujours est-il que l'ensemble de la caravane du cirque s'est arrêté sur le bas-côté en attendant. Pour faire court, Arlise est allée avec son van à Springdale, Arkansas, acheter une nouvelle pompe à eau. Ensuite, Reilly est resté sur place afin de réparer, avec l'aide d'Ernie. Nous, nous avons repris la route pour Sanity.

Hannah intervint.

— Donc, AnnaLeigh s'est retrouvée seule au volant du camping-car.

— Exactement. Sanity n'était plus très loin, et le montage du chapiteau ne posait pas de problème particulier. C'était notre troisième étape de deux jours au cours de cette tournée. Pour fêter l'événement, les Van Geisen ont acheté deux ou trois caisses de bière. Tout s'est bien passé, personne n'a forcé sur la bibine, car nous devions nous lever tôt le lendemain pour être prêts pour la parade.

Hannah hocha la tête, et Gina continua son récit.

— D'après Arlise, il était 21 heures quand Reilly et Ernie ont fini de réparer. Ils sont repartis. Arlise suivait dans son van. A environ quatre-vingts kilomètres de Sanity, les hommes ont voulu s'arrêter dans un restaurant routier pour manger. Arlise était furieuse, elle leur a dit qu'elle espérait bien qu'il s'étrangleraient avec leurs frites et elle a poursuivi sa route.

Gina hésita. Son regard se mit à fuir celui de Hannah, pour se poser sur le plateau de la table, qu'elle contempla fixement.

— Quand Arlise a rejoint le cirque à Sanity, la petite fête venait de se terminer et tout le monde était couché, sauf AnnaLeigh dont le camping-car était éclairé. Malgré les stores baissés à l'arrière, Arlise a vu... elle a vu la silhouette d'un homme qui faisait l'amour avec AnnaLeigh. D'après ce qu'elle m'a raconté, c'était aussi clair que sur un écran de cinéma.

— Oh ! merde ! fit Hannah.

— Oui, et c'était plutôt gratiné, ajouta Gina.

— Il y a quand même quelque chose qui m'échappe. Si Reilly a surpris sa femme au lit avec un homme, pourquoi ne l'a-t-il pas tué, le type — voire même tous les deux, sur-le-champ ? S'il était maladivement jaloux, il...

— Il ne les a pas surpris au lit. Reilly et Ernie ne sont arrivés que vers minuit à Sanity.

Hannah jeta un regard mauvais en direction de la caravane.

— Dois-je comprendre que c'est Arlise qui a raconté à Reilly ce qu'elle avait vu ?

— Non, mille fois non ! Elle n'en a même pas parlé à Ernie, sauf après le drame, hier soir. Je suis sûre que quelqu'un autre a été témoin du spectacle et a mis tout le monde au parfum. Et Reilly a perdu la tête quand il a eu vent de l'histoire...

Hannah réfléchit à cette possibilité. La veille, quand AnnaLeigh avait fini par rejoindre le camping-car dans l'après-midi, Reilly lui avait demandé d'où elle venait. Elle ne portait ni sac à main ni paquets — deux présomptions d'infidélité pour un homme torturé par le doute. Et le matin, elle n'était probablement pas malade. Elle cuvait ses bières et récupérait de ses ébats.

Gina s'éclaircit la gorge.

— La mystérieuse silhouette qu'Arlise a aperçue dans le camping-car en compagnie d'AnnaLeigh n'était pas Vincente, puisqu'il était avec moi. Quant à Ernie, il se trouvait avec Arlise.

Oh ! bien sûr, je connais quelques hommes, dans l'équipe, qui auraient eu envie de danser avec la souris en l'absence du chat. Il y avait aussi pas mal de gens du coin qui traînaient dans les parages, ce soir-là. Quitte à tromper Reilly, AnnaLeigh courait moins de risques en choisissant pour amant quelqu'un de passage plutôt qu'un des nôtres.

Au même moment, Arlise sortit de la caravane dont elle fit claquer la porte. Elle tenait dans ses bras un chérubin blond et bouclé, en socquettes et salopette, qui s'égosillait à répéter : « Maman ! Maman ! ».

— Alors, tu lui as tout dit ? interrogea Arlise.

Gina récupéra son bambin et le mit debout sur la table. Du bout du nez, elle picorait dans les petits plis de son cou. Puis elle égrena des « *Voui-Voui-Voui-Voui-Voui !* » d'une voix suraiguë qui rappelait à Hannah le gazouillis de soprano dont usait IdaClare avec ses caniches.

— Maman a tout dit à Hannah, n'est-ce pas mon petit Nicky-Nick ? Oh oui ! elle a bien tout raconté.

Gloussant de plaisir, le petit garçon se dandina en risquant un œil sur la nouvelle venue. Hannah afficha un sourire exagéré et agita sa main. Elle compatissait avec ce petit bonhomme qui venait de quitter le confort de la caravane pour un monde sans pitié.

Elle lui trouva, en miniature, quelque chose du faciès incroyablement expressif de l'acteur Walter Matthau. L'enfant se percha sur les cuisses de Gina et enfouit son visage dans ses cheveux.

— C'est de son âge ! expliqua Arlise. Il est incroyablement timide avec les gens qu'il ne connaît pas.

Vraiment ? Si David avait été là, Nicky et lui seraient déjà en train de se taper dans la main en signe d'amitié…

Soudain, elle entendit rire et parler fort dans son dos. Un tympanon répandit ses notes cristallines par tout le champ de foire tandis qu'une voix criarde amplifiée invitait le public à assister à la représentation de l'après-midi.

Arlise, qui tiraillait la petite boule de velours noir piquée au sommet de sa bombe d'équitation, se râcla la gorge.

— Euh, je me suis emportée tout à l'heure, avant d'entrer dans la caravane. Je passe beaucoup de temps avec les chevaux et avec Ernie, alors, je ne suis pas toujours trop habile pour parler aux gens.

— Vous vous faites du souci pour Reilly, répondit Hannah. Pas besoin de vous excuser.

— Il ne méritait pas ce qui lui est tombé dessus.

Hannah échangea un regard avec Gina. Toutes deux, sans se concerter, pensèrent qu'AnnaLeigh non plus n'avait pas mérité son sort.

Arlise se pencha de côté.

— Qu'est-ce que... ?

Elle fit glisser son postérieur vers le bout du banc et blêmit.

— Gare, les amies, on va avoir droit à une représentation surprise ! Vera et Frank gesticulent comme des malades et foncent droit sur nous....

Un terrible pressentiment oppressa soudain Hannah. Une foule de raisons avaient pu déclencher la colère des Van Geisen. Laquelle était la plus probable ?

Dans son dos, Frank Van Geisen l'interpella :

— Madame Garvey, je crois que ceci vous appartient.

Hannah se résigna à lui faire face et eut la surprise de sa vie.

Van Geisen écumait de colère et sa femme Vera était rouge d'indignation. Et, à la droite de celle-ci, un vigile en uniforme tenait fermement par la manche un Delbert Bisbee à peine reconnaissable. Il arborait d'extraordinaires cheveux verts et portait un pantalon taillé pour Gargantua, maintenu aux aisselles par de larges bretelles. Son visage était barbouillé d'une épaisse couche de blanc crayeux inégalement réparti. Et, pour parachever le tout, une balle de golf orange, évidée, ornait le bout de son nez.

A gauche de Van Geisen, un second vigile agrippait Leo Schnur, bizarrement affublé d'une robe imprimée à fleurs, au bas de laquelle on voyait dépasser des chaussettes à carreaux et des derbys à rabats dans lesquels ses gros pieds devaient être à l'étroit. Une perruque à franges à la Lauren Bacall coiffait tant bien que mal son crâne massif. La cerise sur le gâteau, c'était le casque de Walkyrie à cornes qu'il portait, et qui avait sans l'ombre d'un doute été subtilisé dans la malle aux accessoires de la comédie musicale *Oh ! Valhalla !* spectacle inédit dû à la plume d'un résident de Valhalla Springs et relatant la mythique expédition d'une troupe de Vikings en plein cœur du Missouri.

— Qu'avez-vous en tête, au juste ? s'exclama Frank Van Geisen. Saboter ce cirque ? Nous avons déjà eu droit à la visite de trois vieilles chouettes venues semer la pagaille chez nos éléphants.

Vera, bouillonnante de rage jusqu'aux dernières mèches de sa savante coiffure peroxydée, fit chorus.

— Oui ! Et voilà que ces… ces deux créatures reluquent tout et partout, et fourrent leur gros nez jusque dans nos caravanes.

— Mais c'est faux ! se défendit Delbert.

Avant qu'il ait pu poursuivre, Hannah fit le geste de se trancher la gorge et lui lança un regard qui en disait long sur l'explication à venir. Elle se leva.

— Je n'ai pas assez de mots pour vous exprimer mes regrets, madame et monsieur Van Geisen. Et je vous donne ma parole que de tels incidents ne se reproduiront plus.

— Votre parole ? répéta Vera avec un rire narquois.

— En tout cas, ne recommencez pas, menaça Frank Van Geisen, ou bien nous serons obligés de faire appel à la police.

Il fit un signe, et les deux vigiles libérèrent leurs prisonniers. Mais Vera n'en avait pas encore terminé.

— Que tout soit parfaitement clair, énonça-t-elle en mitraillant des yeux Hannah et ses nouvelles amies. Si vous et votre clique remettez ne serait-ce qu'un orteil sur notre territoire, nous déposerons plainte immédiatement. Est-ce compris, madame Garvey ?

— Compris, madame Van Geisen.

Vera Van Geisen s'éloigna de quelques pas et se retourna brusquement.

— Oh ! et puis, dites à votre cher père de ne plus nous appeler continuellement au téléphone ! Il peut aller rôtir en enfer. Personne, ici, ne donnera le moindre cent pour sa caution.

13.

— Merci de laisser votre nom et votre numéro après le signal sonore…

David raccrocha. Hannah filtrait-elle ses appels ? Peu probable. Il l'imaginait plutôt occupée à l'extérieur de la maison. Rien de grave, après tout. En ce week-end ensoleillé, il était fort possible qu'elle fasse visiter le domaine à des curieux de passage. Ce picotement au niveau de la nuque, qui accompagnait chez lui les pressentiments, n'avait pas de raison d'être.

David avala la dernière bouchée de son hamburger et fit la grimace. Pourquoi ne passait-il pas ? A l'évidence, les trois heures passées dans le bureau de Woroniecki lui avaient coupé l'appétit. Il avait juste besoin de sucre dans le sang pour mettre fin à son agitation, avec les sueurs froides et les tremblements qui l'accompagnaient.

Les pieds croisés sur le bureau de Marlin Andrik, David se laissa aller contre le dossier du fauteuil et ferma les yeux, le temps que les graisses se fixent. En sourdine, il entendait les sonneries des téléphones, le cliquetis des claviers d'ordinateurs, le grésillement des messages radio dans les haut-parleurs. Et la voix désincarnée de Josh Phelps semblait surgir d'un peu partout.

Ce brouhaha avait tout d'un chœur céleste comparé au savon que lui passerait Claudina Burkholtz si elle lui mettait le grappin dessus. Cela ne tarderait pas, puisqu'il avait stationné sa Crown

Victoria bien évidence, le long du trottoir… Sauf que, pour arriver jusqu'à lui et au bureau des inspecteurs, la bouillonnante Claudina devrait d'abord se procurer un passe magnétique qu'elle ne possédait pas.

Il s'en voulait un peu d'avoir annulé, à peine dix minutes avant le début de la confrontation, sa participation à un débat avec Jessup Knox, sur le champ de foire. Même s'il redoutait plus que tout ce face-à-face, sa dérobade n'avait rien de prémédité. La preuve : il avait ce matin même repassé son uniforme et ciré ses chaussures. Une fois apaisée, Claudina comprendrait qu'un honnête homme a ses limites et ne peut affronter tous les imbéciles de la planète le même jour…

La fumée d'une cigarette tira David de sa sieste. Car il s'était bel et bien endormi, sans s'en apercevoir. Face à lui, sur la chaise en plastique blanc réservée aux visiteurs, Marlin le considérait d'un air goguenard.

— Si j'étais toi, j'irais me faire soigner les végétations par un bon spécialiste…

David bâilla, se passa les mains sur le visage et jeta entre ses doigts écartés un coup d'œil à la pendule murale. S'il comptait correctement, cela faisait onze pleines minutes qu'il avait décollé pour le royaume des songes.

— Ne te gêne pas pour moi, shérif, lui lança Marlin avec un sourire grimaçant. Après tout, je suis abonné aux tâches malpropres de la profession. Pas besoin de prendre des pincettes avec moi.

— Oh ! arrête ton cinéma, tu veux ?

— C'est ma journée. Ce matin, la première chose que Beth m'a dite, c'est : « Tu plaisantes ? »

L'inspecteur principal écrasa sa cigarette d'une torsion du pouce et de l'index. Avant de faire sa sieste, David n'avait aperçu que deux mégots dans la soucoupe en terre cuite qui faisait office de cendrier. Soit Marlin s'était absenté durant la matinée, soit il venait, une fois de plus, de rétrograder à un paquet par jour — l'équivalent de l'abstinence pour lui.

— Et la rouquine ? Elle tient le coup ?

— Je n'en sais rien, répondit David. Je ne lui ai pas parlé, aujourd'hui. Et sa ligne est aux abonnés absents.

Marlin parut sceptique et intéressé, sans pour autant insister. Il savait que « l'affaire Reilly Boone » avait placé David dans une position inconfortable. Inutile de jeter de l'huile sur le feu.

— Je reviens du Short Stack, où Claudina assurait le service de salle, pour le déjeuner. Elle m'a chargé de te dire que, pour le débat manqué, tout est arrangé.

— Elle ment ! répliqua David en gloussant. C'est un piège pour me faire sortir de mon trou. Je parie qu'elle cache une fourchette dans son tablier pour m'embrocher si jamais je me pointe là-bas.

— Ça ne sera pas pour cette fois, affirma Marlin, le regard narquois. Un membre de la bande d'excités qui soutient Jessup Knox a appelé pour décommander le face-à-face, quelques minutes à peine après ton propre coup de téléphone. Notre sosie d'Elvis ne pouvait pas venir faire son numéro.

— Epatant ! laissa échapper David. Vraiment épatant.

Le pivot de la chaise couina tandis qu'il reposait ses pieds par terre.

— Au lieu de me sentir coupable d'avoir annulé la rencontre, je peux à présent me prélasser dans le remords de ne pas avoir mangé au café et d'avoir privé Claudina d'un bon pourboire.

— Tu étais présent en esprit. Et tu me dois cinq dollars.

— Tu sais que t'es un chic type, Marlin ? lança David en cueillant son portefeuille dans sa poche. J'ai encore la voix enrouée par ma déposition de ce matin. Et Knox, quelle était son excuse pour annuler la rencontre ?

— Il semblerait que, vers 10 heures du matin, le bolide que Stealth Jessup junior — Chip pour les intimes — a reçu en cadeau pour ses seize ans se soit enroulé autour d'un arbre bordant la route.

David accusa le coup. Son burger ne passait vraiment pas.

— Il est blessé ?

Marlin eut un sourire navré.

— Il semblerait, et la voiture est bonne pour la casse. Les secours d'urgence ont eu du mal à extraire Chip de l'habitacle. Il était complètement bourré.

— Bourré ? A 10 heures du matin ?

— Hier soir, avec des copains, il a organisé une fiesta près de la rivière. Son alcootest atteint des sommets — tout le contraire de ses résultats scolaires.

David laissa échapper un léger soupir de soulagement. Il avala une gorgée de soda éventé, reliquat de son déjeuner, sans parvenir à chasser l'amertume qui tapissait ses papilles. Jessup Knox l'horripilait, mais comment ne pas compatir avec lui quand il était frappé en plein cœur par l'accident survenu à son fils ?

Chip était un brave gosse, trop gâté certes, mais sans le côté effronté et fanfaron de son M. Je-sais-tout de père, dont l'assurance risible devenait vite odieuse.

— Grâce à Dieu, il s'en est sorti et n'a blessé personne, déclara David.

— Amen, fit Marlin en hochant la tête.

Lui-même avait deux enfants adolescents. Et peu de choses dans la vie suscitaient des conversions religieuses aussi rapides.

— Qui a fourni la bière ? demanda David.

— Chip avait sur lui une fausse carte d'identité de l'Etat de Louisiane qui lui permettait de tricher sur son âge. Il n'a pas dit d'où il la tenait, ni dans quel magasin il a fait provision d'alcool.

— Même avec une cagoule sur la tête, Chip ne ferait pas vingt et un ans, et tu le sais.

— Knox affirme qu'il apprendra la vérité de la bouche même de son fils.

Marlin fit le geste de prendre son paquet de cigarettes, mais s'interrompit à mi-parcours. C'était bien ça, songea David. Il tentait une nouvelle fois de s'arrêter de fumer.

— Ai-je besoin de préciser sur qui la responsabilité de ce malheureux accident va retomber ? demanda l'inspecteur principal.

David haussa les épaules avec une assurance feinte. Puis il imita Knox, en forçant sur l'accent sudiste.

— Les jeunes, c'est ainsi, pas moyen de les changer. Sûr qu'ils sont encore verts et pas malins pour deux sous. Aussi sûr que le shérif Hendrickson, en plus d'être aveugle, regarde du mauvais côté. Il ferait mieux de surveiller les vendeurs de gnôle qui pervertissent notre jeunesse. Pour ma part, mes amis, je pense qu'un bon coup de balai s'impose. Si je suis élu, je m'engage, en tant que père de famille, à nettoyer le comté de ces sacré parasites pourvoyeurs de boissons illicites.

Marlin tressaillit.

— Brrr ! Tu me fais peur. Si je ne te connaissais pas aussi bien, je jurerais que tu écris les discours de Knox.

— Il est toujours plus facile d'être élu que réélu, déclara David d'un ton léger, oubliant provisoirement Jessup Knox.

Il tapota le dossier à soufflet étiqueté au nom d'AnnaLeigh Boone.

— Tu as eu le temps d'actualiser certains points la concernant ?

— Affirmatif, répondit Marlin en saisissant ses Marlboro et son briquet. Mais je croyais que tu voulais rester à distance, à cause de Hannah.

— Je le voudrais bien, oui, confirma David en épluchant les documents du dossier. Mais je ne le peux pas — également à cause de Hannah.

— Jimmy Wayne l'aurait aperçue de bon matin sur le champ de foire, non loin du chapiteau.

— Je dois être surpris ?

— IdaClare Clancy et les deux acolytes qu'elle traîne à sa suite s'y trouvaient aussi, un peu plus tôt.

David gémit et posa son menton sur la paume de sa main.

— Delbert et Leo ?

Marlin s'étrangla, de rire ou d'un trop-plein de fumée dans les bronches.

— Non, pas eux : Marchetti et Rosenbaum. Hé ! ça ferait un bon titre pour une série, nom ? Marchetti et Rosenbaum. C'est aussi bien que *Starsky et Hutch*, ou *Cagney et Lacey*.

Mais David n'avait pas le cœur à plaisanter. Ce qu'il voulait, c'est que ces charmantes vieilles dames cessent justement de jouer les Cagney et Lacey.

En même temps, il ne pouvait s'empêcher d'admirer ces cinq retraitées bourrées d'énergie, toujours en train de rire et de s'amuser, profitant de chaque seconde de vie, et dont les méthodes archaïques frappées de bon sens étaient presque venues à bout de trois cas d'homicides, quelque temps plus tôt.

Mais leurs habitudes de flirter avec la loi pour mener leurs enquêtes n'étaient pas trop de son goût.

Après avoir relaté à David les derniers exploits de ces messieurs-dames, abonnés aux catastrophes, Marlin fit le point sur ce qu'avait dit Boone dans la nuit, puis dans la matinée. Ces précisions, subjectives, ne figuraient pas sur le compte rendu d'interrogatoire.

— Comment a réagi Reilly en voyant les photos ? interrogea David quand il eut terminé.

— Il n'a pas réagi. Je les avais réservées pour la fin, car j'attendais un coup de fil du médecin légiste de Springfield qui devait me préciser certains détails liés à l'autopsie d'AnnaLeigh. Je comptais là-dessus pour faire pression sur Boone. Mais il s'est contenté de retourner les photos sur la table sans un mot.

— Tu t'estimes satisfait ? demanda David.

— La question n'est pas là, répondit Marlin en soufflant un nuage de fumée vers le plafond. Les flics arrêtent les suspects et les juges d'instruction bâtissent l'accusation. J'ai passé le dossier Boone à Mack Doniphan. Il a estimé que la mort d'AnnaLeigh relève de l'homicide par imprudence — peut-être de l'homicide volontaire si nous parvenions à obtenir une ou deux preuves décisives. Le juge Messerchmidt est allé dans ce sens et a fixé la caution en conséquence.

— Dans les cent cinquante mille, avança David.

— C'est justifié. Doniphan craint que Reilly ait des raisons de prendre le large.

Marlin répondit au salut de Phelps, de passage au bureau avant de rentrer chez lui, puis il rapprocha sa chaise de David.

— Il y a des brebis galeuses parmi les forains, qui ont la sale habitude de jouer les pickpockets. Mais les gens du voyage forment une communauté très soudée. Ils se soutiennent mutuellement et se méfient des étrangers, particulièrement ceux qui portent l'uniforme.

— Pour la simple raison que les étrangers, particulièrement ceux qui portent l'uniforme, se méfient d'eux, souligna David, qui se mit à chantonner : *Gypsies, tramps ans thieves…*

Cher n'avait pas de souci à se faire.

— Le préjugé qui fait des gens du voyage des voleurs de poules n'a pas plus de sens aujourd'hui qu'hier, poursuivit-il. Seul hic : cette communauté, comme beaucoup d'autres, a le réflexe « Nous autres contre le monde entier », et Boone pourrait en bénéficier s'il voulait fuir la justice. Bien que la disparition d'AnnaLeigh signe la mort de son numéro d'illusionniste et de son avenir chez les Van Geisen, rien ne l'empêche d'aller se faire embaucher dans un autre cirque et de se produire dans un numéro d'un autre genre. J'ai entendu dire qu'il murmure à l'oreille des chevaux, et qu'il communique également de cette façon avec les autres quadrupèdes.

David se fit pensif. Reilly était transfiguré quand il avait évoqué ses débuts, comme dresseur, devant Hannah et lui. Et son visage s'était assombri lorsqu'il avait mentionné la cruelle exigence de Caroline, qui le suppliait de battre les animaux dont elle avait peur. Dans ce domaine, en tout cas, Boone serait moins handicapé par ses problèmes de rhumatismes que dans un numéro d'illusionniste. Mais la question n'était pas là.

— Tout se sait, chez les gens du voyage. Crois-tu qu'un cirque donnerait asile à un fugitif ? Spécialement si le bonhomme est accusé d'avoir zigouillé l'un des membres de cette grande famille ?

— En effet, ce serait délicat, admit Marlin en écrasant dans la soucoupe en terre cuite une quatrième cigarette qui, mal éteinte, se consuma en fumant.

Il marcha jusqu'au réchaud où tiédissait le café et brandit le pot en direction de David, qui refusa l'offre. Epaissi par le marc, ce qui restait de breuvage au fond du récipient paraissait presque solide.

— Examinons les autres possibilités, reprit Marlin en inclinant le pot pour se servir. Selon le shérif du comté de Brooks, cela fait des années que les Boone et autres artistes de cirque prennent leurs quartiers d'hiver à Molalla, dans le Texas. Certains se sont même installés là-bas pour leur retraite. Reilly pourrait très bien mettre le cap plein sud, raconter à ses amis une histoire à faire pleurer dans les roulottes — par exemple qu'AnnaLeigh est grièvement blessée et hospitalisée —, leur soutirer de l'argent et filer au Mexique avant que quelqu'un songe à se renseigner. N'oublie pas qu'il baragouine l'espagnol. De l'autre côté de la frontière, les artistes de cirque américains sont très prisés, et un employeur se moquera bien de son passé criminel.

David avança une autre hypothèse.

— Et si Boone avait prévu de se réfugier au Mexique *avant* de commettre son crime ? Je l'imagine rêvant nuit après nuit d'une nouvelle vie en Technicolor *made in Mexico*, tout en réglant les détails de « l'accident fatal ».

— Là, tu marques un point.

Sans vraiment regarder Marlin, bien qu'il eût les yeux posés sur lui, David poursuivit :

— Reste à découvrir ce que Hannah vient faire dans le tableau. Là, je ne vois pas trop. A moins que...

— C'était une opportunité en or. Il se paie un divorce au calibre .32, dans un comté perdu au fin fond de nulle part, dont le shérif, par le plus grand des hasards, se trouve être le petit ami de sa fille chérie Hannah. Il sait qu'elle n'admettra jamais que son papa puisse être un meurtrier. Dès lors, Boone peut dire *adios amigos* et filer au soleil avant que le glaive de la justice ne s'abatte sur lui.

— Il y a quand même le risque d'extradition, non ?

— Pour un homicide involontaire commis au cœur du Missouri ? Ce sera vrai quand les bourricots mexicains se mettront à voler.

David, pas convaincu, secoua la tête.

— Boone est-il aussi malin que ça ?

— En tout cas, il sait tirer parti des circonstances. Sa première femme meurt alors qu'elle monte un cheval à peine dressé. Le voilà libre. Sa deuxième femme fait une chute mortelle parce que son mousqueton a cassé. Encore libre. Cela sent la combine à plein nez — autant que ce café sent la boue chaude.

— Reilly n'a pas été mêlé directement à la mort de ses deux premières femmes, rappela David. Là, c'est lui qui a tiré sur AnnaLeigh. Ça n'est pas dans sa manière.

— Avant de tirer des conclusions, j'aimerais en savoir davantage sur les deux premiers « accidents ». J'ai chargé Phelps d'enquêter sur ces décès, mais il n'a pas encore les infos.

David n'était pas convaincu. Boone préméditant trois crimes ? Cette hypothèse pêchait par logique. Dans quel ordre tresser les torons de ce long câble sans fin ?

— L'argent est le vrai mobile, insista Marlin. J'en mettrais mon badge d'inspecteur au feu.

— Ce n'est pas le mobile qui me préoccupe, quoique je me demande ce que viennent faire les deux cent mille dollars de l'assurance d'AnnaLeigh dans ce casse-tête. Reilly ficherait le camp en abandonnant ce pactole derrière lui ?

— Pourquoi pas ? Sa cupidité se heurte à son instinct de conservation et aux risques encourus. Même s'il passe à travers une accusation d'homicide, le montant de l'assurance ne lui sera pas versé sans enquête préalable.

— Cela peut prendre des années. Et sans prescription de durée puisqu'il y a meurtre. L'assurance se réserve le droit d'invoquer par la suite de nouveaux chefs d'accusation contre le bénéficiaire du contrat.

— Ce ne serait pas le premier cas de ce genre. Autre hypothèse : et si Boone avait un paquet de billets planqués dans leur maison de Molalla ? De l'argent gagné au casino ou ailleurs ? Il arrive qu'un joueur ait de la chance.

Le téléphone sonna. Marlin s'excusa et se leva pour aller décrocher.

David en profita pour regarder par la fenêtre. Sur la pelouse aménagée devant le tribunal, les arbres ondulaient au gré du vent. Cela lui rappelait la cérémonie matinale des couleurs et le grincement de la poulie, quand on hissait le drapeau. En débouchant sur la place ombragée par les hauts murs de la justice, de la loi et de l'ordre, les automobilistes ralentissaient instinctivement.

Ses pensées se recentrèrent sur Reilly Boone. Un lourd dossier pesait sur lui. Il était soupçonné d'homicide involontaire, et à deux doigts d'être inculpé. Tout semblait clair. Peut-être même un peu trop.

David n'avait pas oublié sa mésaventure judiciaire récente et il ne pouvait s'empêcher de chercher des failles dans les faits retenus contre Boone. Il pinaillait sur des détails, au grand dam de Marlin qui se plaignait d'avoir le « sale boulot » de l'enquête.

Une semaine plus tôt, jour pour jour, David était assis à la place de Marlin, dans le fauteuil des visiteurs, et clamait son innocence des faits dont on l'accusait. Les présomptions qui pesaient sur lui étaient accablantes. Ses collègues, sous influence, rechignaient à écouter ses explications.

Un flic doit coûte que coûte rester objectif, avait depuis longtemps appris David. Déroger à ce principe, c'était entrer dans un cercle vicieux. Les erreurs d'appréciation s'accumulaient. L'enquêteur perdait pied, doutait de ses capacités de jugement, multipliait les faux pas. Et tôt ou tard, pris dans cette ronde infernale, il commettait des imprudences, mettait sa vie ou celle d'un collègue en péril, ou faisait de la surcompensation en allant tuer quelqu'un.

David mit un frein à ses pensées. Il se sentait pris en otage au milieu d'intérêts contradictoires. Mais Hannah était-elle responsable ? Pas sûr. C'était son système de valeur à lui qui chancelait.

S'il voulait bien se donner la peine d'y réfléchir, le fait qu'il accapare depuis tout à l'heure la chaise de Marlin n'était pas innocent. Tout aussi révélatrice était l'attitude de Marlin, qui ne se rebiffait pas et acceptait de permuter provisoirement les rôles.

David l'entendit négocier au téléphone :

— Oui, oui, mais sûrement tard… Bien sûr. Non, je n'oublierai pas. Je t'aime, moi aussi. Salut.

Après avoir raccroché, Marlin plia en deux le papier sur lequel il venait de griffonner quelques mots et le glissa dans sa poche. Puis il revint à David, marmonnant des appréciations peu flatteuses à propos des exigences d'un épouse vis-à-vis d'un mari trop bonne pâte.

— Où en étais-je ? Ah oui ! les irrégularités du compte en banque.

Il exposa les faits dont ils disposaient : deux cent mille dollars et des poussières. Des montants plutôt élevés, et le nom de Reilly qui apparaissant régulièrement dans les comptes.

— Il existe une loi sur le secret bancaire. Des dépôts ou retraits en espèces de plus de dix mille dollars doivent être signalés par la banque aux autorités fédérales. Une façon de damer le pion aux trafiquants de drogue qui prennent les banques locales pour des blanchisseries à pognon sale. Comme s'ils n'avaient jamais entendu parler des laveries automatiques qui existent à travers le monde...

Il contourna le bureau.

— Mon nouveau copain, Jerry Machin-Chose de la Cattlemen's Union Fidelity, jure qu'AnnaLeigh a retiré les deux cent mille dollars il y a quatorze mois.

Il prit dans le dossier un fax à en-tête de la banque et le tendit à David.

— Ce formulaire de retrait signé en est la preuve.

Il posa à côté du fax une photocopie d'un chèque endossé par AnnaLeigh, ainsi qu'une photocopie de sa signature bancaire officielle.

— Je ne suis pas expert graphologue, mais regarde de plus près.

David orienta la lampe de bureau.

— Je vois ce que tu veux dire, déclara-t-il au bout d'un instant. Dans la signature officielle d'AnnaLeigh, les lettres sont plus petites, plus serrées, et plus inclinées, que celles figurant sur le formulaire de retrait. Mais il arrive qu'on change un peu d'écriture, avec le temps.

— Il n'empêche que la signature d'endossement du chèque et la signature officielle sont semblables, alors que celle du retrait diffère nettement.

— Reilly aurait imité la signature d'AnnaLeigh ?

— Il avait tout à y gagner. Jerry Machin-Chose a dû fermer les yeux et se faire récompenser pour sa complaisance.

Marlin énuméra certains faits sur ses doigts.

— Le camping-car était payé ou presque. Les Boone louaient une maison à Molalla. Depuis ce supposé retrait effectué il y a quatorze mois, AnnaLeigh ne s'est pas payé une villa sur la Côte d'Azur, ni une Jaguar ou un gros paquet d'actions. Alors, si c'est bien elle qui a retiré l'argent, qu'en a-t-elle fait ?

David fit craquer ses phalanges.

— Chantage ?

— Deux cent mille dollars pour trois photos Polaroïd vaseuses, tu rêves ? Ces machins valent tout juste cent dollars. Et quel besoin aurait-elle eu de truquer les relevés mensuels bancaires ? Après tout, il s'agissait de l'argent légué par sa mère. Et dans le couple Boone, c'était AnnaLeigh qui tenait les comptes.

Une interrogation que David avait mise en suspens resurgit.

— AnnaLeigh réglait sans sourciller les pénalités pour remboursements tardifs de ses dépenses effectuées avec sa carte de crédit. Pourquoi ne puisait-elle pas dans ses deux cent mille dollars afin de transférer les sommes nécessaires sur son compte courant ? A cette occasion, elle se serait aperçue que son pactole s'était évanoui un peu plus d'un an auparavant…

D'un geste, Marlin indiqua qu'il y avait déjà pensé.

— Reilly m'a dit, et cela m'a été confirmé par d'autres personnes, que le courrier destiné au cirque n'est jamais distribué en temps et heure. Avant de partir en tournée, les membres de la troupe envoient au bureau de poste de leur lieu de résidence habituel, à leurs créanciers et autres, un formulaire de réexpédition du courrier où figure l'adresse du siège social du cirque. La direction du cirque communique ensuite à l'administration postale le calendrier de la tournée et le nom des villes traversées chaque mardi et chaque vendredi. La poste se charge alors de réexpédier le courrier à ces dates. En principe, le chef de la troupe de clowns fait office de vaguemestre. Mais au cirque Van Geisen, c'est Frank en personne qui s'en charge.

— Je vois, fit David. Un maillon qui lâche dans la chaîne suffit à compromettre la régularité du courrier.

— Sans compter que les retards coûtent cher, observa Marlin. Les sociétés de cartes de crédit n'accordent plus trente jours pour rembourser. Même quand on dispose d'une adresse fixe, il faut s'exécuter sous quinzaine. Passé ce délai, gare aux pénalités de retard !

David hocha la tête et se gratta machinalement au niveau des côtes. Certaines personnes ressentaient physiquement les changements de temps. Pour sa part, des démangeaisons apparaissaient dès qu'il y avait des bizarreries et détails suspects dans une affaire.

Marlin s'assit du bout des fesses sur le bord du bureau.

— Cette enquête ressemble à un puzzle. Je n'ai même pas sorti les cinq cents pièces de la boîte que… boum ! j'ai déjà une belle image du Grand Canyon qui m'apparaît.

— Je sais. En une journée, on a rassemblé de quoi permettre à Doniphan de dresser l'acte d'accusation. Je te parie que, sous peu, tu fêteras la conclusion de l'enquête avec une bonne bière.

— N'allons pas trop vite en besogne, quand même. Dans cette affaire, je ne cherche pas un coupable à tout prix.

Marlin se mit à tambouriner nerveusement des doigts sur le bureau, et ce n'était pas seulement pour tromper son envie d'une cigarette.

— Pourquoi pas ? objecta David.

— Tu sais aussi bien que moi que dans une affaire criminelle, tout se joue durant les premières vingt-quatre heures. Une seule erreur ou omission, un seul détail négligé, et le dossier patiemment monté se dégonfle comme une baudruche. Et il n'y a pas de seconde chance. Demain à l'aube, il ne restera rien ou presque de la scène du crime : quelques traces de pneus sur l'herbe et des montagnes de déchets. Quant aux principaux témoins… envolés !

— Tu crois avoir négligé un détail ? s'inquiéta David.

— Rien de plus facile. Et les avocats de la défense ont le chic pour mettre le doigt sur ce petit fait de rien du tout. Pour reprendre l'image du puzzle, je dirais qu'il y a une pièce en trop. C'est ça qui me contrarie. Cette pièce, elle devrait venir du médecin légiste. Il doit m'appeler quand il aura terminé son rapport d'autopsie. S'il le termine.

David ignorait à quoi Marlin faisait allusion, mais le ton furieux de l'inspecteur principal décourageait les questions. Il avait une intuition et préférait la suivre tout seul. S'il se trompait, il n'aurait aucun compte à rendre à ses collègues.

L'air renfrogné, il passa du coq à l'âne.

— Je dois faire un crochet pour acheter du lait, du pain et une boîte de Ding-Dong — tu sais, ces chocolats en forme de cloches. Ensuite, retour au cirque pour un supplément de réjouissances. Si ma chère et tendre a envie de chocolats, je pourrais aussi m'acheter un pack de bières, pour plus tard…

Le téléphone sonna.

— Je parie que c'est encore Beth ! maugréa Andrik en décrochant.

Ce ne devait pas être sa femme, car sa voix changea du tout au tout.

— Inspecteur principal Andrik à l'appareil. Oui, il est là, attendez un peu….

Bloquant l'émetteur du combiné avec sa main, il lança à David :

— Janice Ford pour toi. Paraît que c'est urgent. Tu veux prendre l'appel ici ?

David fit signe que oui. Marlin plissa les yeux. Il savait qu'une jeune et jolie laborantine du nom de Janice Ford, travaillant au Mercy Hospital, avait un temps poursuivi David de ses assiduités.

— Bon, je vais au petit coin, annonça-t-il.

David attendit que la porte se referme et s'éclaircit la voix.

— Shérif Hendrickson, j'écoute, déclara-t-il d'un ton sec et professionnel.

— Oh ! bonjour, David ! fit son interlocutrice avec un petit rire gêné. Je... je pensais que la personne qui m'a répondu t'avait dit qui était à l'appareil.

Le sang battant à ses tempes, David radoucit un rien sa voix.

— Il l'avait fait. Mais la force de l'habitude... J'ai ma voix de bureau, que veux-tu.

— Je comprends, susurra Janice. Moi, une fois sur deux, quand je décroche à la maison, je ne peux pas m'empêcher de dire : « Labo, Janice à l'appareil ».

— Je vois, murmura distraitement David, qui feuilletait de sa main libre le dossier Boone.

Janice marqua une pause avant de reprendre.

— Je sais que tu es très occupé, mais... eh bien, j'ai le résultat de l'analyse de sang de ton inconnue.

— Formidable.

— D'habitude, je dispose de plusieurs centilitres de sang, ce qui facilite l'analyse. Comme tu m'as confié un support imbibé de quelques gouttes, j'ai effectué un double test pour être sûre de bien identifier le groupe sanguin. Les résultats concordent : il s'agit d'un groupe AB, assez rare, qu'on ne rencontre que chez 5 % de la population.

— Un groupe AB, répéta David en trouvant enfin dans le dossier le document qu'il cherchait. Dis-moi, Janice, le père de mon inconnue pourrait-il être d'un groupe sanguin O ?

Un silence se fit, à l'autre bout du fil.

— Non, c'est impossible, répondit enfin Janice. Un enfant de groupe AB ne peut pas avoir de parents de groupe O.

— Tu es sûre ?

— Oh oui ! tout à fait sûre ! répondit Janice.

Sa voix chevrotante fit sourire David. Bientôt, tout Sanity saurait que le shérif Hendrickson n'était pas, examen sanguin à l'appui, père de l'enfant de la fameuse fiancée mystère.

Le flux de la chasse d'eau l'avertit du retour imminent de Marlin, et il abrégea sa conversation.

— Merci mille fois, Janice. J'apprécie ce que tu as fait pour moi. Ah ! au fait, tu n'envoies pas la facture au comté, mais à mon adresse personnelle.

— C'est déjà fait. Si je peux encore t'être utile, n'hésite pas.

En raccrochant, David remarqua l'expression de Marlin, qui venait de rejoindre le bureau. Qu'y pouvait-il si ce dernier le soupçonnait, à tort, de jouer les jolis cœurs ?

D'un geste sec, David referma le dossier Boone, puis se leva. Il ne s'était donc pas trompé et venait d'avoir confirmation de ses soupçons ! Pourquoi n'explosait-il pas de colère, dans ce cas ? Laisser libre cours à sa hargne le soulagerait. Il avait besoin d'un afflux d'énergie pour venir à bout de cette sale peur qui lui nouait les tripes. Il s'en voulait d'avoir dévoilé ses batteries à Luke Sauers lors de leur dernier tête-à-tête. Et ce, sans en informer Hannah.

Pour détendre l'atmosphère, il s'obligea à sourire.

— Je ne vais pas squatter ton bureau plus longtemps. J'imagine que tu as du travail.

Le regard de Marlin effleura un court instant le combiné téléphonique, puis il fixa franchement David.

— Tu comptes te rendre à Valhalla Springs ?

— J'y passerai effectivement. Mais un peu plus tard.

La réponse n'eut pas l'heur de plaire à Marlin, qui fit la grimace. Il composa un code sur le clavier numérique, afin d'ouvrir la porte sécurisée.

— Salue la rouquine pour moi, dit-il. Enfin, quand tu la verras…

David comprit évidemment le sous-entendu. Il en fut blessé, jusque dans sa chair, mais il prit le parti d'ignorer la douleur — tout comme il avait provisoirement décidé d'ignorer le fait que tout ce qui était lié à Reilly Boone se rapportait à l'enquête. Que ce soit une erreur ou non, Marlin Andrik ne faisait pour l'instant pas partie des personnes qui avaient besoin de tout savoir.

Une fois franchie l'entrée est du palais de justice, David gravit lentement les marches menant aux locaux du shérif. Il était sensible à l'atmosphère surannée de cette auguste bâtisse. Des voix en provenance de l'étage supérieur lui parvenaient, amplifiées et déformées par un effet d'acoustique. Pourquoi diantre avait-il la bouche si sèche ?

En cet instant, Reilly mobilisait toutes ses pensées. Il allait lui donner une chance, l'interroger les yeux dans les yeux.

Allen Reece, l'opérateur en chef, appuya sur le bouton qui commandait l'ouverture d'une seconde porte défendant l'accès à la prison. Il adressa un signe du menton à David. Tout en parlant dans un microphone, l'opérateur scrutait un écran d'ordinateur et pianotait sur le clavier — pour vérifier une plaque minéralogique à la suite d'un contrôle routier, sans doute. Il travaillait derrière des échafaudages d'étagères en contreplaqué ployant sous des appareillages électroniques et informatiques poussiéreux. De loin, l'endroit pouvait ressembler au centre de contrôle d'un centre spatial à petit budget.

David poursuivit son chemin jusqu'à une sorte de cage aux murs tapissés de casiers à formulaires administratifs, dernier rempart avant le greffe de la prison et les cellules. Des caméras vidéo installées au plafond surveillaient la zone d'accueil des visiteurs. D'autres contrôlaient les couloirs et les cellules. Une porte d'allure sinistre défendait la salle où les prisonniers étaient fouillés.

Assis derrière sa batterie d'écrans, Jim Lyndell, le geôlier, occupait depuis deux mois ce poste peu envié. Il se leva d'un bond en apercevant David.

— Bonjour, shérif. Pas grand-chose à signaler depuis le déjeuner. Juste quelques allées et venues ce matin.

— Tu gagnes ? demanda David en désignant, d'un coup de menton, l'objet que Lyndell tentait de cacher derrière son dos.

— Non, shérif, répondit Lyndell en rougissant jusqu'à la racine de ses cheveux taillés en brosse, et en rangeant hâtivement son Game Boy dans un recoin du guichet. Cela n'arrivera plus, shérif.

D'un œil entraîné, David scruta les écrans de contrôle noir et blanc. Prévues pour un seul prisonnier, les cellules en hébergeaient trois en moyenne, parfois quatre. Les condamnés portaient l'uniforme réglementaire orange fourni par le comté. On les distinguait ainsi des prévenus en attente d'un procès.

Certains prisonniers étaient assis ou allongés, sur leur lit de camp ou sur une des couchettes superposées. D'autres bavardaient entre eux tandis que les plus nerveux s'épuisaient à faire des flexions ou des tractions. David constata sur l'écran que le parloir était désert, de même que le couloir et la salle de conditionnement.

Soudain, il eut l'impression d'avoir les côtes prises dans un étau.

— Où est Reilly Boone ? demanda-t-il.

Lyndell afficha un large sourire.

— Le magicien ? Ah ! mais il a été libéré sous caution !

— Qui a déposé cette caution ? Pourquoi Andrik n'a-t-il pas été averti ?

Le geôlier perdit son sourire.

— Mais j'ai prévenu l'inspecteur principal Andrik, shérif ! Je vous donne ma parole.

Lyndell farfouilla parmi les formulaires entassés dans un panier métallique et en examina un.

— Tenez, regardez : l'inspecteur Andrik n'était pas dans son bureau et j'ai laissé l'information sur sa messagerie vocale.

Une messagerie que Marlin n'avait pas pris la peine de consulter en rentrant au bureau, et en découvrant David plongé dans sa sieste. S'il l'avait fait, il aurait poussé un mugissement de taureau assez puissant pour fracasser les lambris des murs de son bureau.

David saisit la liasse de formulaires agrafés que lui tendait le geôlier. Il les parcourut des yeux, en même temps que Lyndell lui en récitait le contenu.

— Boone a été relâché à 11 h 07, shérif. Sa fille a déposé la caution. Une jolie femme, soit dit en passant…

D'un geste brusque, David reposa la liasse sur le plateau du guichet et sortit, ivre de de colère.

Dix mille dollars ! Hannah avait payé une foutue caution de dix mille dollars — cash — pour sortir de prison le pire menteur qui soit !

14.

Hannah explora du regard l'igloo à clayettes qui lui tenait lieu de réfrigérateur. Napoleon Hill, le grand gourou de la motivation individuelle, avait dit à peu près ceci : « Etre convaincu par ce qu'on pense, c'est donner forme à cette pensée. »

Alors, peut-être que, si elle restait plantée suffisamment longtemps devant les clayettes vides, et pensait très fort à des tas de bonnes choses, son réfrigérateur se remplirait par magie. Oh ! elle n'était pas exigeante ! Elle disposait déjà d'un bocal de gros cornichons géants. Tout ce qu'il lui fallait, c'était de quoi les accompagner. Une livre de pastrami ou des tranches de dinde fumée feraient l'affaire. On pouvait peut-être ajouter une livre de fromage, des feuilles de laitue, une tomate, des pommes de terre en salade, du pain de mie…

— Dis donc, tu vis dans le confort ! s'exclama Reilly pour la cinq ou sixième fois.

Elle approuva d'une onomatopée, qui coïncida avec un gargouillement de son ventre. Il lui suffirait de parcourir quelques centaines de mètres pour rejoindre Main Street, où l'on trouvait toutes sortes de magasins alimentaires, depuis le libre-service jusqu'au traiteur raffiné. C'était tentant… Certes, mais il n'était pas question pour elle d'aller faire du shopping avec Reilly et de croiser des habitants qui auraient assisté à la représentation du cirque et l'auraient vu sur la piste, au moment de l'accident tragique. Pas question non plus qu'elle s'y rende seule. L'idée de laisser Reilly seule chez elle, ne fût-ce que dix ou quinze minutes, la mettait mal à l'aise.

Cela n'avait aucun sens. Mais le rationnel semblait avoir déserté le monde, depuis vingt-quatre heures.

Où était passée cette part d'elle-même raisonnable et logique ? En temps normal, Hannah aurait tout d'abord fait ses courses en quittant le champ de foire. Puis elle serait allée à la First National Bank de Sanity pour y retirer un tiers de ses économies (récoltant une pénalité salée pour retrait anticipé). Et toujours selon ce scénario idéal, Hannah serait allée payer la caution et aurait fait libérer Reilly, ce presque inconnu accusé d'homicide volontaire.

Bonne leçon. La prochaine fois qu'elle volerait au secours d'un meurtrier potentiel, Hannah dresserait d'abord une liste des priorités.

Pour l'heure, son estomac couinait famine. Malcolm se glissa entre elle et le frigo, la truffe en alerte. Il leva les yeux et jeta sur sa maîtresse adorée un regard entendu. Puis il s'assit sur son arrière-train en attendant que les festivités commencent. Hannah dénicha des œufs et des scones congelés, de quoi réaliser une recette dont elle venait d'avoir l'idée.

Après avoir sorti la nourriture du réfrigérateur en veillant à ne pas enfermer Malcolm à l'intérieur, elle ouvrit un de ses placards dépeuplés et dénicha, par chance, une boîte géante d'épinards.

— Tu as déjà goûté des « biscuits aux œufs sur leur lit d'épinards » ?

Il eut l'air étonné.

— Pas depuis le jour où j'ai demandé à ta grand-mère quel était ce drôle de truc qu'elle avait l'intention de te faire manger…

Dans les souvenirs de Hannah, personne n'aurait osé mettre en doute les talents de cuisinière de Maybelline Garvey, maîtresse femme persuadée que son four magique transformait des rogatons en plats succulents. Elle était convaincue que tout produit devenait comestible et appétissant, pour peu qu'il fût longuement bouilli, cuit ou frit — c'était selon. Et les quelques aliments récalcitrants se voyaient impitoyablement noyés sous une épaisse couche de crème à la viande et aux champignons.

— Et qu'a dit grand-mère ? demanda Hannah.

— Elle m'a mis au défi de goûter une seule miette de son plat. Bien sûr, j'ai relevé le défi. Ma foi, c'était bien meilleur au goût qu'à la vue. Je lui ai même proposé de nettoyer l'assiette quand tu aurais fini.

Le sourire de Reilly s'élargit.

— Tu en as terminé, Maybelline a jeté ce qui restait à la poubelle et elle m'a posé l'assiette sous le nez en disant : « Vas-y mon garçon ! »

Tout en écoutant, Hannah disposa une plaque de papier aluminium dans le four chaud, avant de placer les biscuits dessus.

— Grand-mère a dû être contente de ton compliment, dit-elle. Sinon, elle t'aurait renversé la poubelle sur la tête.

— C'est ce qu'elle a fait quand j'ai poliment demandé une fourchette, et que tu t'es mise à rire si fort que tu as recraché une partie de ce que tu avais mangé !

C'était bien là une scène d'anthologie à la Garvey, dont Hannah pouvait imaginer la suite. Une cuillère d'huile de ricin pour elle en punition. Et Reilly à genoux sur le lino fendillé, épongeant et nettoyant le désastre jusqu'à ce que sa grand-mère, agacée par les craquements de ses articulations, le fiche à la porte.

Dans le juke-box de son imagination, les souvenirs s'enchaînèrent, nostalgiques. Ces moments enfuis étaient-ils comme le bon vin ? Se bonifiaient-ils avec le temps ? La plupart, oui. Quant aux autres, ils vous brûlaient les entrailles autant que du vinaigre.

Pendant que Hannah aplatissait ses épinards au fond d'une poêle à l'aide d'une cuillère de bois, Reilly caressait l'encolure mangée de puces de Malcolm. L'énorme langue de l'airedale pendait de côté. Il semblait dans un état de jouissance béate. Reilly, lui, paraissait pensif, triste et fatigué.

Hannah posa sa cuillère. Elle avait une théorie toute personnelle selon laquelle tout légume trop couvé de l'œil n'arrivait pas à cuire. Si, pour certains, s'affairer aux fourneaux était un moyen de se détendre, ce n'était pas le cas pour elle. Surtout pas en cet instant. L'oreille aux aguets, elle redoutait l'arrivée imminente d'une Crown Victoria devant sa maison. Elle appréhendait le moment où David claquerait férocement sa portière.

Mais quelle raison avait-il d'être en colère ou de se sentir trahi ? Aucune ! Certes, elle admettait qu'il puisse se sentir floué parce que, trop recroquevillée dans sa pudeur protectrice, elle ne lui avait pas tout dit de ses intentions secrètes.

En quoi était-elle coupable, au juste ? Avait-elle fourni une lime et une corde ? Non, elle avait usé d'un système de caution juridique parfaitement légal. S'il en avait eu les moyens, Reilly se serait lui-même acquitté du paiement de cette caution. Il avait d'ailleurs juré de rembourser Hannah dès que possible.

C'était son problème à elle.

Sa décision.

Son argent.

Point final.

Malgré tout, elle paniquait en imaginant la réaction de David.

Elle jeta un coup d'œil par la vitre du four : les biscuits doraient doucement. Reilly avait fini son café. Elle remplit sa tasse, la fit glisser dans sa direction sur le plan de travail.

— Ma chérie…

Il s'était approché, lui tenait la main. Hannah maîtrisa difficilement un mouvement de recul. David, Delbert, Jack Clancy, avaient pris l'habitude de l'appeler « Ma chérie », « Ma petite » ou « Mon cœur ». Elle ne s'en formalisait pas. Même « la rouquine »,

263

le surnom que lui avait attribué Marlin, l'amusait — ce qu'elle ne lui avouerait évidemment jamais, sous peine de le décevoir.

Mais ce « Ma chérie » lui écorchait les oreilles. Jarrod l'appelait ainsi, avec son ton légèrement moqueur et son accent britannique hautain. Reilly, malgré son parler nasillard et traînant du Kentucky, et l'affection dont il chargeait ce petit mot tendre, faisait sonner les mauvaises cloches.

— Sur le nom du Seigneur, je jure que je suis désolé, vraiment désolé, Hannah.

A moitié cachés par ses paupières tombantes, ses yeux avaient une coloration plus noire que marron.

— Désolé de quoi ?

L'illusionniste vrilla son regard dans le sien.

— J'ai honte de t'avoir menti.

La station-service de Clyde Corwin était orpheline de ses pompes à essence, mais les anciens tuyaux d'arrivée de carburant émergeaient encore, nus et rouillés, du sol bétonné. La voûte lézardée du bâtiment s'ornait de l'étoile de la Texaco, qu'on retrouvait aussi sur une enseigne ovale érigée en bordure de route. Un panneau de bois annonçait : « Réparrations de pneux, petites réparrations méquaniques, réglaje des boujies, etc. » L'orthographe n'était visiblement pas le fort de la maison.

Plus loin, derrière une des doubles portes ouverte de l'atelier de réparation, on apercevait l'arrière d'une camionnette pick-up d'un modèle récent soulevé sur deux crics pneumatiques. Si Clyde partait bon perdant dans un concours de dictées, il n'avait pas son pareil pour faire ronronner les moteurs.

Les roues de la Crown Victoria crissèrent sur la bande de ciment avant de s'immobiliser à quelques centimètres d'un des murs en parpaing de la station. La peinture s'écaillait et tombait par plaques. Sur les vitres du bâtiment étaient scotchés des offres de vente, des promesses de récompense à qui retrouverait un animal perdu, des bulletins paroissiaux, des invitations à participer à une séance d'amaigrissement et des annonces de vide-greniers.

Aucun pit-bull aux crocs acérés ne se jeta sur David, venu visiter la fourrière. Pour accéder au terrain loué par le comté, il devait franchir une étendue d'herbes folles. La vieille barrière rafistolée de fil de fer, et censée empêcher le passage des véhicules, était grande ouverte. Il progressa tant bien que mal dans cette jungle. L'aire de la fourrière était délimitée par une clôture symbolique. Quant au camping-car de Boone, il brillait par son absence.

Ainsi, son intuition était juste. Il allait finir par s'acheter un turban, un jeu de tarots et ouvrir un cabinet de divination.

Paradoxalement, son coup de colère à la sortie du tribunal lui avait fait recouvrer tout son sang-froid. Pas question pour lui de subir une nouvelle poussée d'adrénaline. D'une démarche chaloupée, il revint sur ses pas, guidé par le raclement d'un outil métallique sur le ciment.

Le propriétaire des lieux était accroupi sur une planche de mécanicien montée sur roulettes, un bras plongé jusqu'au coude derrière l'une des ailes du pick-up. Il reconnut David sans avoir besoin de lever les yeux.

— Si vous êtes venu pour ma lettre, shérif, autant économiser votre souffle. En ce qui me concerne, j'en ai terminé avec la fourrière.

— Là, Clyde, vous me prenez au dépourvu… pour la bonne raison que je n'ai pas encore regardé mon courrier, aujourd'hui.

— Eh bien… à vrai dire, je l'ai pas postée, cette lettre.

Le grincement d'un outil sur une pièce métallique alla rebondir contre les murs du local.

— J'ai fait certifier la lettre par un officier civil, reprit Clyde et j'en ai flanqué un exemplaire sur votre bureau, et un autre sur celui de Gray, le commissaire aux affaires du comté.

David croisa les bras.

— Je suis ici, et la lettre m'attend au palais de justice. Pourquoi ne pas me dire maintenant ce qu'elle contient ?

Clyde se recula, laissant voir son visage plein de cambouis et d'obstination.

— Ce qu'elle dit, cette lettre, c'est qu'à partir d'aujourd'hui, 10 heures tapantes, je ne suis plus en charge de la fourrière du comté. Et les véhicules qui s'y trouvent, je les veux hors de mes terres avant lundi midi.

— C'est pour ça que la barrière est restée ouverte ?

— Tout juste, shérif. Parce que j'ai donné un préavis, clair et net. M'en fiche de savoir qui prend ces voitures. Ce que je veux, c'est qu'elles aient disparu de mes terres avant lundi.

— Vous oubliez le contrat signé avec le comté.

— Vous êtes sourd, ou quoi ? Je vous dis qu'il n'y a plus de contrat.

Clyde marqua sa détermination d'un mouvement sec du menton.

— Y avait rien dans ce foutu contrat qui disait que je dois endurer des salauds de rancuniers qui viennent s'en prendre à mes chiens et les font crever.

Il s'essuya les mains sur un chiffon, avec lequel il épongea aussi ses tempes couvertes de transpiration.

— J'en ai déjà six mis en terre, et dans quel état ! Cette saleté de poison les bouffe de l'intérieur. J'aurais préféré que ces fumiers de tueurs les abattent d'une balle entre les deux yeux.

Que répondre à cela ? Les pit-bulls de Clyde étaient une source de plaintes continuelles. Ce n'était pas une raison pour empoisonner ces animaux et les laisser mourir dans des souffrances inouïes.

— Les deux chiens de ce matin vont mieux ? se renseigna David.

Le mécanicien se moucha bruyamment dans le chiffon, qui réintégra sa poche.

266

— D'après le vétérinaire, King, mon mâle reproducteur, s'en tirera avant ce soir. Mais pour ce qui est de la portée que Queenie a dans le ventre, il est moins sûr. Pour peu qu'elle perde ses petits, j'en serais encore de huit ou neuf cent dollars. Peut-être même plus.

D'un geste circulaire, il montra le local.

— Tout marchait bien jusqu'à ce que ces réparateurs auto discount et ces chaînes de pièces détachées me poussent dans le vide. Vu les prix cassés qu'ils pratiquent, moi et les collègues on n'a plus qu'à boucler le tiroir-caisse. Et le pire, c'est que je ne peux pas vendre le garage pour autre chose que l'automobile. Ou alors, il faut que je fasse enlever à mes frais les cuves d'essence.

— C'est vraiment sans issue, reconnut David.

— Pour sûr.

Clyde se redressa. Des années passées courbé sous les capots l'avaient voûté.

— Avec les réparations, poursuivit-il, je gagne assez pour payer les impôts et l'assurance, et de quoi manger. Mais les chiens, eux, ils me rapportent bien plus que les taxes de la fourrière.

— Je comprends, Clyde, mais là n'est pas la question.

Le mécanicien agita ses mains striées de graisse.

— Vous avez pas les moyens de mettre un homme en faction devant l'enclos toute la nuit. Et moi je peux pas engager un vigile à mes frais, ni perdre encore un autre chien. J'en peux plus, shérif, franchement. Ça peut plus continuer.

David résolut d'en référer aux autorités compétentes du comté afin d'engager des poursuites judiciaires contre Corwin pour rupture de contrat, et aussi pour d'autres infractions. Ray Bob Oates s'opposerait à une action en justice, mais l'opinion du shérif prévaudrait. Certes, les solutions de rechange existaient et le comté n'aurait pas grand mal à dénicher un autre terrain. Fallait-il pour autant céder si vite à ce vieux ronchon ?

267

— Clyde, ça ne va pas être possible de faire enlever tous ces véhicules dans les délais que vous dites.

— Tant pis. Moi, je veux plus en être responsable, et je suis bien décidé à pas fermer le portail. Aussi sûr que je m'appelle Clyde, sans les chiens pour monter la garde, il y aura bien forcément quelqu'un pour venir se servir en pièces détachées.

Cette fois, David se fâcha.

— Vous allez me boucler ce satané portail ! Personne ou presque n'est au courant de votre démission. S'il y a des problèmes avec certains véhicules, vous aurez des comptes à me rendre et je ne ferai pas de cadeaux.

— Ça me plaît pas du tout, shérif…

— Ouais, et si vous continuez à me chercher, Clyde, ça vous plaira encore moins, je vous le garantis.

Le garagiste médita ces paroles. De la pointe du pied, il explorait une cavité qui creusait le sol en béton.

— C'est pas après vous que j'en ai, shérif. Bien avant que je signe le contrat de fourrière, Jessup m'avait promis d'installer des projecteurs et des caméras de surveillance autour de mon terrain. Il me l'a encore dit ce matin : dès qu'il sera élu, il fera poser tout ce bazar. Ce sera le comté qui paiera.

Clyde haussa les épaules.

— Ma foi, même si je dois me faire mettre en pièces par la patronne à cause de ça, je donnerai pas ma voix à Jessup aux élections. Il me rappelle trop ces binoclards de Cap Canaveral — ils vous promettent la lune en oubliant qui paye l'essence, dans cette histoire.

David grava dans un coin de son esprit cette formule percutante. Il se promit, sans citer sa source, d'en faire profiter Claudina dès que possible.

— Avant que vous refermiez le portail, Clyde, une petite question : combien de véhicules ont-ils quitté la fourrière aujourd'hui sans mon autorisation ?

Clyde prit un air penaud.

— Deux. La femme de Dub Arpel est venue récupérer le pick-up Ford F-150 de son mari, pour qu'il puisse aller au boulot.

La dernière fois que David avait vu Arpel, ce dernier cuvait sa cuite bimensuelle dans une cellule de la prison, roulé en boule sur sa couchette. Si l'usine qui l'employait au poste d'opérateur mouleur avait eu la mauvaise idée de distribuer la paie chaque vendredi soir, Arpel n'aurait plus passé un seul week-end chez lui.

— L'autre véhicule, ce ne serait pas un camping-car tirant une remorque, immatriculé dans le Texas ?

— C'est ça, ouais. J'ai pas retenu le nom du propriétaire, mais ça collait avec la carte grise et son permis de conduire. Il avait aussi un double de la clé de contact.

— Quelqu'un l'accompagnait ?

— Une femme l'a conduit jusqu'ici dans un Blazer, modèle 94 ou 95. Je n'ai pas fait plus attention que ça.

David, qui soupçonnait — ou plutôt espérait — qu'un membre du cirque Van Geisen aiderait Boone à reprendre son camping-car, dut reconnaître son erreur.

Il se dirigeait vers la sortie quand il se retourna pour crier haut et fort :

— Je veux ce portail fermé *dès maintenant*, Clyde. Si vous laissez sortir un seul véhicule de la fourrière sans mon autorisation expresse, vous aurez à faire à moi. Suis-je assez clair ?

— Oui, shérif.

— Passez au bureau lundi matin à 10 heures précises. On tâchera d'arranger cette affaire de contrat de fourrière avec Paul Gray.

— Tu m'as menti ?

La cuisine devint sombre, comme si le soleil s'en était soudain allé pour d'autres galaxies. Avec des gestes d'une précision exagérée, Hannah posa le pot à café sur la plaque chauffante et se tourna vers Reilly.

— A propos de quoi m'as-tu menti ?

— Je ne sais pas ce qui m'a pris, je te jure.

Hannah agrippa si fort le plan de travail qu'elle se fendit les ongles.

— Je veux savoir pourquoi tu m'as menti et à propos de quoi !

— J'avais honte, Hannah, voilà pourquoi j'ai menti, déclara Reilly d'une voix à la fois douce et ferme. En mentant, je sentais moins ma honte, mais c'était troquer un mal contre un autre mal. Tu sais, je t'ai toujours raconté que j'avais fugué, jeune, pour aller m'engager dans un cirque.

Il s'interrompit, le visage empreint de tristesse.

— La vérité, c'est que mon père m'a vendu pour cinquante dollars à un homme de passage dans la région. C'était un dresseur d'animaux. Il avait cherché sans le trouver un ourson ou un puma pour monter son numéro. A défaut, il m'a acheté. Je valais ni plus ni moins qu'un animal, Hannah. Ma mère avait neuf enfants — elle accouchait tous les ans. J'étais l'aîné. On m'a sacrifié, car je poussais vite et mangeais trop. A l'époque, chez nous, la mine n'embauchait même plus les hommes robustes, encore moins un gosse efflanqué à moitié mort de faim.

Hannah en resta muette. A travers ses yeux brouillés de larmes, elle ne voyait plus qu'un kaléidoscope de formes et de couleurs mouvantes.

Reilly s'assit, les traits figés, son visage aussi pâle et rugueux qu'un cuir décoloré.

— Je me souviens d'un film. Avec Burt Lancaster, je crois. J'étais fasciné par ses chaussures, je rêvais d'avoir les mêmes. Son personnage aimait lire et étudier. Il vivait dans une belle maison, mais voulait voyager, aller à l'aventure, voir le monde. Figure-toi, Hannah, que Burt fuguait pour rejoindre un cirque, et sa maman en avait le cœur brisé. Après quelques années, il devenait célèbre. Sa mère et ceux qui l'avaient connu étaient fiers qu'il ait accompli son destin.

Du doigt, Reilly se frotta la base du nez.

— J'ai voulu que toi et le shérif Hendrickson vous pensiez que M. Boone avait également fait son chemin et vécu des belles aventures. Pas que vous sachiez qu'on l'avait vendu comme une vulgaire mule.

Hannah n'en croyait pas ses oreilles. Comment des parents pouvaient-ils être assez vils pour vendre leur progéniture ? Sa gorge nouée par l'émotion lui causait une douleur qui monta et se répercuta jusqu'à ses tempes, son front. Les paupières lourdes de larmes contenues, elle se retenait pour ne pas pleurer davantage. Elle ne s'arrêterait pas, si jamais elle se laissait aller. Et tout son passé, tout ce qui la rongeait depuis si longtemps l'écraserait.

— Oh, Reilly ! Je suis désolée, si tu savais à quel point…

— Oublie ça. C'est vrai que, de temps à autre, j'ai honte d'avoir été monnayé au prix d'une mule, mais j'ai eu une vie pleine d'aventures, j'ai voyagé dans de nombreux pays. Tout le monde ne peut pas en dire autant.

Il tira sur les revers de sa veste.

— Mon père s'appelait O'Donough. Vu le peu de cas qu'il a fait de moi, je n'ai plus voulu de son nom et j'ai changé pour Boone.

Hannah était bouleversée. Malgré les tremblements de sa lèvre, elle parvint à esquisser un pâle sourire. En choisissant de renaître sous ce nom, Reilly ne manquait pas de glorieux aînés. Daniel Boone, le trappeur, avait fait beaucoup pour la renommée du Kentucky. Depuis, ce nom avait un parfum de gloire.

Il s'approcha d'elle, lui toucha le bras et déposa un baiser sur sa joue. Tentée un instant de se dérober, elle s'avisa que Reilly n'était ni un étranger ni une menace pour elle. Un soupir, puis elle s'abandonna et posa la joue sur l'épaule de Reilly. Les yeux fermés, elle se laissa aller, respirant l'odeur si particulière de savon et de lanoline qu'il dégageait. Que ressent-on en retrouvant un père après si longtemps ? Comment une fille est-elle censée se comporter ?

Elle pensa à sa mère, prisonnière de l'univers clos du cirque. Semblable à Caroline, Hannah perdait ses repères en se retrouvant soudain plongée dans une situation nouvelle. Elle devait apprendre à être la fille d'un père brusquement surgi de nulle part, apprendre le langage du cœur, des gestes et des attitudes qui ne lui étaient pas familiers. Et si elle regardait les choses en face, cette complexe mécanique régissant les rapports d'un père et de sa fille la désorientait.

Ouaaarf !

Hannah recula de surprise.

— Malc… !

Son regard se tourna vers la poêle posée sur le feu de la cuisinière. Attrapant une cuillère, elle tourna les épinards qui frémissaient doucement et n'étaient nullement en danger d'être carbonisés.

— Allez ouste ! commanda-t-elle à Malcolm et à Reilly en désignant de la main l'autre côté du comptoir. Vous regarderez le spectacle de loin. Qu'est-ce que vous croyez ? J'ai déjà du mal à cuisiner seule, alors avec un chien foufou et un Irlandais dans les jambes, je suis sûre de rater ma recette !

— Cela me ferait plaisir de t'aider, proposa Reilly.

— Oui, oui, fit-elle distraitement en jetant un coup d'œil par-dessus son épaule en direction du four, où doraient les biscuits.

Elle se mordilla la langue, regarda plus longtemps que nécessaire la porte de verre embuée de chaleur, mais ne craqua pas. Hannah Garvey contrôlait de nouveau la situation.

*
* *

— Non, personne n'a vu Reilly au cirque depuis que votre adjoint l'a embarqué hier soir, expliqua Frank Van Geisen à David.

Entraînant celui-ci à l'écart de son imposante caravane, il expliqua :

— Vera est en grande conversation avec la responsable du comité des fêtes de Sanity. C'est elle qui nous a engagés. Vera lui explique que nous partons dès demain, juste après la représentation de l'après-midi.

Frank fit la grimace.

— Et si jamais Vera apprenait que Reilly traîne dans les parages, elle prendrait ses jambes à son cou. Pour qu'elle reste ici, il faudrait que je l'enchaîne.

— Pourquoi donc ?

— Vera a une peur bleue de Reilly — et ce depuis des années, il semblerait. Elle espérait qu'il s'amenderait, changerait. Mais avec ce qui est arrivé à AnnaLeigh, elle dit qu'on ne peut plus savoir ce que le gaillard nous réserve.

David lissa machinalement le haut de sa lèvre supérieure, qui s'ornait d'une petite moustache quand il était à Tulsa — et qui lui manquait parfois.

Une peur bleue ? Cela ne cadrait guère avec la personnalité de Vera, à la fois régisseur du spectacle, confidente des artistes, mémoire vivante du cirque et, à ses heures, menant tout le monde à la trique.

— Jusqu'à une date récente, insista David, vous ignoriez que votre femme avait peur de Reilly ?

— Elle ne se souciait pas beaucoup de lui. AnnaLeigh et elle s'entendaient parfaitement : on aurait cru des sœurs, toujours ensemble, à faire des projets. Mais il y a une chose que vous devez savoir au sujet de Vera : s'il lui arrive de pardonner, elle n'oublie jamais.

— Que voulez-vous dire ?

— Je pense à Darla et Jeannie, les deux premières femmes de Reilly. Elles étaient également des amies de Vera. Comme l'a expliqué ma femme à l'inspecteur Andrik, elle a accordé le bénéfice du doute à Reilly, lors des deux premiers drames, sans jamais plus lui faire confiance.

Du coin de l'œil, David vit la silhouette de Vera se profiler dans l'encadrement d'une des fenêtres de la caravane. Son téléphone portable collé à l'oreille, elle était en grande conversation. S'il en croyait ses gestes véhéments, son interlocuteur et elle étaient en désaccord.

Brusquement, il se souvint d'une question qui lui trottait dans la tête.

— Quels achats Vera a-t-elle effectués, hier ?

Frank parut étonné, et David précisa sa question.

— Hier, après la parade, qu'a-t-elle acheté en ville avec AnnaLeigh ?

— Mais rien, répondit Frank, qui fronça les sourcils. Peut-être bien des provisions, à l'épicerie. Ou je ne sais quelles bricoles. Il faudrait le lui demander.

— Vous n'étiez pas avec Vera et AnnaLeigh ?

— Non, shérif. L'un de nous doit s'occuper de la caisse et de la vente des billets. Et puis, ajouta Frank avec un sourire entendu, qui serait assez fou pour accompagner deux femmes dans les magasins ?

Ils échangèrent quelque remarques sexistes, et David demanda :

— Vous vous entendiez bien, avec Reilly ?

— A merveille. On jackpotait pendant des heures.

— Pardon ?

Frank se mit à rire.

— On se racontait des histoires du métier. Reilly en connaissait des centaines. Et Johnny Perdue aussi. On apprend beaucoup en écoutant ce que des gens comme ça ont à dire. Ce sont les encyclopédies vivantes du cirque.

— Jackpoter, hein ? approuva David en souriant. Un instant, j'ai cru que vous étiez le copain de jeu de Reilly.

Tout était anodin, chez Van Geisen. Son âge — la cinquantaine naissante —, sa taille et sa carrure, mais aussi ses cheveux bruns assortis à des yeux noisette. Mais quand l'homme réfléchissait, il claquait des doigts, doucement, du pouce et de l'annulaire. Pourquoi ce tic ? David n'y voyait pas une preuve de mensonge, plutôt le signe que la conversation mettait Van Geisen sur la défensive.

David décida de jouer en finesse.

— Pour être sincère, Frank, reprit-il d'un ton amical, l'avenir de votre ami Reilly Boone s'annonce très noir. Son fusil fumait encore quand AnnaLeigh a été touchée. Et comme si ça ne suffisait pas, nous avons toute une panoplie de mobiles qui en font un coupable idéal.

David marqua une pause.

— Toutefois, l'inspecteur principal Andrik et le procureur du comté ne veulent avancer leurs pions qu'à coup sûr.

Frank s'indigna.

— Ne me dites pas que vous croyez Reilly coupable !

— Bien sûr que non ! s'exclama Vera en les rejoignant et en faisant sursauter son mari. Comment pourrait-il penser que le père de sa petite amie est un meurtrier ?

Elle s'approcha de Van Geisen et, enjôleuse, lui passa un bras autour de la taille.

— Nous avons notre lot de tracas et d'ennuis, Frankie, mais imagine un peu dans quelle situation délicate se trouve le shérif Hendrickson.

Frank tressaillit, sans rien dire, et Vera lui sourit.

275

— J'ai préparé ton smoking jaune pour la représentation de cet après-midi. Il me semble qu'une note de gaieté serait la bienvenue.

A voir l'expression de Frank, il semblait plutôt mûr pour une veillée funèbre.

— Et la représentation de ce soir ? interrogea-t-il d'une voix éteinte.

— Rien n'est décidé, déclara Vera.

— Ah bon ? s'étonna David. En venant ici, j'ai parlé à Miz Janocek, la présidente du comité des Journées du Cornouiller, et d'après ce que j'ai compris, elle espérait que vous donneriez les représentations prévues.

— Si c'est pour ça que vous êtes venu, nos arrangements avec le comité ne vous regardent pas ! répliqua Vera d'un ton aigre.

— Effectivement, madame, répondit David en sortant son carnet. Je suis quand même indirectement concerné. Par exemple, j'aimerais bien savoir ce que Reilly Boone et son camping-car sont devenus.

— Mais je croyais Boone en prison !

— Il l'était, madame, mais il a été libéré après paiement d'une caution. Et j'ai appris qu'il avait récupéré son véhicule à la fourrière. Je me suis dit qu'il était peut-être passé par ici.

— Passé par ici ?

Vera pâlit maladivement sous son bronzage artificiel. Ses yeux, grands ouverts, étaient affolés. Elle reprit son souffle :

— Ce n'est pas possible, shérif ! Reilly doit rester en prison. Il… il est extrêmement dangereux.

— Calme-toi, chérie, intervint Frank. Tu n'as rien à craindre.

Elle le repoussa sans douceur.

— Arrête donc, avec tes « Calme-toi, chérie » ! Te rends-tu compte que si jamais Reilly découvre…

S'interrompant, elle fit brusquement face à David.

— C'est un véritable scandale, shérif ! Chacun, ici, vous a apporté son concours. Nous vous avons laissés libres de vos mouvements, vos hommes et vous, malgré le désagrément. Malgré nos pertes financières. Et vous me dites maintenant qu'un meurtrier — que dis-je, un *assassin* — est en liberté ?

Elle avait parlé sans crier, ce qui n'empêcha pas les oreilles de David de chauffer. Vera avait eu dans la voix un accent qui donnait le frisson.

— Ma petite dame, apprenez qu'un suspect ne peut plus être emprisonné, une fois sa caution payée.

— Une caution de dix mille dollars, c'est cela, non ? J'aimerais bien savoir par quel miracle Reilly a pu la payer, lui qui n'avait jamais un cent en poche.

Menaçante, elle s'approcha du shérif.

— C'est cette Hannah Garvey qui a payé la caution, n'est-ce pas ? Je veux qu'on lève le camp tout de suite, Frank ! lança-t-elle en se tournant vers son mari, les lèvres serrées de colère. Tu entends ? Si le shérif ne nous protège pas, il faut bien que nous nous chargions nous-mêmes de notre sécurité.

Van Geisen quêta le regard de sa femme, croisa celui du shérif. Il semblait perdu.

— Désolé, dit David, mais je ne peux pas vous laisser partir tant que l'enquête est en cours.

— Voyons, nous avons une toute petite chance d'éponger nos pertes si nous nous produisons plus tôt que prévu à Topeka, murmura Vera, comme si elle réfléchissait à voix haute.

Puis, claironnant aux oreilles de Frank :

— Le shérif ne peut pas légalement nous retenir ici, entends-tu !

David n'eut pas le temps de rétorquer. Averti par un sixième sens, il pivota vivement sur sa gauche et vit approcher Johnny Perdue, torse nu, suivi de trois autres clowns — Tom Pouce, Jazz et Le Chinois. Plus loin, du côté du chapiteau, Gros Lard, le chef de l'orchestre, se dirigeait aussi vers David et les Van Geisen, suivi de près par Ernie Fromme et par Priscilla et Drucilla, les dresseurs des caniches jumeaux.

Bon sang ! David ne s'attendait pas à voir déferler cette meute. Il n'avait pas entendu le coup de sifflet du maître-chien… Pour sauver la mise, il n'avait qu'une solution : bluffer. Il se tourna vers les propriétaires du cirque et parla assez fort pour être compris de ceux qui arrivaient en renfort.

— Vous avez raison, madame. Légalement, je ne peux pas vous empêcher de quitter le comté. En revanche, je peux vous arrêter tous les deux en tant que témoins principaux dans le cadre d'une enquête sur un homicide.

David toisa Perdue, Fromme et les autres.

— Et c'est valable pour tout le monde, ici.

— Vraiment, shérif ? répliqua Vera. Essayez donc de nous arrêter, et je vous promets que notre avocat…

— Ça suffit ! tonna Frank. Nous partirons après la représentation de ce soir et pas avant. C'est le moins qu'on puisse faire pour la mémoire d'AnnaLeigh.

— Qu'est-ce qui te prend ? protesta Vera. C'est toi qui commandes, maintenant ?

Sans répondre à sa femme, Frank demanda à David :

— Cela vous laisse assez de temps, shérif ?

— Tout dépend de la franchise des réponses que recevront nos questions. Si nous n'obtenons pas la coopération voulue…

D'un geste, il signifia que la présence du cirque dans le comté de Kinderhook pouvait se prolonger indéfiniment.

— Mais vous avez arrêté Reilly Boone, souligna Vera. En quoi pouvons-nous vous être utiles, maintenant ?

— Le fait d'arrêter un homme suspecté d'homicide ne signifie pas qu'il soit coupable. L'avocat de Boone cherchera à obtenir du tribunal l'abandon des poursuites contre son client — si ce n'est déjà fait. Il s'agit d'une procédure habituelle.

Vera tiraillait sur son sweater.

— Vous ne pouvez pas laisser faire cela !

— Ce n'est pas moi qui décide. Dans cette affaire, nous cherchons des preuves, même les plus ténues. Je veux des faits, du solide, pas des rumeurs ou des insinuations.

— On vous a dit tout ce qu'on savait, shérif, souligna Perdue.

David avisa Marlin Andrik qui approchait, suivi d'un Josh Phelps essoufflé, incapable de marcher au pas de son bouillonnant supérieur.

— Je doute que ces messieurs soient du même avis, Johnny.

Dodelinant de la tête, le leader des clowns poussa un soupir aussi pathétique que son maquillage de scène. Durant la matinée, Perdue s'était arrangé pour ne jamais être là où Marlin le cherchait. Et l'inspecteur allait le lui faire payer. David regrettait de ne pouvoir rester pour assister au spectacle.

— Tiens, comme on se rencontre ! lança-t-il à Marlin.

— C'est le propre des grands esprits, paraît-il.

— Boone n'est pas revenu par ici. Cela ne laisse que deux possibilités.

— La rouquine et le Texas.

Marlin s'approcha de lui.

— Pour ce que je t'ai dit au bureau, concernant Hannah…

— Oublie ça, je n'y pense déjà plus, assura David.

— Tu comptes passer chez elle bientôt ?

— Peut-être. Je l'ai appelée du palais de justice, et puis j'ai changé d'avis.

— Moi aussi je l'ai appelée, il y a quelques minutes à peine. Je suis tombé sur le répondeur.

— Tu as laissé un message ?

— Non. Mais tu peux corriger celui que je t'ai chargé de lui transmettre. Rien à redire sur les salutations ; en revanche, avertis-la que je vais lui botter les fesses pour avoir payé la caution de son Houdini.

David se dirigea vers sa voiture de patrouille, espérant que c'était bien là tout ce que Marlin avait à dire à Hannah.

Reilly agita sa fourchette vers un œuf esseulé juché sur un monticule d'épinards.

— Tu le veux, Hannah ?

Grrrouaamm ! fit Malcolm. Ce qui, dans son langage, signifiait : « *Oh oui ! moi je veux bien cet œuf succulent dans mon écuelle !* »

— Tais toi, Malcolm. On ne te parle pas.

Puis, se tournant vers Reilly, elle ajouta :

— Sers-toi. Dis donc, je cuisine bien, ou tu meurs de faim ?

— Je préfère tes recettes à celles de grand-mère Garvey.

Venant de lui, c'était un compliment appréciable.

Malcolm laissa échapper quelques borborygmes injurieux puis, résigné, se coucha sur le sol.

— Quel âge a-t-il ? demanda Reilly. Deux ans ? Trois ans ?

— Trois, si on en croit le vétérinaire. Il était tout chiot quand David l'a tiré des griffes de trafiquants qui capturaient des animaux pour les revendre à des laboratoires.

Hannah disposa son assiette et ses couverts dans le lave-vaisselle. Reilly devait sûrement penser que Malcolm avait tout d'un chien rendu anormal par de terribles expérimentations. Il eut la délicatesse de ne rien en laisser paraître et demanda si c'était elle qui avait donné ce nom à l'animal.

— Non, mais c'est un choix qui convient à son caractère, je trouve.

Sa spatule heurta le rebord de la poêle constellée de blanc d'œuf carbonisé, d'épinards brûlés et de morceaux noircis de bacon. On envoyait des robots sur Mars, mais personne n'avait encore été capable d'inventer des poêles jetables — un sort qui attendait la sienne au vu du magma infâme qui en épaississait l'intérieur et ne céderait pas nécessairement à un long trempage.

— Avec un nom court, ce chien pourrait être dressé plus facilement, observa Reilly. C'est pour cette raison que les ordres ont rarement plus d'une syllabe.

Tout en riant, Hannah mit l'assiette de Boone, le plat, les ustensiles et les tasses à café dans le lave-vaisselle.

— « Dresser » et « Malcolm » sont deux mots totalement incompatibles, observa-t-elle.

L'animal, qui avait compris qu'on parlait de lui, s'ébroua et se redressa sur ses pattes, les oreilles pointées vers Hannah, puis vers Reilly.

— Tous les animaux peuvent apprendre, insista celui-ci.

— Apprendre quoi ? riposta Hannah sur fond de vaisselle entrechoquée. Malcolm sait parfaitement faire ses besoins dehors. Quel mal y a-t-il à ne pas être performant ? Les forts en thème devraient vouer une reconnaissance éternelle aux derniers de la classe. C'est grâce aux cancres qu'ils triomphent sans transpiration excessive.

Quand elle déboucha l'évier rempli d'eau sale, un geyser de bulles se forma au-dessus de la bonde. Hannah passa l'éponge sur le dessus de la cuisinière, le plan de travail et la machine à café, avec les gestes sûrs d'une femme habituée dans la cuisine traditionnelle et peu familière des plats en barquette qu'on réchauffe en deux temps trois mouvements dans le four à micro-ondes.

— Regarde-moi faire, dit Reilly en se levant.

La paume de la main droite bien en évidence, il chantonna : « *Sitz, sitz* » en marchant à reculons vers le coin repas.

Malcolm s'accroupit près du plan de travail, au pied d'un des hauts tabourets. Sa tête massive et anguleuse ondulait presque gracieusement, tant il était sous le charme.

Quand Reilly s'immobilisa, Malcolm roula sur le flanc, la truffe au ras du sol.

Hannah n'en croyait pas ses yeux.

D'un ordre, l'airedale reprit sa position accroupie. A contre-cœur.

Reilly abaissa son bras et lança : « *Komm* », puis, un doigt pointé vers le bas : « *Sitz* ».

Malcolm vint. Malcolm s'assit. Malcolm ne fit qu'une bouchée du biscuit que Reilly lui tendit en récompense.

Hannah inspira profondément pour calmer son trouble.

— J'ai beau voir ce que tu fais, je n'arrive pas encore à le croire.

— Il suffit de parler le langage des animaux.

— Malcolm comprend donc l'allemand ? demanda Hannah en fronçant les sourcils. Il ne fait pourtant aucun cas de Leo, sinon pour venir renifler son entrecuisse — comme il le fait avec tous les hommes. A l'exception de David, je dois dire.

— Beaucoup d'animaux entendent mieux l'allemand que le français. Les chiens pure race, les bergers vraiment nés et élevés en Europe, par exemple le malinois belge, sont éduqués en allemand, et pas seulement parce que cela arrange certains éleveurs dont c'est la langue maternelle.

Les connaissances de Hannah dans la langue de Goethe se limitaient à des obscénités. Rien de surprenant pour quelqu'un ayant vécu des lustres à Chicago, une ville où les chauffeurs de taxi sont souvent étrangers et jurent abondamment dans leur idiome.

— J'ai du mal à croire que Malcolm fasse la différence entre l'allemand et l'hindou.

Reilly lui décocha un clin d'œil.

— Un magicien ne révèle jamais ses secrets, ma douce.

A peine eut-il prononcé ces mots que son visage se rembrunit. Il se leva, alla à la porte-fenêtre et contempla le camping-car stationné parallèlement au porche.

Hannah ne savait quoi dire. Seules des banalités lui venaient à l'esprit. Des phrases chargées de sollicitude, et pourtant vides, comme celles qu'on débite hâtivement quand le silence devient trop pesant.

Malcolm s'approcha à pas feutrés et lécha la main de Reilly. Sans doute espérait-il récolter un autre biscuit. Reilly lui sourit et caressa sa grosse tête. Contrairement à ce qu'aurait pu penser Hannah, il ne cherchait pas une gourmandise, mais lui présentait ses regrets — à sa façon bien sûr.

— Je ne veux pas abuser, mais j'avoue qu'une douche me ferait du bien, déclara Reilly. J'aimerais me raser, aussi. Après ça, j'aurai le courage de ranger tout ce fouillis dans mon camping-car.

Chassant sa tristesse, il sourit.

— L'eau du cumulus qui se trouve à bord doit avoir chauffé à présent, mais quand même, on se sent un peu serré dans cette cabine de bain.

Tout en l'écoutant, Hannah concoctait un plan qui devait lui permettre de fouiller le camping-car et la remorque. Qu'espérait-elle trouver ? Elle l'ignorait. Sans doute un indice qui lui permettrait de comprendre pourquoi AnnaLeigh avait été assassinée, et pourquoi Reilly portait le chapeau de ce crime.

Marlin et David avaient déjà perquisitionné le véhicule, mais à leur manière, toute professionnelle. Peut-être avaient-ils négligé un détail. Cela n'avait rien d'impossible : ils cherchaient des éléments susceptibles d'accabler Reilly, et non des indices pouvant l'innocenter.

Mais n'allait-elle pas gâcher ainsi un temps précieux ? Le vrai meurtrier, qui courait toujours, était nécessairement en relation avec le cirque. Or, les Van Geisen prendraient la route dans quelques heures. Tant pis : Hannah voulait tenter sa chance.

Tout ce dont elle avait besoin, c'était d'une heure de tranquillité — et, pour paraphraser la chanson des Beatles, beaucoup d'aide de ses amis.

— Après avoir pris ta douche, tu devrais essayer de dormir, suggéra-t-elle à Reilly. Tu n'as qu'à t'allonger sur mon lit.

Mais il s'empara des clés du camping-car, qui étaient posées sur la table.

— Pas question ! s'exclama-t-il. Ce sont les bébés et les vieillards qui font dodo.

Hannah le suivit sur le porche et enjamba le tuyau d'arrivée d'eau et le câble électrique qui alimentaient le véhicule.

— Quand je suis fatiguée, je me repose, moi.

— D'accord. Alors, ce sont les bébés, les vieillards et les femmes qui font dodo ! rétorqua Reilly.

L'air contrarié, il secouait la poignée de la porte du camping-car.

— Crénom ! Cet adjoint n'avait aucune raison de forcer cette serrure. Je lui ai pourtant donné les clés quand il m'a présenté le mandat de perquisition.

D'une poussée, il ouvrit enfin la porte à la volée.

— J'ai du mal à croire que le shérif Hendrickson ait pu se conduire en vandale. Mais attends de voir dans quel état ses adjoints ont mis l'intérieur.

Hannah s'attendait à voir un peu partout des traces de cette poudre noire utilisée pour révéler les empreintes digitales. Elle sursauta en découvrant les garnitures de siège déchirés, les housses de coussins arrachées, les tiroirs vidés et jetés par terre, les placards et meubles de rangement béants, vidés de leur contenu.

— Je peux t'assurer que les hommes du shérif ne sont en aucun pas responsables de ce désastre ! s'exclama-t-elle.

Reilly, qui fouillait dans la pile de vêtements propres jetés à terre, dénicha un T-shirt noir et un pantalon. Il y ajouta une paire de chaussettes et un slip.

— Alors, qui ? L'inspecteur Phelps avait les clés, et Andrik s'est chargé, une fois la fouille terminée d'embarquer mon camping-car et sa remorque à la fourrière.

Hannah réfléchit : le garagiste bougon veillant sur la fourrière ne brillait pas par son intelligence, mais il n'était quand même pas stupide au point de vandaliser un véhicule placé sous sa responsabilité.

— J'ignore qui a pu faire ça, reconnut-elle. En revanche, je pense savoir pourquoi cela a été fait. Si tu es d'accord, je vais tenter de trouver la bonne réponse.

Occupé à récupérer quelques objets de toilette dans le fouillis jonchant le couloir et la salle de bains, Reilly ressemblait à un enfant cherchant ses œufs de Pâques. Il plaça ses trouvailles dans une trousse de cuir contenant son nécessaire de rasage.

— Quelle réponse ? Que veux-tu dire ?

— As-tu tué AnnaLeigh ? demanda Hannah sans crier gare.

Reilly se figea, avant de pivoter lentement vers elle. Son regard reflétait l'incrédulité, la douleur et l'ahurissement.

— Non, Hannah, je ne l'ai pas tuée.

— AnnaLeigh m'avait donné rendez-vous après la représentation du soir. Le savais-tu ?

— Non, répondit Reilly, sourcils froncés.

— Pourquoi voulait-elle me parler seule à seule, à ton avis ?

— Pour mieux faire ta connaissance ? Mais alors, pourquoi tous ces mystères ?

Il réfléchit.

— Peut-être voulait-elle m'empêcher de passer du temps avec toi.

La tête de Hannah était tout près d'exploser. Si Reilly était un menteur patenté et machiavélique, comment expliquer qu'il se retrouve aussi facilement accusé de meurtre ? Au terme d'une longue réflexion et de vertiges intérieurs qui lui chamboulèrent l'estomac, Hannah déclara une bonne fois pour toutes Reilly non coupable. Dans son cœur, elle le savait innocent depuis toujours.

— Ceux qui ont mis à sac ton camping-car cherchaient quelque chose — un objet, peut-être, qui les implique dans la mort d'Anna-Leigh. Ces personnes ont eu accès à ton fusil et à ta poudre. Ils ont chargé l'arme avant ton entrée en piste, pour te piéger.

— Mais qui ? demanda Reilly en agrippant la bras de Hannah. Et qu'en sais-tu ?

— Je ne sais rien du tout. Il s'agit de simples spéculations. Mais elles pointent toutes dans la même direction. En découvrant ce que cherchaient ces individus, on saura du même coup qui ils sont.

— Et s'ils ont déjà trouvé ?

Hannah poussa un long soupir. Son gang de fins limiers et elle étaient *persona non grata* dans le cirque des Van Geisen. S'ils passaient outre et se faisaient pincer, les Van Geisen iraient jusqu'au bout de leurs menaces, de plein droit.

— Je n'ai qu'une vague intuition, conclut Hannah. Mon seul espoir est qu'elle se concrétise.

15.

David et Reilly Boone se regardaient à travers la porte moustiquaire. Aussi surpris et peu enthousiasmés l'un que l'autre.

— Entrez donc ! lança un Boone nu-pieds, les cheveux
humides et bien peignés.

Il ouvrit et, tout en resserrant la ceinture de sa robe de chambre
en velours, se recula pour laisser passer David.

Malcolm émergea de la chambre à coucher, sa queue marquant
l'amble à contretemps.

Boone pointa son doigt vers le bas.

— *Sitz.*

Contre toute attente, Malcolm obéit : il s'accroupit en plantant
ses griffes dans le plancher.

— Où est Hannah ? interrogea David.

L'illusionniste lui jeta un coup d'œil qui pouvait signifier que
Hannah n'était plus de ce monde et qu'il cherchait justement à
se débarrasser du corps... David resta imperméable à l'ironie.
Pour se rattraper, Boone désigna du pouce le coin repas ouvrant
sur le porche.

— Elle est dans le camping-car. Je vais aller la chercher.

— Inutile ! lança David, qui apercevait par la porte-fenêtre
l'un des flancs du véhicule. C'est à vous que je veux parler
d'abord.

Il n'était pas du genre à tirer avantage de son gabarit, mais en ce moment précis, sa haute taille et la trentaine de kilos qu'il avait de plus que Boone faisaient la différence. L'avantage, c'était que Boone en était également conscient.

— D'accord, fit ce dernier en s'approchant à petits pas d'un fauteuil club. Asseyez-vous donc, shérif.

Confronté à la semi-nudité et aux airs de propriétaire de Boone, agacé de sentir sur lui l'odeur du savon et du shampooing de Hannah, David frémit et faillit perdre son sang-froid. Même Malcolm semblait avoir succombé aux pouvoirs magiques de ce salaud.

— Non, je reste debout. Je n'en ai pas pour longtemps.

Partagé entre la curiosité, la prudence et la méfiance, Boone resta lui aussi debout et, dans l'expectative, posa les mains sur ses hanches.

— Connaissez-vous votre groupe sanguin ? demanda David.

— Oui, bien sûr, je suis du groupe O.

— Moi aussi, rétorqua David. Comme quarante pour cent de la population.

Tout en regardant Boone au fond des yeux, David dégrafa son étoile.

— J'aimerais qu'on laisse de côté le shérif un instant. Oubliez-le. C'est David Hendrickson qui vous parle, maintenant. Compris ?

L'illusionniste regarda l'étoile disparaître dans la main de David, tendu. On eût dit qu'il avait suspendu sa respiration.

— Le groupe sanguin de Hannah est AB, monsieur Boone. Un groupe assez rare, au cas où vous l'ignoreriez, puisqu'il concerne seulement cinq pour cent de la population de ce pays.

David serrait si fort l'insigne qu'il s'était incrusté dans sa chair. Mais il se moquait de la douleur.

— Les groupes sanguins sont fiables sur deux points : ils ne mentent pas et ne se modifient pas.

Le sang reflua lentement du visage de Boone.

— Une technicienne d'un laboratoire — experte en la matière — m'a signalé un fait intéressant, poursuivit David en résistant à l'envie d'empoigner Boone par le revers de sa robe de chambre. Un individu de groupe O ne peut avoir une fille de groupe AB.

Boone recula en titubant.

— Non, vous vous trompez !

— Sûrement pas. Je vous l'ai dit. Le sang est fiable, il ne ment pas. Hannah Garvey n'est pas votre fille. Elle n'a aucun lien de sang avec vous. C'est tout bonnement impossible. Cela ne peut pas arriver. Cela n'a jamais pu arriver.

David sentit saigner ses doigts, à l'endroit où l'arête émoussée de l'insigne en cuivre avait mordu sa chair. Il avait la gorge serrée.

— Mais vous savez tout cela, Boone, poursuivit-il. Vous étiez parfaitement au courant.

— Non, non, je vous jure que non ! Hannah est à moi. A moi et à Caroline.

Il se laissa choir sur l'accoudoir du fauteuil.

— Je l'ai tenue dans mes bras quand elle était bébé. Je lui ai chanté des berceuses pour qu'elle s'endorme. Hannah est ma petite fille, mon joli petit bébé.

Le visage inondé de larmes, Boone regarda David. Ses mains aux doigts écartés tremblaient. On eût dit celles d'un vieux mendiant, dans les gravures illustrant les romans de Charles Dickens.

— Je l'ai toujours aimée, je l'ai cherchée partout, j'ai prié le Seigneur pour qu'il m'accorde le bonheur de la retrouver un jour — voilà pourquoi j'ai vécu.

Pâle d'émotion, il poursuivit :

— Je ferai tout ce que vous voudrez, shérif, tout ce que vous exigerez. Mais j'ai déjà perdu Hannah une fois. Pour l'amour de Dieu, je vous en supplie, ne me reprenez pas ma fille !

Les oreilles bourdonnantes, David se détourna, incapable de penser droit. Il appela la haine de ses vœux, de toutes ses forces, avec toutes ses prières… Mais ce qu'il ressentit finalement pour cette épave qui sanglotait devant lui fut de la pitié. Il était venu pour mettre Boone à genoux en lui faisant avaler ses mensonges. Et c'était l'illusionniste qui, en criant sa vérité, était en train de l'anéantir.

Le marchepied métallique du camping-car grinça, et le véhicule pencha très légèrement sur la gauche.

— Marlin m'a demandé de te transmettre ses salutations.

Hannah se retourna brusquement.

— Il m'a aussi chargé de te botter le derrière pour avoir fait sortir Reilly de prison en payant sa caution, compléta David.

Surprise par son irruption, Hannah s'était cognée contre la paroi du couloir ; elle se frotta le coude. Le sourire qu'il arborait était-il une ruse ? Non. Car il semblait hagard, pas en colère. Ses yeux d'ordinaire gris tiraient sur le bleu, ce qui dénotait chez lui un trouble certain. Enfin, autre signe rassurant si besoin était, son Smith & Wesson était sagement rangé dans son holster.

Autant de signes qui présageaient sinon le beau temps, du moins une éclaircie durable.

— Viens ma belle, murmura David en ouvrant les bras.

Hannah se laissa étreindre et le serra à son tour contre son cœur. Si fort même qu'elle déclara :

— Encore heureux que tu portes ton gilet pare-balles. J'aurais pu te casser quelques côtes.

— Je t'ai manqué ?

290

Manqué ? Le mot était faible. Une fleur peut-elle se passer de soleil ? Peut-on vivre sans respirer ?

— On peut le dire ainsi. Tu m'as un tout petit peu manqué, Hendrickson.

— Combien de mois ont passé depuis la nuit dernière ? interrogea-t-il.

— On va arrondir à neuf mille quatre cent vingt-six, répliqua Hannah, cambrée dans une position d'abandon.

Du bout de la langue, elle titilla la minuscule fossette que David avait au menton.

— Et si tu rattrapais le temps perdu, shérif ? suggéra-t-elle.

La bouche entrouverte, David posa les lèvres sur les siennes, hésita, puis s'écarta à regret.

— Nous devons parler, Hannah.

Il n'y avait ni bravade ni désinvolture dans le renoncement de David, qui ajouta :

— Ne restons pas là. Allons marcher un peu.

Hannah eut un pincement au cœur. Elle connaissait et redoutait ce genre de déambulations propices aux mises au point. Et dans le cadre d'une relation amoureuse, c'était encore pire, l'équivalent du supplice de la planche cher aux pirates de son enfance. Pas moyen de se dérober. Et piétiner sur place rendait plus angoissant le saut final.

— Bon, d'accord, mais je dois d'abord appeler Delbert. Je lui ai laissé un message sur son répondeur pour qu'il vienne m'aider à ranger.

Elle montra le désordre qui régnait dans le camping-car.

David, qui n'avait eu d'yeux que pour elle, constata alors seulement les dégâts.

— Par la barbe de Moïse ! C'est Boone qui a fait ça ?

Hannah rentra la tête pour tenir le choc face au flic qu'était soudain redevenu David.

— Non, il n'y est pour rien. Le camping-car était dans cet état quand il est allé le récupérer à la fourrière.

— Sans autorisation, observa David.

— Eh bien, je n'étais pas très sûre…

— En effet. Bon, laisse-moi jeter un coup d'œil.

Il fit quelques pas, s'arrêta net devant la montagne de vêtements froissés qui obstruaient le couloir et émit un sifflement.

— Nom d'un chien. Tu te rends compte ?

— Oui, j'aurais dû t'appeler ou téléphoner à Marlin. Si je ne l'ai pas fait, c'est que je pensais que ce serait une perte de temps de chercher de nouvelles empreintes digitales. Ceux qui ont fracturé la porte et fouillé le camping-car portaient sûrement des gants.

— J'ai déjà entendu ça quelque part…

— Et n'avais-je pas raison, la première fois, de penser que vous ne retrouveriez pas la moindre empreinte ?

Se sentant coupable, Hannah ajouta :

— Désolée.

David ne releva pas.

— Il manque quelque chose ?

— Reilly croit que non — excepté ce que Marlin et toi avez emporté comme pièces à conviction.

David passa à l'extérieur afin d'examiner la serrure de la porte.

— Sa clé ne fonctionne plus sur le cadenas de la remorque à matériel, dont le fermoir est entaillé, précisa Hannah. Comme si quelqu'un avait avait vainement essayé de le scier.

L'occasion rêvée pour Delbert et son rossignol d'entrer en action. Mais était-ce le bon moment d'apprendre à David l'existence et la fonction de cet accessoire ?

Une chique imaginaire coincée sous sa joue gauche, David réfléchissait, les yeux aussi vifs que des billes de boulier. Hannah coinça ses mains dans les poches arrière de son jean et compta jusqu'à vingt. Puis, pour tromper son impatience, elle serra les poings. Il lui était difficile de feindre l'indifférence.

Après une minute de silence qui semblait avoir duré une heure, David grommela :

— Il faut aller voir le vétérinaire, pour cette histoire de chien. Et Marlin vient en troisième position sur la liste de mes priorités.

— Voilà que tu parles encore tout seul.

— J'ai aussi entendu ça quelque part, riposta David en extirpant la main de Hannah de la poche arrière de son jean. Allez viens, j'ai à te parler.

— Mais je dois téléphoner.

— Si Delbert arrive entre-temps, il t'attendra. Ce que j'ai à te dire est urgent.

Ils firent quelques pas jusqu'au saule pleureur sous lequel Hannah comptait se prélasser l'été prochain, au fond d'un hamac, avec un bon livre et des litres de thé glacé.

— Je n'ai pas voulu t'embrasser avant de t'avoir dit ce qui me tracasse, déclara David.

Les yeux plissés, il vida son sac.

— Hier soir, quand tu as quitté le cirque avec Delbert, j'ai fait une chose que je n'aurais jamais dû faire. Pourquoi avoir agi ainsi ? Je n'en sais rien.

Un vide froid et visqueux s'insinua en Hannah. Elle connaissait cette sensation, mais ne l'avait jamais ressentie avec une telle intensité.

— Je ne me cherche pas d'excuses, poursuivit David. Mais quand on aime quelqu'un, on veut son bien à tout prix.

Il s'interrompit, caressant du doigt la mèche qui retombait sur la joue de Hannah.

— Dès lors qu'on a commencé à jouer au Bon Dieu avec la vie d'autrui, on ne peut plus s'arrêter en chemin et prétendre qu'on a pris la mauvaise route.

293

David esquissa un sourire.

— Je sais, je tourne autour du pot. Si je parle, j'ai peur de te perdre. Peur aussi de te faire beaucoup de mal.

— Même s'il s'agit de quelque chose de terrible, David, je tiendrai le coup, mentit Hannah. Je ne suis pas née d'hier. J'ai vécu.

Sauf que même un gilet pare-balles en Kevlar, s'il arrêtait les projectiles de calibre .38, ne pouvait rien contre les mots qui tuent.

— Hier soir, au cirque, j'ai ramassé dans la poubelle le coton dont Johnny Perdue s'était servi pour soigner tes genoux blessés. Ensuite, j'ai filé à l'hôpital, où je connais une laborantine qui a bien voulu analyser ce sang supposé appartenir à une inconnue.

Hannah tenta de repérer les passages tendancieux de la déclaration de David. Cette laborantine. En blouse blanche, lançant des œillades au shérif derrière ses cornues…

— Pourquoi ne pas m'avoir posé la question ? Je t'aurais dit que je suis du type AB, un groupe sanguin rare. Par précaution, j'ai toujours ma carte de transfusion dans mon portefeuille.

— Je sais, rappelle-toi ce que je viens de te dire sur ceux qui veulent jouer au Bon Dieu. Reilly avait accepté une prise de sang pour contrôler son niveau d'alcool. L'occasion était trop belle.

David grogna avant de poursuivre.

— Après tout, il y avait de fortes probabilités pour que les conclusions du test n'aillent ni dans un sens ni dans l'autre. Il aurait été normal et logique que tu décides de l'opportunité de cette analyse, s'agissant de toi. Mais ta vie et ton bonheur étant en jeu, je me suis passé de ta permission.

— Oh, David ! s'écria Hannah, bouleversée. Je sais que Reilly n'est pas mon père. Je voulais qu'il le soit, et c'est pourquoi j'ai fait l'impossible pour qu'il joue ce rôle au mieux.

Elle baissa les yeux.

— Mais ce n'est effectivement pas mon père biologique.

David était sous le choc. On aurait dit qu'il venait de recevoir une gifle magistrale.

— Je ne comprends pas…

— Je crois que j'ai toujours su, David. Je n'en ai eu la certitude absolue qu'il y a une heure ou deux. Jusqu'alors, je m'accusais encore de ne pas assez vibrer pour ce « père » retrouvé. J'étais sûre d'avoir mes rouages affectifs grippés. Cela expliquait tout. Reilly n'était pour rien dans ce sentiment que j'avais d'être en inadéquation.

Hannah dit tout à David — la confession de Reilly, sa honte d'avoir été vendu, sa décision de changer son nom.

— Il m'a serrée contre lui, et je l'ai serré très fort à mon tour, et j'attendais… comment dire ? L'épiphanie, la révélation, la certitude qu'il était mon père, le serait à jamais, que je pourrais l'appeler « papa », prononcer mot magique en toutes circonstances, comme si cela allait de soi.

David voulu la prendre dans ses bras. Elle se déroba.

— Tout va bien. Je t'assure. Je tiens le coup.

Du doigt, elle toucha la plaque qu'il avait gravée à son nom, sur le torse.

— Mais ce que j'espérais n'a pas eu lieu. Même si aucun lien de sang ne nous unit, Reilly et moi sommes très proches. J'ai de l'affection pour ce bonhomme qui prend de l'âge. Il a aimé ma mère. Il m'a acheté des glaces un après-midi d'été, dans ce parc d'Effindale. Que je ne m'en souvienne pas n'a aucune importance. Ce qui compte, c'est qu'il se soit soucié de moi. Qu'il se soit inquiété de ce que je devenais, et qu'il s'en inquiète encore. Où que j'aille à présent, il voudra savoir ce que je fais, ce que je deviens.

David saisit sa main et la serra violemment. Son souffle tiède faisait voltiger des mèches dans les cheveux de Hannah. Les yeux rivés aux coutures et aux boutons de la chemise d'uniforme bleu nuit de David, elle s'en tira avec une pirouette.

— Permets-moi de te dire que ta prestation ne vaut pas celle de George Burns, mais qu'il en faudrait plus pour que je renonce à toi. Tout ce que j'exige, c'est de dire moi-même la vérité à Reilly.

Avec ce qui pouvait passer pour un soupir et un grognement, David vint s'appuyer contre le tronc du saule pleureur.

Hannah devina tout.

— Oh non ! Ne me dis pas que tu as osé tout lui dire.

Elle recula de quelques pas, révoltée.

— Tu lui as parlé des résultats de l'analyse de sang, c'est cela ?

— J'ai pensé bien faire.

— Mais tu as tout faux, David ! s'écria-t-elle.

Le vent faisait pleuvoir des feuilles des branches du saule, les éparpillant alentour.

— A qui d'autre en as-tu parlé ? A Marlin ? A Phelps ? Tout le monde est au courant, dans ton service ?

David rougit.

— Personne ne sait, je te le jure. J'avais l'intention de te parler d'abord. Mais Reilly m'a ouvert la porte et...

— L'occasion était trop belle ! l'interrompit-elle avec un rire amer. Il faut battre le fer quand il est chaud et taper où ça fait mal.

— Tu t'abaisses en disant cela, Hannah. Je ne pouvais pas deviner que tu savais. J'étais persuadé que tu prenais Reilly pour ton vrai père.

Hannah enrageait. Cet homme avait un égo énorme. Colossal.

— Tu penses ceci... Tu penses cela... et en réalité, tu ne sais rien. Tu aurais pu me demander mon avis. Sauf que tu ne l'as pas fait. Ni hier après-midi. Ni hier soir. Pas une question sur ce que je pensais de Reilly.

296

Les traits figés, David regarda le lac en contrebas. Une veine battait à sa tempe. Il jouait la carte de la prudence, de la passivité, dans l'espoir que Hannah se calmerait, ou qu'elle se lasserait de son silence et mettrait fin à leur empoignade par une trêve avant qu'ils se quittent.

— Je me trouvais dans le bureau de Marlin quand le laboratoire m'a appelé, dit-il. J'avais déjà mes doutes, mais d'un seul coup, c'est le ciel qui me tombait sur la tête. J'ai filé à la prison pour interroger Boone et savoir pourquoi il t'avait menti. Là, j'ai découvert qu'il avait levé le camp grâce à tes dix mille dollars.

— Tu n'as pas supporté que je l'aie cru.

— J'en avais gros sur le cœur. Quand il m'a ouvert la porte avec ses airs de seigneur du château, j'ai voulu le mettre K.O. Et ma foi, oui, j'ai presque joui de taper fort avec mes mots, jusqu'à ce qu'il me supplie de ne pas lui prendre sa petite fille adorée.

David fit volte-face pour regarder Hannah.

— C'est alors que j'ai compris mon erreur. Dans cette affaire, quelqu'un d'autre avait menti, et depuis le début.

— Oyez, braves gens ! déclama Hannah. A partir de misérables cotons tachés de sang naquirent de terribles et sales vérités !

— Ce n'est pas le moment de plaisanter.

— Loin de moi cette idée. Nous sommes victimes des circonstances. Il y en a même assez, dans cette histoire, pour former un groupe de rock musclé. J'ai même un nom en or : les Jumping Conclusions — *Hâtives Conclusions*. Tu pourrais être le chanteur.

Elle mima une rock star gesticulant sur scène et conclut, paraphrasant David :

— Non, l'heure n'est pas à la plaisanterie.

David esquissa un sourire crispé. Hannah enfonça le clou.

— Le fait que je défende ma mère ne signifie pas que j'aie la moindre illusion sur elle. Toujours est-il que je ne la crois

297

pas capable d'avoir menti à mon sujet à Reilly. Je parie qu'il ne l'a même jamais questionnée. S'il l'avait fait, Caroline aurait peut-être alors menti pour continuer de percevoir la pension alimentaire ; car il fallait me nourrir. Je me souviens de ces moments étranges où le frigo se remplissait enfin de bonnes choses, comme par miracle. On se gavait comme les affamées que nous étions. Après, tout était à recommencer. D'où venait l'argent ? Je n'ai jamais su. J'avais peur de l'apprendre de ma mère, peur de la vérité. Je redoutais tout autant qu'elle me mente et que je le sache…

David intervint.

— Je peux comprendre que ta mère ait menti directement ou par omission à Reilly. Mais pourquoi ne t'a-t-elle pas dit qu'il était ton père ? Pourquoi personne, dans ton entourage, n'a eu l'idée de te le dire, afin de t'éviter ces années de doute et de souffrance ?

Hannah suffoquait tant le déchirant combat intérieur qu'elle menait était éprouvant. Elle ne devait surtout pas donner à David les moyens de pénétrer au cœur de ses secrets ; de sonder les profondeurs de son âme, de la déchirer et de lui en envoyer les débris en pleine figure. D'un côté la confiance, de l'autre la nécessité vitale de s'accrocher, jusqu'au bout, à ses secrets.

La peur était plus forte que tout, Hannah le savait. Une peur qui avait guidé les choix de Caroline, en son temps.

— Ma mère a aimé Reilly Boone jusqu'au dernier jour, expliqua-t-elle. Je n'en doute pas. Elle voulait de toutes ses forces qu'il soit mon père — mais elle n'en était pas sûre. Au fond, elle savait qu'il ne l'était pas. Elle a préféré garder le silence avec moi, ma grand-mère, ma grand-tante Lurleen, mon grand-oncle Mort, et tant d'autres. Par défi, dans l'espoir que l'homme qu'elle aimait mais avec qui elle ne pouvait vivre était bien le père de sa fille. Elle voulait croire que Dieu n'aurait pas à cœur de souffler cette flamme tremblotante qui éclairait sa nuit.

Le visage de David était éloquent : il était troublé, mais aussi sceptique.

— Si elle doutait que Reilly fût ton père, alors qui l'était en réalité ? demanda-t-il.

— Je l'ignore, David, et je ne le saurai jamais. Mais je pense avoir une petite idée sur la manière dont j'ai été conçue.

Les mains dans le dos, elle regarda rêveusement le ciel bleu.

— Quand maman est partie avec Reilly, elle n'était pas enceinte. Quand elle s'est séparée de Reilly, j'étais déjà en route. Simple question de calendrier. Or, je mettrais ma main au feu qu'elle n'a pas trompé Reilly quand ils vivaient ensemble. Alors, qui aurait pu la toucher, sinon les rustres qui l'ont emmenée en auto quand Reilly a répondu « non » à son ultimatum — *C'est le cirque ou moi !*

Hannah vivait un moment crucial de son existence. Il fallait que David croie à chacune des paroles qui allaient suivre. Et s'il ne la croyait pas, cela ne changerait rien. En fait, Caroline lui avait toujours dit la vérité. C'était Hannah qui n'avait pas su l'écouter.

— Le jour où ma mère a lancé son ultimatum, et où Reilly a préféré continuer sa vie au cirque, elle n'a plus eu le choix. Elle était blessée. Pleine de colère. Perdue au milieu de nulle part. Elle n'avait pas d'argent, aucun endroit où trouver refuge, exceptée sa bonne vieille ville d'Effindale. L'époque était différente. Une jeune et jolie fille grimpant dans la voiture de trois inconnus savait à quels risques elle s'exposait.

Ravalant son émotion, Hannah eut un sourire crispé.

— Les choses n'ont pas beaucoup changé. Seule différence, aujourd'hui : on pense tout bas ce que je viens de dire haut et fort.

Elle enfonça ses ongles dans ses paumes.

— Un des hommes qui se trouvait dans la voiture a dû violer ma mère. Et cet homme est mon père biologique.

Un nuage effiloché apparut dans le ciel. Hannah le regarda défiler, tout là-haut, et sourit.

— Quand je demandais qui était mon père, reprit-elle d'une voix moins tendue, maman me répétait toujours que j'étais à elle. Je croyais à une rebuffade de sa part, le style : « *Tais-toi donc et arrête de me harceler !* » Elle me disait pourtant la seule chose qu'elle savait être vraie. J'étais sienne tout entière. Elle jouait avec l'idée que je puisse être de Reilly, tout en sachant que c'était faux. Le seul nom qu'elle pouvait me donner, c'était le sien : Garvey.

David caressa la joue de Hannah. Fermant les yeux, elle goûta la douceur de ce geste qui lui apportait confort et sérénité.

— Tu as été à la hauteur de ce nom, Hannah. Je suis sûr que ta mère serait fière de toi. Si seulement j'avais pu tenir ma langue…

Elle rouvrit les yeux et lui déposa un baiser au creux de la main.

— Oui, il aurait été préférable de ne rien lui dire.

— Avant que je vienne te rejoindre dans le camping-car, nous avons parlé un bon moment, lui et moi. Tu as toujours été sa petite fille chérie. Et tu le seras toujours.

— Je sais. Si j'avais pris le parti de lui parler, il ne m'aurait pas crue non plus. Tant que je suis sa fille, Caroline est vivante dans son souvenir. Et dans le mien.

— C'est pour cela que tu as payé sa caution ?

— Non, ce n'est pas pour ça.

David fronça les sourcils.

— Alors, pourquoi ? Dix mille dollars représentent une sacrée somme. Et tu n'es pas millionnaire, à ce que je sache.

Certes non. Elle avait encore à la mémoire ce samedi où elle avait songé à quitter Friedlich et Friedlich et calculé ce que vingt-cinq ans de labeur lui laissaient d'économies. Pas grand-chose. Elle avait presque tout dilapidé, aveuglée qu'elle était par le besoin de paraître, d'acquérir un style de vie huppé, s'épuisant à jouer un rôle qui n'avait pas été écrit pour elle.

Il lui restait aujourd'hui quelques économies. Et après ? La pauvreté ne lui faisait plus peur. A vrai dire, elle avait *toujours* été pauvre. Son bel appartement, sa garde-robe fournie et assez de soucis professionnels pour devenir un risque cardiaque au regard des statistiques — tout cela n'y changeait rien. Cela ne lui avait servi qu'à prouver qu'elle était une battante, une *wonder woman* libre de sa vie et capable de grimper les échelons conduisant au succès.

Impulsive, elle avait d'abord choisi de torcher sa démission en quatre mots obscènes révélant de façon limpide ce qu'elle ressentait. Après avoir réfléchi, elle s'était décidée pour un tempéré : « *Je m'en vais.* »

Perdue dans ses souvenirs, Hannah reprit pied dans la réalité et la clarté de l'après-midi, aux côtés de David.

— J'ai payé la caution de Reilly parce qu'il n'a pas tué AnnaLeigh. J'aurais payé la tienne si on t'avait accusé d'un meurtre que tu n'aurais pas commis.

David lui lança un regard de fierté blessée, dont la signification était claire : jamais il n'aurait accepté son aide !

— Allons, monsieur le shérif ! Un peu d'honnêteté. Toi aussi, tu crois Reilly innocent. Et tes preuves et indices ne valent pas tripette.

— Pas tripette ? Tu y vas fort, non ?

— J'assume. S'il suffisait de quelques indices défavorables pour qu'un suspect se retrouve derrière les barreaux, il y a belle lurette que tu partagerais une cellule avec Reilly, et que je me serais ruinée pour payer vos deux cautions.

David émit quelques grognements et changea de position.

— C'est vrai que je ne suis pas entièrement convaincu de sa culpabilité. Et entre nous, je crois que Marlin aussi a des doutes.

— Pourquoi l'avoir accusé d'homicide, dans ce cas ? demanda Hannah d'une voix perçante.

— Tu te souviens de ce qu'un certain inspecteur principal a dit au sujet des flics qui arrêtent et des procureurs qui instruisent le dossier ?

— Oui, mais…

— C'est le temps, l'ennemi numéro un. Pas nous. Un bon flic comme Andrik marche à l'instinct. Il a besoin de temps pour être opérationnel. Et ce temps lui est trop souvent compté.

David s'interrompit et désigna le camping-car du menton.

— Violation de domicile avec effraction ? Marlin va avoir du grain à moudre. Dommage que tu ne nous aies pas avertis plus tôt, car ce fait nouveau relance l'enquête. Quant à Marlin, je parie qu'il a un as dans sa manche, mais qu'il ne l'abattra que lorsqu'il sera sûr de lui… S'il m'a engagé à te botter le train, c'est sans doute qu'en sortant Reilly de prison, tu as faussé le jeu et précipité le cours des événements.

— Moi, j'aurais fait ça ? Mais non, et Marlin veut…

— Il m'attend à La Remise pour une réunion de crise, coupa David. Avec perfusions à volonté de matière grise.

Hannah voulut protester, mais David l'embrassa. Ses lèvres étaient chaudes, sa langue experte et pleine de promesses. Il lui caressa le dos et laissa glisser ses mains jusqu'à sa chute de reins. Hannah sentait croître son désir. L'attirant à lui, David plaqua les mains sur ses fesses.

Elle sentit combien il avait envie d'elle et se colla à lui, plus près, toujours plus près, en feu, avide de le recevoir en elle. Sur-le-champ. Mais David relâcha son étreinte et éloigna ses lèvres des siennes, lentement. En nage, Hannah étouffait de chaleur et n'arrivait plus à respirer. La tête encore bourdonnante, elle finit par articuler :

— Si tu m'embrassais pour me dire au revoir, je préférerais que nous commencions lsa prochaine fois par le corps à corps et finissions par le baiser.

— On y pensera, promis David avec un sourire coquin. Mais cela risque de prendre un certain temps…

Un délicieux frisson parcourut Hannah.

— D'autant qu'après le premier corps à corps, l'envie nous prendra sûrement de recommencer, murmura David.

— Et encore une fois.

— Et quand nous nous arrêterons enfin…

David l'embrassa rapidement.

— Nous n'arrêterons jamais, mon cœur, sauf pour reprendre des forces.

16.

— Incroyable mais vrai ! clama IdaClare, assez fort pour être entendue d'un bout à l'autre du camping-car stationné devant chez Hannah. AnnaLeigh et Johnny sortaient ensemble depuis des années.

Juchée sur la pointe des pieds, elle arrangeait des piles d'assiettes dans le placard de la kitchenette.

— Alors qu'un cirque concurrent proposait plus d'argent à Johnny, précisa-t-elle, il a préféré rester chez les Van Geisen — notoirement endettés — afin de ne pas s'éloigner d'AnnaLeigh.

Hannah tendit le cou vers les fenêtres, comme si les vibrations de la voix forte d'IdaClare risquaient de les ouvrir de nouveau. Après le départ de David, elle avait trouvé Reilly, l'ennemi des siestes, profondément endormi sur son lit. Elle l'avait couvert de la couverture afghane pour qu'il n'ait pas froid. Elle avait aussi assourdi la sonnette d'entrée, ainsi que le téléphone, afin de le laisser reposer tranquillement.

Et c'était le moment qu'avaient trouvé ses amis limiers pour arriver, hurlant le nom de code de la réunion : Gamma. D'IdaClare à Delbert, tous s'étaient rués dans le camping-car, pressés de le fouiller pour mieux le ranger après.

Delbert avait apporté un saladier de son fameux « guacamole d'enfer », un sac de tortillas et de la tequila pour confectionner quelques margaritas. Impossible pour Hannah d'imaginer leurs pittoresques rencontres sans un aparté « dégustation ». Et même si ce soir celui-ci devait avoir une note exotique, remplaçant les sempiternels gâteaux dont les limiers avaient le secret, elle ne se faisait aucune illusion : lors de sa prochaine pesée, l'aiguille de la balance irait un plus loin encore sur la droite que la dernière fois.

— Qui vous a parlé d'AnnaLeigh et de Johnny, au cirque ? demanda-t-elle. Des artistes ? Des machinistes ? Ils vous ont donné leurs noms ?

IdaClare marqua son embarras.

— C'est que nous n'avons pas été présentées à ces messieurs, ma chérie. Nous étions… voyons, aide-moi, Marge, comment qualifierais-tu notre mission ?

En attendant qu'un professionnel lui redonne son aspect neuf, Marge recousait à gros points l'ourlet de l'assise rembourrée de la banquette. Tout en passant le fil dans une grosse aiguille coudée, elle risqua une définition :

— Nous nous faufilions ?

— Non, ce n'est pas ça, gémit IdaClare. Il s'agit d'un mot plus long qui commence par la lettre C.

De derrière la porte des toilettes fusa la voix étouffée de Rosemary.

— Nous étions à couvert ?

— Mais non ! s'agaça IdaClare.

Leo, qui se trouvait dans la cabine de conduite, leur lança :

— Ce n'est pas « clandestins » que vous cherchez ?

— Mais oui, nous nous étions introduits *clandestinement* dans ce cirque, se réjouit IdaClare en accentuant chaque syllabe du mot. N'est-ce pas merveilleux ? Ah ! cela me rappelle un film… voyons, j'ai le nom sur le bout de la langue.

— *Ca-sa-blan-ca !* aboya Delbert depuis le fond de la chambre. Et maintenant, si tu n'as pas définitivement perdu le fil de ton récit, ne nous fais pas languir plus longtemps.

305

— Delbert, il est à cran depuis ce matin, crut bon d'expliquer Leo. Son estomac et lui sont en désaccord.

— Quel désaccord ? demanda Marge.

— Cessez de parler de mon estomac ! ordonna une voix lointaine et étouffée.

Delbert, qui ne cessait d'aller et venir, participait aux conversations par intermittence. Sa tête surmontée d'un panache vert le faisait ressembler à ces canards en carton qu'on trouve comme cibles dans certains stands de tir. Sa chevelure verte de colvert mâle témoignait de la ténacité de la teinture dont il avait usé pour se déguiser, et qui semblait résister aux shampooings, produits décapants chlorés et superconcentrés débouche-tout.

En vrai chef, Delbert avait assigné aux membres de la Force d'Intervention Gamma une aire de recherche et de rangement. Dans *Secrets de métier des plus grands détectives,* cette mission était de type « A et R » — pour « Assimilation et Recyclage ».

Hannah, dont les effets apaisants et modérateurs sur eux étaient avérés, se voyait confier des missions. Nommée « Agent polyvalent » par Delbert, elle aidait ici et là, triait les objets et intervenait pour calmer les chamailleries avant qu'elles ne dégénèrent en guerre ouverte.

Après avoir rangé un carnet dans un casier du camping-car, elle en sortit un autre de sa poche et le posa sur ses genoux.

— Ces deux employés du cirque que vous avez suivis jusqu'à une laverie automatique de Sanity, qu'ont-ils dit d'autre sur cette supposée liaison entre AnnaLeigh et Johnny ?

— D'abord, répondit Marge, il ne s'agit pas d'une liaison supposée. M. Bacon, le cuisinier du cirque à qui nous avons aussi parlé, nous l'a confirmée.

IdaClare intervint.

— Pas M. Bacon — Bacon tout court. Décidément, ces enfants de la balle ont plus de surnoms et de sobriquets qu'il ne pousse d'herbes dans la pampa.

— Moi, j'ai adoré Le Chinois ! s'exclama Rosemary.

— Il n'est pas plus chinois que moi, riposta Delbert depuis l'autre bout du corridor. Son vrai nom est Figures.

Hannah jugea bon d'intervenir.

— Et si nous revenions à nos moutons… enfin, à la laverie automatique.

Criant pour couvrir le fracas des couverts qu'elle jetait au fond d'un tiroir, IdaClare répondit :

— Celui qui avait une boucle d'oreille a déclaré à celui qui portait la barbe que Johnny et AnnaLeigh s'étaient sans doute bagarrés avant l'arrivée à Sanity, parce que Frank Van Geisen avait dû supplier AnnaLeigh de venir au pot d'honneur donné sous la tente réfectoire… je veux dire, le chapiteau réfectoire.

— Mais Reilly n'est arrivé que tard dans la nuit à Sanity, remarqua Marge. Une panne sur la route, ou quelque chose d'approchant.

Rosemary apparut dans l'embrasure de la porte, fouillant dans un sac de produits de beauté.

— Boucle d'Oreille a dit que Johnny était en colère parce qu'il espérait s'isoler un moment avec AnnaLeigh après le pot d'honneur. Mais elle n'avait qu'une idée en tête : se coucher. Seule.

— C'est du moins ce que Boucle d'Oreille pensait, tempéra IdaClare. Frank et Vera se sont moqués d'AnnaLeigh, lui reprochant de se conduire en sauvage, et ils ont ainsi fini par la convaincre de venir lever son verre avec les autres. Là, elle a complètement ignoré Johnny avant de retourner, seule, dans son camping-car. Une fois le pot terminé, Barbiche a remarqué de la lumière chez AnnaLeigh et il s'est imaginé qu'elle et Johnny étaient… qu'ils… enfin, vous comprenez, conclut IdaClare avec une grimace.

— Tu veux que je te fournisse un mot ? intervint Delbert en gloussant.

— Essayez donc, monsieur Delbert Bisbee, et je vous fais avaler assez de détergent pour que vous fassiez des bulles pendant un mois complet !

Hannah, qui s'attendait au pire, tendit l'oreille pour mieux entendre débouler dans le corridor le mot en six lettres qui commençait par un « B ».

Et comme ce mot ne venait pas, elle en déduisit que le flacon géant de produit pour vaisselle, près de l'évier de la kitchenette, et l'absence d'issue de secours, avaient fait réfléchir le Grand Bisbee.

— Ce fameux soir, reprit Marge, Barbiche venait de surprendre ce qui se déroulait dans le camping-car, quand Johnny est sorti de l'Allée des Clowns en fumant sa pipe. Barbiche a tenté de faire diversion, mais en vain. Johnny a vu la même chose que lui et a piqué une crise. En fait, le pauvre garçon a complètement perdu la boule, précisa Marge en regardant Hannah.

— Pigé.

Marge reprit l'aiguille pour raccommoder d'autres déchirures. Rosemary tourna les talons pour aller au petit coin. A l'aide d'un chiffon humide, IdaClare nettoyait la poudre à empreintes qui maculait les placards. De la cabine de conduite à la chambre à coucher, le camping-car bruissait du labeur des limiers en passe d'accomplir leur mission d'assimilation et de recyclage.

— Bon, et qu'est-il arrivé après ça ? demanda Hannah.

— Mais rien.

— Rien du tout ?

— Bon, il a dû se passer encore autre chose, admit IdaClare, mais Barbiche et Boucle d'Oreille ont jeté leur linge encore humide dans des paniers et ont quitté la laverie jusqu'à leur camionnette. On ne pouvait quand même pas embarquer avec eux pour en savoir plus, n'est-ce pas ?

— Je crois qu'ils se méfiaient un peu de nous, souligna Marge. Dieu sait pourtant que nous n'arrêtions pas de faire tourner des machines, à grand renfort de pièces de 25 cents ; mais le fait que nous ne retirions jamais notre linge du tambour a dû leur mettre la puce à l'oreille, à force…

— Pas du tout ! s'exclama Rosemary en sortant des toilettes. Dès que le programme d'essorage se terminait, je regardais mon linge et je gémissais sur ces satanées taches de sang qu'on n'arrive jamais à faire partir au lavage. Alors vous pensez bien, Hannah, que ni Boucle d'Or ni Barbiche n'ont jamais eu le moindre soupçon à notre égard.

Juste le soupçon qu'une branche du syndicat du crime avait trois éléments à Sanity, déguisés en petites vieilles plus vraies que nature.

IdaClare examina son T-shirt rose, assorti à ses baskets montantes roses, et maculé de poudre noire à empreintes — la faute à cette mission de type « A et R », évidemment. La vieille dame adorait ce T-shirt déniché dans un vide-grenier et orné sur le devant d'un médaillon de son groupe britannique favori : les Pink Floyd.

— J'espère que cette cochonnerie à relever les empreintes part au lavage, gémit-elle.

Sans en être sûre, Hannah la rassura, avant de demander :

— Je n'ai pas bien compris comment vous avez eu l'idée de suivre… euh, Barbiche et Boucle d'Oreille en ville, à la laverie.

— Ah ! c'était après que ce jeune vigile — d'ailleurs charmant et bien élevé, n'est-ce pas, les filles ? — nous a reconduites jusqu'à ma voiture en s'excusant de devoir appliquer les ordres et tout. Nous réfléchissions déjà à une nouvelle stratégie d'infiltration dans le cirque quand Rosemary a vu la camionnette de Boucle d'Oreille et de Barbiche sortir par l'arrière du champ de foire.

— Mais non ! s'exclama Marge. D'abord, on a vu Frank Van Geisen quitter le champ de foire à bord de sa camionnette.

D'un coup de hanche bien senti, IdaClare ferma un tiroir récalcitrant, dans un *bang* assourdissant.

— Tu te disperses, Marge ! Tandis que moi, je fais l'impossible pour laisser de côté les détails sans rapport avec le sujet. N'oublie pas que nous avons les préparatifs d'un certain mariage à terminer.

— Tu entends ça, Leo ? clama Delbert. Des détails sans rapport avec le sujet ! Il y a donc des gens qui lisent *vraiment* les livres qu'on leur prête.

Leo pivota d'indignation.

— Cent fois déjà je t'ai dit que je suis en train de le lire, ton manuel pour les détectives. C'est juste qu'IdaClare lit peut-être plus vite que moi…

— Peuh !

— Savez-vous où Frank s'est rendu ? questionna Hannah.

— Au bureau de poste, répondit IdaClare en haussant les épaules. C'est pourquoi nous ne l'avons pas suivi. Nous parlions avec Bacon, le cuisinier, quand Frank a passé un dernier coup de fil, avant d'aller récupérer le sac de courrier sous la tente réfectoire… euh, je veux dire le chapiteau réfectoire.

Hannah réfléchissait toujours à cette supposée liaison entre AnnaLeigh et Johnny. Si elle était réelle, pourquoi Gina Zandonatti ou Arlise Fromme n'avaient-elles rien dit ? Pour protéger Reilly, Johnny étant le meilleur ami de l'illusionniste ?

Non. A moins qu'il ne s'agisse d'un ragot sans fondement, elles avaient gardé le silence pour protéger Johnny. Après tout, Hannah était une étrangère au monde du cirque, et lui le meneur de la troupe de clowns.

Des hommes susceptibles d'avoir passé un bon moment avec AnnaLeigh, en ce lointain jeudi soir, Hannah pouvait éliminer Boucle d'Oreille, Barbiche et Johnny. Son intuition lui soufflait qu'il existait un lien entre le mystérieux amant d'AnnaLeigh et la mort brutale de la jeune femme sur la piste. Restait à découvrir le mobile du meurtre. Le nom du meurtrier suffirait peut-être à apporter la réponse.

La troupe Van Geisen comptait au moins trente hommes. Mais une femme vaniteuse nantie d'un mari notoirement jaloux ne se livrerait pas à un sous-fifre ayant beaucoup moins à perdre qu'elle dans l'aventure.

Du doigt, Hannah traça d'invisibles volutes sur son menton.

— Et si l'homme mystérieux avec qui AnnaLeigh faisait l'amour, ce soir-là, était Frank Van Geisen ? proposa-t-elle.

— Nom de... commença Marge. Désolée, les amis, ça m'a échappé.

Elle plissa le nez et poursuivit :

— Non, vraiment, je ne m'imagine pas AnnaLeigh émoustillée par un homme tel que lui. Un brave homme, visiblement, mais... ce n'est que... *Frank.*

— Ne va pas trop vite en besogne, intervint Rosemary en faisant constater qu'elle avait rempli sa mission et que les toilettes étaient à présent dans un état impeccable. Après tout, on ne juge pas un livre d'après sa couverture.

Un ricanement se fit entendre.

— Quel rapport avec le sexe ? lança Delbert en rentrant le ventre pour contourner Rosemary et accéder au minuscule salon.

Après s'être faufilé, il jeta un regard dégoûté à Rosemary qui souriait béatement, et à l'éternel masque de Pierrot lunaire qu'arborait Leo.

— D'après ce que j'ai saisi, reprit-il, Frank rendait constamment de menus services à AnnaLeigh — l'emmenant faire des courses, l'aidant à perfectionner son nouveau numéro, lui apportant son courrier... Les femmes adorent ce genre d'attentions, et elles en redemandent. A ce petit jeu, n'importe qui peut gagner les faveurs d'une femme.

— Vraiment ? clamèrent en chœur et sans fausses notes quatre voix féminines.

Delbert mit aussitôt la marche arrière.

— Evidemment pas avec des personnes de votre calibre, mesdames ! Vous êtes bien trop malignes pour tomber dans un piège aussi grossier. Disons qu'AnnaLeigh n'avait pas votre classe…

Il reprit son souffle, espérant que sa prestation s'était révélée suffisamment convaincante. Et par sécurité, il ajouta :

— En fait, mesdames, peu de femmes vous arrivent à la cheville.

Quel baratineur ! songea Hannah en réprimant son envie de rire.

IdaClare proposa une autre interprétation.

— Si Frank faisait des courbettes à AnnaLeigh, c'était peut-être pour ménager cette *prima donna*. Si j'en crois ce que j'ai entendu, elle était d'humeur très changeante. Depuis le début de la saison, elle alternait périodes de dépression et bouffées de rage.

— Et une jeune femme à qui nous avons parlé, Félicité quelquechose, a dit qu'AnnaLeigh donnait l'impression d'être embarquée dans ce cirque contre son gré, de vouloir s'en échapper le plus vite possible.

Rosemary apporta une précision.

— Quelqu'un d'autre nous a dit qu'AnnaLeigh ne répétait pas assez son numéro au goût de Reilly. Bien sûr, elle avait un savoir-faire au-dessus de la moyenne, mais pas autant que lui. Avant d'avoir les mains percluses de rhumatismes, Reilly était un des maîtres de la profession. C'est pourquoi il la poussait sans cesse à s'améliorer. AnnaLeigh l'appelait « le négrier ».

— Nom d'un petit bonhomme ! gémit Delbert avec un geste agacé et fataliste. Si AnnaLeigh était grincheuse, c'était qu'elle traversait cette période durant laquelle une femme n'est plus tout à fait femme — si vous me suivez…

Rosemary lui décocha un coup de poing dans l'épaule.

— Là, tu exagères ! Ta remarque est sexiste, dégradante, insultante et sans fondement. Figure-toi que nous avons trouvé un stock de pilules contraceptives dans son armoire à pharmacie.

Tout en se frottant l'épaule, Delbert se confondit en excuses. Hannah devina que ce n'était pas tant ses propos malheureux qu'il regrettait, que le fait de les avoir proférés alors qu'il se trouvait à portée d'allonge de la fougueuse Rosemary.

Entre-temps, IdaClare, sa tâche accomplie, avait rincé et suspendu son chiffon. Leo s'était acquitté de sa mission « Assimilation et Recyclage » dans la cabine de pilotage. Marge avait pour sa part examiné l'intérieur des fauteuils et banquettes dégarnies, sachant toutefois que celui qui les avait déchirées, avait du même coup trouvé ce qu'elles recelaient peut-être.

Le verrou de la remorque de matériel n'avait pas longtemps résisté au rossignol de Delbert mais, là encore, les limiers n'avaient rien découvert à première vue. Ceux qui étaient passés avant eux avaient probablement trouvé leur bonheur : ce petit quelque chose de très compromettant qu'ils s'étaient empressés de détruire ou de récupérer.

Hannah, toutefois, restait sceptique. Et si la mise à sac des lieux était une ruse ? Tout en réfléchissant, elle parcourut des yeux un article découpé dans le *News-Messenger* de Fremont, dans l'Ohio. *Une magicienne émerveille les enfants petits et grands*, disait le titre. Sur la photo accompagnant l'article, AnnaLeigh prenait une pose aguichante de girl de music-hall. Sa beauté si photogénique lui aurait permis de vendre avec succès n'importe quel type d'aspirateur ou de machine à laver sans que l'acheteur remarque autre chose que sa plastique et ses mensurations.

Cette affaire était décidément bien compliquée. Il ne s'agissait pas vraiment d'un puzzle. Pas de pièces éparses donnant lentement naissance à un superbe paysage. Pas de cadre défini. Non. Elle avait plutôt l'impression d'avoir les yeux bandés et de devoir deviner à l'aveuglette ce que représentaient les pièces, les unes après les autres.

— Eh bien, ma puce, que se passe-t-il ? interrogea Delbert en s'agenouillant devant elle. Vous aussi, vous m'en voulez ?

Elle soupira et fit signe que non, fermant d'un geste sec le dernier des carnets remplis de photos et d'articles qu'elle venait de contrôler.

— Croyez-vous Reilly capable de tuer AnnaLeigh ? De peaufiner une mise en scène aussi insensée ? De payer quelqu'un pour venir dévaster ce camping-car ? Et enfin, de se frotter les mains pendant que nous y perdons notre latin ?

Machinalement, elle frictionna une coupure qu'une page d'un carnet lui avait causée à la main droite, sur une phalange.

— Plus le crime est simple, déclara Leo, et moins le criminel a de chances d'être pris.

Dardant une langue moqueuse vers Delbert, il ajouta :

— Ça, je l'ai lu quelque part et bien lu.

— Très juste, reconnut Delbert. Les tueurs trébuchent souvent par excès de précautions. Ils cherchent à anticiper les réactions des policiers pour mieux combiner leur coup. Et la situation devient si complexe qu'ils s'emmêlent les pieds.

— Mais imaginons que le tueur fasse exprès de compliquer à outrance le schéma de son crime, de façon que plus personne ne puisse y lire la moindre logique ? suggéra Hannah.

— La logique reste toujours présente, assura Delbert. Un crime ressemble à une excursion. Le chemin a beau onduler tel le serpent devant Eve, le voyageur qui arrive à destination est toujours le meurtrier. Et je vous rassure, ma puce, dit-il en tapotant le genou de Hannah, dans ce cas précis notre voyageur ne s'appelle pas Reilly Boone.

— Qui est-ce, alors ? voulut savoir Rosemary.

— Comment le saurais-je ? La nuit dernière, j'avais ficelé un joli scénario qui plaçait Boone en haut du podium des suspects. Mais Hannah a raison, le coup est trop élaboré.

— Moi, je l'aimais bien, ton scénario, déclara IdaClare.

Delbert s'assit par terre en tailleur.

— Ecoutez-moi, les filles. Je parie que le meurtrier avait depuis longtemps une bonne raison de vouloir tuer AnnaLeigh. Le tout est de découvrir ce mobile. Il avait aussi réfléchi à la façon d'exécuter son crime, et cela faisait des mois ou même des années qu'il attendait un moment favorable. Récemment, la roue du hasard s'est mise à tourner, et le cliquet s'est immobilisé sur la case « AnnaLeigh ». Bien sûr, il s'est aussi agi d'une question de chance.

Marge donna un coup de coude à IdaClare.

— Tu comprends ce charabia ?

— Je crois que oui. Delbert pense que celui qui a tué AnnaLeigh avait prévu depuis longtemps de faire porter le chapeau à Reilly. Et si nous ne parvenons pas à démêler les fils de ce meurtre, c'est que l'assassin a eu tout loisir de tisser des fausses pistes qui nous égarent.

De plus en plus perdue, Marge se tourna vers Leo.

— Et toi, tu y comprends quelque chose ?

— Oui, c'est…

Elle l'interrompit.

— Oh ! laisse tomber !

Delbert reprit son exposé.

— Selon moi, Johnny Perdue a le profil idéal du meurtrier. Pour son nouveau numéro, AnnaLeigh avait annoncé qu'elle remplacerait Reilly par une assistante. Mais peut-être mentait-elle ; peut-être avait-elle l'intention de choisir Johnny. Du moins ce dernier l'a-t-il cru.

— Jusqu'au jour où Johnny a compris qu'AnnaLeigh fréquentait quelqu'un d'autre, ajouta Rosemary.

Marge fit claquer ses doigts.

— Alors Johnny s'est dit : « Puisque je ne peux pas l'avoir, personne d'autre ne l'aura ».

Hannah réfléchissait. Si AnnaLeigh décidait de travailler seule ou d'engager une partenaire, Johnny Perdue devenait le grand perdant de l'histoire.

— N'oublions pas que la belle magicienne était déjà mariée à Reilly, rappela-t-elle. Ce dernier avait légalement des droits sur elle.

— Remettons les compteurs à zéro, ma puce, suggéra Delbert en cherchant dans la poche de son short orange rayé quelques menus objets pouvant illustrer sa démonstration.

Il sortit en premier une pièce de vingt-cinq cents, qui devait représenter AnnaLeigh ; puis un rouleau de comprimés antiacides en guise de mari ; enfin, un tee de golf serait l'amant.

— Madame s'attache à son amant, expliqua Delbert en s'accroupissant pour placer sur le sol, côte à côte, la pièce et le tee. Madame dit à son amant qu'elle voudrait vivre avec lui, mais qu'elle doit rester auprès de son mari pour consolider sa carrière à elle, d'autant qu'elle a rencontré son amant au moment où le numéro avait les honneurs de la piste centrale.

Delbert plaça la pièce de monnaie entre le rouleau d'antiacides et le tee de golf.

— L'amant consent à placer sa carrière en suspens en attendant que Madame soit libre. De son côté, Madame utilise son mari tant qu'elle peut afin d'améliorer son numéro et se faire un nom dans le cirque. L'amant s'impatiente. Madame le calme.

Delbert exhuma un coupe-ongles qui vint percuter la pièce de monnaie.

— Et voilà qu'un nouvel amant débarque dans la vie de Madame. Le premier amant comprend que Madame s'est moquée de lui et n'a jamais eu l'intention de quitter son mari. A ce moment, le mari a toujours la main haute sur Madame. Mais le nouvel amant a également son mot à dire. Le premier amant en a par-dessus la tête et il envoie tout balader.

Delbert fit disparaître la pièce de monnaie, puis frappa le rouleau d'antiacides avec le tee de golf en s'écriant :

— D'une pierre deux coups !

En matière de symbolique dramatique, Shakespeare n'avait qu'à bien se tenir face à Delbert, songea Hannah.

— Et maintenant, la question à soixante-quatre mille dollars, intervint-elle. Comment y voir clair dans ce fouillis ?

Après un coup d'œil à la montre de Leo, elle ajouta :

— Et en moins de quatre heures, s'il vous plaît.

— Pourquoi ce compte à rebours ? s'étonna Rosemary. Je conçois que la situation puisse être stressante pour vous et Reilly, mais il se passera des semaines, des mois peut-être, avant le début du procès.

— Parce que le cirque Van Geisen tombe le chapiteau ce soir, expliqua Delbert. Si les flics ne pincent pas un bon suspect d'ici-là…

IdaClare joua avec l'ourlet de son T-shirt.

— Ma chère Hannah, j'ai bien peur que nous ne disposions même pas de ce délai pour résoudre l'affaire. Auriez-vous tous oublié que Leo et Rosemary se marient bientôt et que les préparatifs ne sont pas finis ?

Se forçant à sourire aussi largement que possible, Hannah prit Rosemary et son promis par les épaules.

— Si vous me permettez de sécher les répétitions pour que j'aie le temps de fouiller la remorque, je vous délivre de votre promesse : Malcolm ne vous présentera pas les alliances entre… euh, ses crocs.

— Malcolm ?

Horrifié, Leo se précipita ventre en avant vers sa fiancée.

— C'était donc ça ? C'était Malcolm, la surprise que vous teniez à garder secrète jusqu'au mariage ?

Rosemary blêmit, bégaya quelques mots incompréhensibles, scruta les visages de ses amies IdaClare et Marge.

— Mais voyons, Leo ! s'exclama IdaClare. Un chien ! C'est la chose la plus fofolle que j'aie jamais entendue.

Marge, contaminée à son tour par le rire, renchérit.

Un chien portant les alliances ? On aura tout vu !

IdaClare applaudit de toutes ses forces.

— Si Malcolm s'occupe des alliances, que diriez-vous d'Itsy et de Bitsy en petits pages portant les bouquets ?

— Ce serait peut-être une idée, reconnut Rosemary en se tapotant la poitrine. Et le chat de Walt Wagonner pourrait miauler : *Oh ! promets-moi qu'un jour…*

Leo, Delbert et Hannah éclatèrent de rire, sans comprendre cette *private joke* à l'usage des trois autres.

17.

Hannah choisit de s'asseoir sur l'une des nombreuses malles plates extraites de la remorque, et qu'elle avait disposées sur la pelouse. Adoptant l'attitude du *Penseur* de Rodin, elle cherchait du réconfort et quelques certitudes, à la manière de ces alpinistes qui, à mi-chemin de l'ascension du mont Everest, se demandent dans quoi ils se sont engagés.

Des nuées d'insectes venaient s'agiter autour des lampadaires éclairant le porche et la maison. D'autres leur avaient préféré la lampe baladeuse pincée sur le haut de la remorque ouverte. Hannah avait suspendu les housses abritant les costumes de scène des Boone sur la balustrade du porche. De loin, on aurait dit d'étranges selles. Autour d'elle, une multitude d'accessoires de magie à la fois étranges et merveilleux étaient disséminés. Des cimeterres géants, des cerceaux grands et petits, dont certains phosphorescents. Mais aussi des boîtes gigognes, des estrades escamotables, des poignards et des épées, des jeux de cartes, des tentures chatoyantes, des écharpes et de grands rectangles de soie ainsi que quelques objets plus mystérieux.

Malcolm patrouillait de sa démarche chaloupée à travers ce bazar, s'approchant de temps à autre d'un accessoire quand celui-ci portait l'odeur de son nouvel ami Reilly. Il s'approcha à pas feutrés de Hannah, la regarda, émit un *mmouarff* qui semblait vouloir dire qu'elle avait assez joué comme ça et qu'elle devait rentrer, maintenant, sans quoi elle aurait droit à une retenue sur sa prochaine fiche de paie.

— *Sitz,* répliqua-t-elle simplement en désignant la pelouse.

La langue pendante et dégoulinante de salive, Malcolm regarda ses pattes, puis sa maîtresse. Son regard était éloquent. Il signifiait : « Hein ? »

— Bon chien, murmura Hannah sans plus insister.

Elle passa la main sur son encolure, enfouit ses doigts dans sa fourrure épaisse et tâta le collier caché sous les poils en faisant tinter les médaillons qui y étaient accrochés.

— Tu sais, Malcolm, lui confia-t-elle, les chiens sous-doués valent mieux que leur réputation.

La maison était plongée dans une semi-pénombre un rien oppressante. Seuls l'éclairage au-dessus de l'évier de cuisine et la lampe évasée, sur son bureau, dispensaient leur lumière.

Sur la pointe des pieds, elle s'était rendue une fois ou deux dans les toilettes adjacentes au salon. Et avait victorieusement résisté à l'envie de boire un soda glacé gorgé de sucre ou de grignoter quelque chose. Les ronflements en provenance de la chambre à coucher lui donnaient le sentiment que les lieux étaient, enfin, habités. Sensation précieuse, quoique légèrement déconcertante, qui lui rappelait ses premières nuits ici, quand une foule de craquements, raclements et autres chocs sourds l'empêchaient de trouver le sommeil.

David ronflait-il ? Aussi étrange que cela paraisse, elle n'en avait aucune idée. La nuit dernière, rien n'aurait pu la tirer de sa léthargie, pas même les quatre cavaliers de l'Apocalypse.

Et elle, ronflait-elle ? Oh ! mon Dieu !

Elle repensa à Jarrod, qui le lui reprochait. Mais son ex-compagnon était d'une telle fatuité que son jugement était sujet à caution. Une « source peu sûre », comme on disait dans les médias.

Néanmoins, le sujet la chagrinait. Alors que les hommes pouvaient se permettre de ronfler comme des cochons, une femme qui risquait ne fût-ce qu'un léger reniflement nocturne se voyait sur-le-champ montrée du doigt pour sa révoltante conduite.

Hannah adressa une grimace à Malcolm. Après tout, qu'elle ronfle ou pas, David n'irait pas le crier sur tous les toits.

Rassurée, elle se leva, s'étira et vint, les poings sur les hanches, jeter un coup d'œil à l'intérieur de la remorque. Etait-elle à moitié vide ou à moitié pleine ? Question de point de vue, décida-t-elle en haussant les épaules. En tout cas, elle se demandait par quel prodige les policiers avaient pu opérer une fouille sérieuse de la remorque, puis remettre en bon ordre et si vite une telle quantité d'objets hétéroclites.

Les fins limiers s'étaient proposés de revenir l'aider après avoir mis la main aux derniers préparatifs du mariage, mais elle avait refusé. A la veille de leur union, Rosemary et Leo avaient d'autres priorités. IdaClare, Marge et tout le petit comité qu'elles avaient recruté décoreraient la salle des fêtes. Quant à Delbert, toujours fringant, il avait rendez-vous galant avec Blanche Ehrlich, une candidate potentielle pour son harem et possible remplaçante de la vénéneuse Maxine McDougal…

« Plus tôt tu t'attaqueras à la moitié de la remorque que tu n'as pas encore examinée, se dit Hannah, et plus tôt tu pourras tout ranger et aller déguster la crème glacée qui t'attend dans le congélateur ! »

Elle retroussa ses manches. Du plus simple au plus sophistiqué, tous les accessoires de scène étaient truqués.

— On parle de *tour* de magie, mais ce n'est pas le secret du tour qui le rend *magique*, lui avait expliqué Reilly. Si chacun peut apprendre à faire sortir une colombe d'un foulard, seul un magicien professionnel saura faire croire que le foulard s'est changé en colombe.

Le vieux refrain selon lequel un magicien ne révèle jamais ses secrets avait contribué au mystère de la profession, à l'aura de mysticisme qui l'entourait. Reilly pensait que les pros de la baguette magique scandalisés par les émissions de télévision où l'on dévoilait leurs ficelles se trompaient d'ennemi.

— Moi, expliquait-il, ce n'est pas parce que je regarde un feuilleton télévisé sur les hôpitaux que je deviens du jour au lendemain chirurgien, capable d'opérer quelqu'un au cerveau.

Il pensait que le public jouait un rôle important dans le succès du numéro. Selon lui, des gens prêts à donner leur argent en échange d'un ticket de cirque espéraient bien être abusés par la magie du spectacle. C'était un moyen simple et sans danger d'échapper provisoirement à la réalité. Le magicien, avec sa cape et son haut-de-forme, avait encore de beaux jours devant lui. Et la main d'un professionnel aurait toujours une longueur d'avance sur le regard d'un spectateur sceptique cherchant à percer le mystère...

Toute à ses pensées, Hannah continuait de vider la remorque. Elle venait de sortir sur la pelouse un plateau recouvert de vinyle et retournait chercher une maison miniature à deux étages, en balsa, sans murs intérieurs, avec un demi-toit ouvrant monté sur charnières.

Alors qu'elle descendait le petit escalier amovible permettant d'accéder à l'intérieur de la remorque, la voix de Reilly retentit depuis le porche.

— Hannah, tu es dehors ? Tu as vu l'heure ?

Surprise, elle trébucha et laissa tomber la maison de poupée, qui heurta le coin d'une des malles encombrant le terrain. La maison se brisa ; le toit ouvrant fut arraché et les morceaux s'éparpillèrent sur l'herbe.

Hannah se tourna lentement vers Reilly.

— Ne t'en fais pas pour ce vieux truc, lui assura-t-il en creusant le ventre pour rentrer le bas de son pull à col roulé noir dans son pantalon. AnnaLeigh n'a jamais su l'utiliser correctement, d'ailleurs.

— De quoi s'agissait-il ?

322

— Un numéro de close-up, de magie rapprochée, qu'on effectuait dans des spectacles de cabaret ou dans des émissions de télévision, avec une série de poupées gigognes. Le tour consiste à faire disparaître puis réapparaître ces poupées, mais toujours plus grandes.

— Désolée pour la casse.

— Sois plutôt désolée de m'avoir laissé dormir si tard. Il est presque 20 h 40.

Hannah songea à le taquiner, car pour quelqu'un qui n'aimait pas la sieste il s'y adonnait facilement, mais elle se ravisa en voyant son expression. Reilly semblait bien nerveux pour un homme fraîchement sorti du sommeil.

— Quelque chose ne va pas ?

— Non… enfin, cela m'ennuie de te le demander, comme ça, de but en blanc, mais… pourrais-tu me prêter ton Blazer ?

Avant qu'elle ait pu répondre, il ajouta :

— Vera m'a appelé cet après-midi, alors que je sortais de la douche. Elle m'a demandé de la rencontrer à la caravane guichet, à 21 heures précises. Frank sera présent. Si je signe une décharge, ils me donneront mon chèque.

Hannah évalua du regard les accessoires disséminés sur la pelouse.

— Aide-moi vite à mettre à l'abri tout ce que Malcolm pourrait endommager et je t'accompagne en ville.

— Pas le temps ! objecta Reilly, penché sur la balustrade du porche. Quand Vera dit 21 heures, c'est 21 heures. J'ai besoin de cet argent, Hannah. Il ne me reste plus que la centaine de dollars que j'avais dans mon portefeuille. L'inspecteur Andrik a bloqué mon compte bancaire.

Hannah se mordilla la lèvre.

— Je te conduirai à temps. Je connais mieux la route que toi et…

— Je sais conduire tout ce qui roule sur quatre roues, sur toutes les routes du monde et par tous les temps !

— Je n'en doute pas, Reilly, mais…

— Ne t'inquiète donc pas pour ton 4x4.

— Ce n'est pas ça.

— Je ne vais pas me sauver avec une caution suspendue au-dessus de ma tête.

Hannah se crispa.

— L'idée ne m'a même pas traversé l'esprit. Ce qui m'inquiète, c'est que tu te rendes seul sur le champ de foire. On dirait que tu cherches la bagarre avec ceux du cirque.

— Bon, laisse tomber, trancha Reilly en traversant le porche d'un pas pesant. Je détache la remorque et j'y vais avec ce fichu camping-car.

Elle l'attrapa par le bras.

— Qu'y a-t-il, Reilly ? Pourquoi ne veux-tu pas que je t'accompagne ?

Crispé, il évitait son regard.

— J'ai des adieux à faire, au cirque, et je veux être seul. Il ne s'agit pas d'une séparation pour la saison d'hiver, cette fois. J'aimerais dire quelques mots à Gina, Arlise, Johnny. Régler certains détails pour les funérailles d'AnnaLeigh. J'ai besoin de savoir s'ils croient qu'elle serait contente de mes choix.

Il leva les yeux sur Hannah.

— Et quand tout sera réglé, il faut aussi que je me retrouve seul un petit moment sous le grand chapiteau… avec AnnaLeigh.

Sa voix se brisa. Hannah hocha la tête, les bras ballants, honteuse de constater qu'elle pensait plus au meurtre qu'à celle qui était morte. Les circonstances du drame, les faits et les spéculations occultaient chagrin et nécessité de faire le deuil. Une fausse piste, aussi trompeuse que le mouchoir du magicien métamorphosé en colombe.

Souriante, elle embrassa Reilly sur la joue.

— Je vais chercher les clés.

— Qu'est-ce qui nous échappe ? demanda David en arpentant le local exigu des inspecteurs, surnommé fort à propos la Remise.

Assis dans son fauteuil pivotant, Marlin fixait d'un air sombre le mur du fond, où étaient punaisés des croquis montrant la position d'AnnaLeigh quand elle avait été tuée, des photographies agrandies de son corps et des lieux, plusieurs schémas minutant le drame. Sur un tableau effaçable, les enquêteurs avaient élaboré et effacé une bonne douzaine de scénarios possibles.

— Rien ne nous échappe, partenaire. C'est même le contraire. On est en train d'assembler un puzzle de cinq cents pièces, et on se retrouve avec cinquante pièces en trop.

David parcourut en trois enjambées rapides la distance qui le séparait du tableau.

— D'accord, fit-il. Voyons quel puzzle nous donne une image du Grand Canyon… et quel autre nous donne des palmiers. Celui-ci ? Celui-là ?

Rageusement, Marlin lança un crayon rongé jusqu'à la mine dans la corbeille à papier.

— Le diable si je le sais, David !

— Je ne veux pas jouer les rabat-joie, mais tu as eu tort de suspendre Phelps. Sans parler de Cletus, victime d'une intoxication alimentaire à Springfield, qui manque à l'appel. Mieux valait être trois que deux, non ?

— Un Phelps toujours vautré sur sa chaise n'est pas une grande perte, répliqua Marlin, avant d'imiter la voix de crécelle du bleu : « Mais, chef, je n'ai pas eu le temps de faire l'inventaire de la remorque de Boone la nuit dernière, avant la mise en fourrière. Je voulais le faire aujourd'hui, sauf que Boone était derrière les barreaux. Alors, j'ai cru qu'il valait mieux revoir en priorité tous les témoins. »

David ne put s'empêcher de rire.

— Depuis quand la recrue Phelps parle-t-elle comme Judy Garland ?

— Depuis que je lui ai remonté les bijoux de famille. Et il faudra un mois à ce malheureux pour qu'il comprenne que ses amygdales ont changé d'aspect !

Les mains dans les poches, David réfléchissait. Oui, Phelps méritait d'être suspendu. Il espérait toutefois que le bleu ne se découragerait pas au point de démissionner.

Jimmy Wayne faisait l'impossible pour combler les vacances du service. Deux autres recrues s'occupaient des affaires courantes, cambriolages et autres vols à la tire.

Jetant un coup d'œil vers le bureau inoccupé de Cletus, David adressa mentalement ses souhaits de prompt rétablissement au collaborateur de Marlin.

— Puisque tu es debout, suggéra celui-ci, débarrasse-nous donc de ces Polaroïd d'AnnaLeigh.

David les ôta du mur sur lequel elles étaient punaisées.

— Elles te pèsent sur la conscience ?

— Et sur l'estomac, répondit Marlin en repensant à un récent rebondissement de l'affaire.

Les résultats d'autopsie qu'il attendait avec tant d'impatience lui étaient enfin parvenus. Et son intuition avait payé : le légiste avait découvert la présence de Rohypnol, la drogue des violeurs, dans le sang d'AnnaLeigh — de même qu'on en avait retrouvé dans la boîte de bière écrasée découverte dans la kitchenette du camping-car. Les victimes absorbant le produit avec de l'alcool oubliaient totalement ce qu'elles avaient pu faire, ou subir, sous son emprise.

Utilisé en sédatif ou pour le traitement des convulsions dans soixante-quatre pays, le produit était interdit aux Etats-Unis, par le ministère de la Santé, depuis 1996. Il était curieux de voir que ce qu'on considérait comme un stupéfiant sur les trois-quarts du territoire américain était traité ailleurs comme un médicament.

— Ce n'est pas Reilly qui lui a fait avaler cette cochonnerie, répéta Marlin pour la centième fois. Il n'était pas encore arrivé à Sanity, jeudi soir, quand les Van Geisen ont organisé ce pot de bienvenue sous le chapiteau.

— Juste, reconnut David. Et s'il lui avait refilée avant que le camion de Fromme soit en panne, AnnaLeigh aurait piqué du nez sur son volant bien avant d'être à destination.

Marlin approuva d'un hochement de tête.

— Celui qui a drogué sa bière l'a en même temps programmée pour jouer un numéro très… chaud.

David posa les clichés sur le dessus d'une armoire à dossiers.

— Pourquoi me demander d'ôter ces photos du mur si c'est pour en parler ?

— Parce que je n'arrête pas d'y penser ! répliqua Andrik en attrapant un crayon un papier tout neuf devant lui.

David commençait à s'inquiéter sérieusement pour lui. Manger de la mine de plomb à forte dose ne devait pas valoir mieux que les quantités de goudron et de nicotine qu'il inhalait à longueur de journée.

— Tu sais, je n'oublierai jamais l'expression qu'a eue Boone quand je lui ai montré ces photos. S'il est innocent de la mort d'AnnaLeigh, il gardera d'elle ce souvenir crapoteux jusqu'à la fin de ses jours.

— En tout cas, expliqua David, quelqu'un s'est donné du mal pour prendre AnnaLeigh en photo et permettre qu'on les découvre. Un beau mobile, mais qui fait double emploi. N'importe quelle personne du cirque pouvait facilement avoir accès au fusil, à la vraie poudre et au mélange inoffensif, et bien sûr aux balles.

Une fois le fusil chargé à l'avance, et le sort d'AnnaLeigh scellé, pourquoi ces clichés pornos ?

Marlin s'était levé. Pensif, il se pétrissait la nuque de ses mains puissantes. Dans les profondeurs de son cerveau, ses neurones s'entrechoquaient en produisant des gerbes d'étincelles. Du moins David se représentait-il les choses ainsi. L'inspecteur principal s'approcha de la portion de mur sur laquelle étaient punaisés des agrandissements des relevés et des télécopies bancaires de Reilly et d'AnnaLeigh.

— Et si Boone nous avait raconté la stricte vérité ?

— A propos de quoi ?

— A propos de tout.

Marlin pivota vers David, un doigt pointé sur lui.

— Réfléchis ! C'est un ancien taulard qui traîne ses savates dans un cirque, un vieux salaud effronté à qui on ne la fait pas. S'il l'avait désiré, il aurait pu nous raconter une histoire bétonnée et sans failles, autrement convaincante.

— Bon, d'accord. Mais où veux-tu en venir ?

— Ce crime découle d'un chantage.

David était sceptique.

— J'ai déjà entendu ça quelque part… Sauf erreur, le shérif Hendrickson te l'a suggéré il y a environ neuf heures…

— Sauf que tu pensais à un maître chanteur menaçant AnnaLeigh d'un : « Si tu ne paies pas, je montre les photos à ton mari ». J'ai une autre idée. Suppose que notre coupable ait dit à AnnaLeigh : « Si tu ne te tais pas, je montre les photos à ton mari ». Ça, ou quelque chose d'approchant.

— Sois un peu plus explicite. Parce que moi, je nage.

— Bon, supposons que les photos ne soient pas un élément d'un coup monté contre Reilly, mais qu'elles aient été prises pour obliger AnnaLeigh à faire, ou ne pas faire, une certaine chose. Quand elle a dit à son maître chanteur d'aller se faire voir, celui-ci a dû passer au plan B.

David sentit ses abdominaux se tendre. Marlin brûlait. Il en avait la certitude.

— Et ton plan B consiste à charger le fusil à l'avance et à l'insu de Reilly, bien sûr, qui a alors sans le vouloir réglé le problème du maître chanteur.

— Tout juste. Et notre bonhomme n'a pas pu s'empêcher de remuer le couteau dans la plaie en laissant en évidence ces photos qui font passer AnnaLeigh pour une grosse allumeuse.

Incrédule et attristé, David secoua la tête.

— Bon sang ! C'est très bas. Infâme.

— Une machination sordide. Reilly fait sans le vouloir sauter la cervelle de sa femme et découvre ensuite des photos où elle s'envoie en l'air avec un autre.

Furieux, Marlin effectua une virevolte et expédia de toutes ses forces son poing contre la porte métallique de l'armoire à dossiers.

— Je veux à tout prix la pourriture qui a monté ce coup !

Accroupie sur l'herbe, Hannah ramassait les débris de la maison de poupée jonchant la pelouse et les laissait tomber dans un sac-poubelle. Soudain, Malcolm planta ses crocs dans l'un des morceaux épars et, brandissant le trophée dans sa gueule, effectua quelques entrechats avant de partir en douce.

— Malcolm ! lança aussitôt Hannah. Rapporte tout de suite ici ce que tu as pris !

Le chien s'immobilisa, laissa échapper une plainte, puis repartit de plus belle.

Si une écharde de balsa se plantait dans sa gorge, il pouvait en mourir. Laissant tomber le sac-poubelle, Hannah se leva d'un bond.

— *Sitz*, bon sang !

Très étonnée, elle vit alors Malcolm-la-fusée inverser la poussée de ses réacteurs, rentrer l'arrière-train et freiner des quatre pattes. Merveilleux ! Hannah le rejoignit et le félicita pour son obéissance.

Elle chercha à saisir la pièce de bois que Malcolm serrait dans sa gueule.

— Allez, laisse, mon bon chien.

Mais Malcolm serrait toujours.

— Eh ! depuis quand manges-tu du bois ? s'exclama-t-elle. Ça ne se fait pas.

Malcolm tira plus fort, avec un *Arrrr* qui signifiait : « Mais si, et cette variété est délicieuse ».

Hannah réitéra son ordre en détachant bien les syllabes.

— Lâ-che-moi-ça-Mal-colm.

Le chien répondit par un *Rrrrrrrr* des plus éloquents.

En désespoir de cause, Hannah résolut d'un venir aux menaces.

— Je le dirai à Reilly.

A croire que celui-ci avait des pouvoirs magiques à distance : Malcolm ouvrit docilement la gueule, puis haleta, la langue pendante et les babines humides. Sa récompense ne pouvait tarder. Or, les biscuits pour chien se trouvaient dans un placard de la cuisine. Hannah prit dans sa poche un rouleau de pastilles mentholées.

— Tiens, mon grand, régale-toi.

Malcolm avala la friandise d'un coup de langue et se figea, avec l'air d'un gourmand à qui on vient de faire engloutir une pleine poignée de piments rouges. Il fila d'une traite vers le bol d'eau posé sur le porche, piétinant au passage la maison miniature, qu'il acheva de casser.

Tant pis. De toute façon, Hannah aurait dû briser les grands morceaux afin qu'ils entrent dans le sac-poubelle. A genoux sur la pelouse, elle rassembla les fragments de la maison, admirant au passage le travail de son concepteur, un vrai maître de la menuiserie doublé d'un étonnant magicien. Des compartiments secrets et des espaces vides avaient été aménagés entre les murs extérieurs et intérieurs, sous le toit, dans la cheminée, sous le plancher. Le travail était si méticuleux qu'on ne discernait rien, sauf maintenant qu'une longue déchirure en diagonale crevassait le bâti et révélait la supercherie.

Les poupées dont parlait Reilly se nichaient ici et là. Hannah imaginait leur ballet insolite fait d'apparitions et de disparitions, au gré de la dextérité du manipulateur. Les enfants du monde devaient adorer ce grand classique de la magie.

Du doigt, elle explora l'une des cavités secrètes de la maison.

— Dis donc, c'est drôlement étroit ! observa-t-elle à voix haute. Pas facile d'en sortir une poupée, surtout sur scène, en faisant bonne figure…

Ses ongles accrochèrent une matière qui, au toucher, ressemblait à du papier. Se servant de ses doigts comme de pinces, elle parvint à remonter l'objet entre les deux parois de balsa.

Une lettre d'amour ? Après avoir jeté un regard furtif d'enfant fautif par-dessus son épaule, et vérifié que personne ne l'épiait, elle exhuma deux feuillets proprement pliés et aplatis afin de s'insérer dans l'étroite cachette. Le rythme cardiaque de Hannah s'accéléra tandis qu'elle parcourait hâtivement la première page. Et quand elle prit connaissance de la seconde, son cœur faisait du trampoline.

Elle se précipita vers la maison. La porte moustiquaire, brutalement repoussée, vibra sur ses gonds. Hannah décrocha le téléphone. Ses mains tremblaient. Elle composa un mauvais numéro. Jura. Raccrocha pour récupérer la tonalité, puis recomposa le numéro.

— Réponds, je t'en supplie, réponds !

La sonnerie retentit deux fois, trois fois.

— Allez, nom d'un chien, décroche donc !

— Al-lô ?

Elle hurla dans le combiné :

— Reilly m'a emprunté mon 4x4 pour aller sur le champ de foire. Venez me chercher, vite, je vous en supplie !

Marlin raccrocha rageusement le téléphone.

— Nom de Dieu !

Il pivota sur ses talons, le visage très pâle et le front couvert de transpiration.

David n'eut pas besoin de demander la raison de sa colère. Il venait d'avoir une petite conversation avec l'avocat général chargé du dossier Boone, et avait appris qu'il n'y avait aucun moyen légal de retenir plus longtemps le cirque Van Geisen à Sanity.

— Et pourquoi, je te le demande ? rugit Marlin. Parce qu'il y aurait entrave au droit du commerce. Mais je m'en contrefous, moi ! Je veux qu'on les garde ici au frais, même sans motif, au besoin à coup d'arrestations abusives et en confisquant leur équipement par-dessus le marché. Je m'en bats l'œil, moi, du quatrième amendement de la Constitution des Etats-Unis d'Amérique. Qu'ils nous attaquent donc devant les tribunaux, les Van Geisen et les autres. Il faut qu'ils restent ici, nom d'un chien !

— On doit bien pouvoir trouver un moyen, lui dit David. Contraventions avec le Code de la santé. Contrôles vétérinaires. Barrages routiers pour en arrêter quelques-uns en état d'ébriété…

Mais Andrik l'interrompit, montrant du doigt le téléphone.

— Tu n'as rien compris à ce que je t'ai dit, ou quoi ? J'ai précisément demandé à Doniphan de dresser des barrages, d'effectuer des contrôles, d'éplucher le Code pénal du comté à la recherche de la moindre petite loi datant d'un siècle ou deux qui permettrait d'agir contre le cirque.

L'inspecteur principal tapa du poing sur son bureau et laissa échapper un soupir.

— Excuse-moi. Je relâche la pression, ou du moins j'essaye.

— Je te comprends, répondit David qui, oppressé lui aussi, avait les côtes aussi serrées que les douves d'une barrique. C'est à croire que tout le monde a des droits, exceptée AnnaLeigh Boone.

— Ouais, c'est le côté pourri du métier.

David n'aurait pas dit ça. L'affaire AnnaLeigh Boone semblait leur échapper, et l'appareil judiciaire donnait parfois l'impression d'avantager légèrement les criminels. Pourtant, le shérif ne pensait pas son métier pourri — surtout quand il voyait l'expression furieuse, puis fébrilement pensive de Marlin. Aussi longtemps que des flics comme Marlin Andrik veilleraient au grain, la grisaille du système ne risquait pas de virer au noir.

La radio que David portait à sa ceinture se mit à crachoter ses parasites annonciateurs d'un message en même temps que le scanner radio du local des inspecteurs. Puis :

— *A toutes les forces disponibles. Police Secours nous signale une tentative de meurtre — arme utilisée, le poignard — sur le champ de foire. La victime se trouve dans la caravane guichet contiguë au chapiteau.*

David et Marlin se précipitèrent vers la porte sans attendre la suite.

— *Identité de la victime inconnue. Ambulance en route. La dernière fois que le suspect a été aperçu, il était à pied et courait vers l'est. Décrit comme un homme de race blanche dans la soixantaine, cheveux rouges, chemise noire, pantalon noir. Pas de précisions sur sa taille.*

A bout de souffle, Hannah avala goulûment de grandes bouffées d'air et empoigna le combiné du téléphone. Elle avait bouclé un Malcolm peu conciliant dans le garage, fermé les portes de la remorque à accessoires, couru à travers la maison pour éteindre les lumières et verrouiller les serrures, sans oublier d'attraper au passage son sac sur la console de l'entrée.

Les doigts moites de transpiration, elle se concentrait à présent sur le cadran téléphonique. Quel était le numéro du portable de David, déjà ? Vite ! Il n'avait fait l'acquisition de ce téléphone que quelques jours plus tôt, et elle ne l'avait appelé qu'une fois. Hannah revoyait le numéro, griffonné au dos d'une carte de visite qui se trouvait… au fond de son sac à main.

Les phares d'une voiture qui remontait l'allée balayèrent la pièce. Hannah raccrocha et se précipita dehors au moment où l'Edsel effectuait déjà le tour de l'allée, devant chez elle.

— Je vous adore, Delbert Bisbee ! lança Hannah en faisant claquer le mousqueton de sa ceinture de sécurité. Et maintenant, à fond la caisse !

Ils quittèrent Valhalla Springs pour rejoindre la nationale. Hannah se souvint d'un vieux slogan selon lequel l'Edsel était « capable d'atteindre les cent kilomètres à l'heure en douze secondes ». Douze secondes après avoir franchi le seuil du village-résidence, elle eut confirmation du bien-fondé de cette affirmation.

— Désolée d'avoir gâché votre soirée, Delbert.

— Vous plaisantez, mon petit ? répondit-il, avec le même sourire que Snoopy aux commandes de son biplan Sopwith Camel. Les réjouissances ne font que commencer.

— Si les Van Geisen et leur cirque ne sont pas déjà en route.

— *Humpf.*

Delbert arracha le coupe-vent qu'il tenait plié sur ses genoux, et qui dissimulait son gyrophare portable. Il s'en saisit, le posa en équilibre sur sa paume et hissa le bras. On aurait dit un garçon de café servant un demi !

— Mon petit, demanda-t-il, voulez-vous traîner derrière ces veaux qui nous ralentissent, ou tailler franchement la route ?

— Ce gyrophare est illégal, Delbert.

— Le meurtre aussi, ma puce.

Argument imparable. Hannah se laissa guider par les instructions de Delbert et fixa le gyrophare sur le dessus du tableau de bord. Puis elle le connecta à l'allume-cigares.

— Veillez bien à ce que le bouton de contrôle soit tourné à gauche, mon petit. Nous voulons obtenir une demi-rotation du gyrophare. Une rotation à cent quatre-vingts degrés illuminerait l'intérieur de la voiture et nous éblouirait.

Hannah suivit les instructions et constata que, même en demi-rotation, le gyrophare de ce sacré Delbert avait tout d'un petit OVNI en miniature.

L'Edsel Citation 1958 couleur turquoise, customisée par Continental et métamorphosée présentement en véhicule d'urgence, ne surprit pas outre mesure le conducteur d'un camping-car Aerostar roulant devant eux, qui se rabattit docilement vers la droite pour les laisser passer. Une Subaru l'imita bientôt, de même que les véhicules venant en sens inverse. Les puissantes accélérations de l'imposante Edsel se faisaient en douceur. Gênée par les reflets du gyrophare, Hannah ne pouvait pas lire le compteur de vitesse. Elle s'en félicita.

— Maintenant que nous volons à notre altitude de croisière, observa Delbert, et si vous me disiez à quoi rime tout cela.

— Je crois savoir pourquoi AnnaLeigh a été assassinée. Si j'ai raison, cela expliquerait qu'elle ait voulu me parler en privé — non par défiance envers Reilly, mais tout simplement parce que je venais de l'extérieur.

— Cela se tient. Et nous savions que le meurtre a nécessairement été commis par quelqu'un du cirque.

Delbert posa un regard insistant sur Hannah.

— Alors, pourquoi l'a-t-on tuée ?

— Pour un billet à ordre d'un montant de deux cent mille dollars à quinze pour cent d'intérêts. Avec prolongation de soixante jours à vingt pour cent d'intérêts.

— Nom d'une pipe de bois ! siffla Delbert entre les interstices de son dentier. Affaire de gros sous et usure façon mafia. Quelle est l'échéance ?

— Aujourd'hui, répondit calmement Hannah.

18.

La Crown Victoria de David, la Chevrolet banalisée de Marlin et une voiture de patrouille débouchèrent ensemble sur le champ de foire en effectuant des embardées spectaculaires.

David n'eut pas le temps de s'inquiéter en voyant le Blazer de Hannah stationné dans un coin sombre, car une bagarre faisait rage plus loin, près du chapiteau. Deux individus tentaient de maîtriser un homme qui se débattait à terre. Le gyrophare d'une ambulance éclairait cinq ou six individus qui couraient vers l'endroit où se déroulait la rixe.

Sans même attendre d'être à l'arrêt complet, David jaillit de son véhicule et, bien campé sur ses jambes, dégaina son Smith et Wesson.

— Bureau du shérif ! Arrêtez ça !

Marlin et l'adjoint Bill Eustace vinrent en appui sur sa droite et sur sa gauche. Trois représentants de la loi contre huit hommes survoltés : rien n'était encore gagné.

— Je veux voir vos mains ! cria David.

Marlin agita son Glock vers les nouveaux arrivants.

— Vous, vous restez ici.

L'un des hommes mêlés à la bagarre, un manœuvre barbu du nom de Pete Peterson, leva les bras.

— On fait rien de mal, shérif.

337

Le second homme se leva, montrant le troisième, qui gisait sur l'herbe.

— C'est sûrement lui que vous voulez, shérif. Il a tué Frank Van Geisen. Tout ce qu'on faisait, c'était l'empêcher de s'enfuir.

— Frank est mort ? s'exclama Reilly Boone en se mettant péniblement à quatre pattes.

Sa chemise noire et ses cheveux rouges étaient maculés de brins d'herbe et de terre.

— Comme si tu ne lui avais pas tranché la gorge ! s'exclama Peterson en lui décochant un grand coup de pied. Gina t'a vu te sauver à toute vitesse de la caravane avec un couteau à la main, espèce de salaud !

— Elle n'a pas pu me voir, je viens juste d'arriver.

Les combattants furent séparés et maîtrisés. Quant aux curieux venus prêter main-forte, ils reçurent l'ordre de se disperser. L'adjoint Eustace prit par écrit les dépositions de Peterson et de Jude Whitney.

Arrêté pour la seconde fois en moins de vingt-quatre heures, Reilly reçut de nouveau lecture de ses droits constitutionnels. Il écouta, ses mains gantées menottées dans son dos.

— Où est Hannah ? demanda David en le poussant vers la Crown Victoria.

— A la maison. Je vous jure, shérif, que je n'ai tué personne.

— Si elle est à la maison, que fait son Blazer sur le champ de foire ?

— Elle me l'a prêté. Appelez-la et demandez-lui, si vous ne me croyez pas.

David et Marlin échangèrent un coup d'œil soulagé.

— Et ces gants, Boone ? interrogea Marlin.

— Ces gants ? Oh ! j'en porte toujours, pour conduire ! Avec mes rhumatismes, j'ai les mains enflées et la peau sensible. Avoir les doigts au chaud soulage la douleur.

David ouvrit la porte arrière de la Crown Victoria.

— Entrez là-dedans, Reilly. Gare à la tête.

Puis il démarra et parcourut la courte distance qui le séparait de l'allée centrale. Reilly ne cessa de clamer son innocence sur tous les tons, jurant qu'il venait d'arriver et qu'il marchait vers la caravane guichet quand Peterson et Whitney l'avaient assailli.

— Ne vous fatiguez pas, trancha David en plaçant son levier de vitesse au point mort. Vous aurez bientôt tout le temps voulu pour me donner votre version. En attendant, prenez vos aises, je risque d'être un peu long.

— Mais je n'ai rien fait !

La portière claqua.

Deux hommes des secours sortirent de la caravane en portant un brancard. Frank Van Geisen était allongé dessus, sa chemise et une des jambes de son pantalon imbibées de sang. Comment avait-il pu en perdre autant sans mourir ? En tout cas, il y avait de l'espoir, puisqu'il était sous perfusion.

Vera poussa un cri déchirant et bouscula les curieux attroupés près de l'ambulance. Elle se jeta sur son mari en sanglotant.

— Oh ! mon Dieu ! oh ! je vous en supplie, ne le laissez pas mourir !

Son poids fit chanceler le brancard sur le côté. Les ambulanciers, affolés, tentèrent de rétablir l'équilibre et de poursuivre leur route.

— Eloignez-la de nous, faites-la partir !

David voulut venir à la rescousse, mais il se trouvait placé du mauvais côté. Ce fut Ernie Fromme qui saisit Vera aux épaules et la tira en arrière.

— Laissez-moi, laissez-moi ! hurla-t-elle en gesticulant.

Tandis que Fromme la traînait vers l'arrière, Vera continua de se débattre, et elle finit par s'effondrer contre lui, sanglotant.

La mine sombre, les curieux se reculèrent en silence pour permettre à l'ambulance de manœuvrer. David suivit Marlin dans la caravane guichet. L'inspecteur principal examina d'abord le minuscule local d'une dizaine de mètres carrés, où s'entassaient du matériel, des meubles de rangement et des colis prêts à être expédiés.

Il y avait du sang sur la chaise et le plancher. Différents papiers administratifs et quelques liasses de dollars tachés d'hémoglobine gisaient en vrac sur le bureau. Compte tenu de l'exiguïté des lieux, il était difficile de dire si Frank s'était empoigné avec son agresseur : ce désordre pouvait être le fait de l'équipe de secours.

— Tu avais raison, David, admit Marlin.

— Raison à quel propos ?

— Je n'aurais pas dû suspendre Phelps aussi vite, car nous sommes en sous-effectif, maintenant. Bon, on sort de la caravane, patron. Je délimite un périmètre de sécurité jusqu'à ce que Jimmy Wayne arrive. Pas question que je fasse cavalier seul avec tout cet argent liquide dans les parages.

David approuva. Les éventuels indices ne s'envoleraient pas. En revanche, il était urgent de faire la chasse aux éventuels témoins : livrés à eux-mêmes, ces derniers confronteraient leurs versions respectives, ce qui risquait de fausser leurs déclarations. La mémoire humaine a horreur du vide, David le savait, et un témoin se laissait volontiers aller à broder et inventer des détails qui n'existaient pas.

Au bas des marches du petit escalier, Marlin était séjà en train d'apposer sur la porte un ruban jaune : « Police. Accès interdit ».

— Maintenant que j'y pense… dit-il à David.

Mais Vera Van Geisen se précipita vers eux et lança d'un ton menaçant.

— Shérif Hendrickson !

Les yeux rouges et gonflés, elle tremblait. Elle avait du sang sur la joue et les cheveux, là où elle avait été en contact avec le torse de son mari.

— Shérif, combien d'autres personnes Boone devra-t-il tuer pour que vous l'enfermiez une bonne fois pour toutes ?

Sirène hurlante, la grosse ambulance déboucha à toute vitesse dans First Street, laissant dans son sillage le halo lumineux rouge et hachuré de son gyrophare. Le véhicule doublait comme il pouvait les autres voitures.

Delbert, qui arrivait en sens inverse, fit une embardée pour l'éviter, mordant de ses roues avant les pavés du bas-côté. Hannah se tourna sur son siège pour suivre des yeux le véhicule de secours à travers la vitre arrière. Son estomac se contracta. L'ambulance pouvait venir de n'importe quel autre endroit du comté, mais ils étaient dans les parages de Old Wire Road, donc du champ de foire.

— Il s'est passé quelque chose au cirque, dit-elle à Delbert.

Il ne lui demanda pas d'où elle tenait cette certitude. Même des misogynes confirmés dans son genre se fiaient à l'intuition des femmes — et d'autant plus lorsqu'ils respectaient les femmes en question.

Une voiture de patrouille, suivie d'un véhicule de police banalisé, les doubla à toute vitesse. Agrippé à son volant, Delbert mit le pied au plancher. Il ne ralentit que pour virer dans le chemin menant au champ de foire.

— Pas de parking ! lança-t-il. Cap sur le grand chapiteau !

— Entièrement d'accord, répondit Hannah.

Normalement, elle aurait dû être malade de peur. Elle était ballottée de droite à gauche tandis que Delbert slalomait follement entre les tables de pique-nique, les stands et attractions montées en prévision des Journées du Cornouiller, sans oublier le bloc des parpaings des toilettes publiques.

Mais l'excitation gommait ses craintes.

Soudain, elle découvrit le cœur du champ de foire, où brillaient des lumières. Elle aperçut aussitôt, autour de la caravane guichet, le ruban jaune de la police délimitant un périmètre de sécurité. Un adjoint du shérif et un policier étaient en discussion avec plusieurs artistes massés autour de la voiture de David. Si la majorité des curieux attroupés gardait un silence prudent, certains semblaient menaçants, comme en témoignaient des gestes assez vifs.

Hannah découvrit à l'arrière de la Crown Victoria ce qui causait la colère de cette petite foule.

— Oh non ! s'écria-t-elle. Ça ne va pas recommencer !

Delbert parvint à glisser son Edsel entre deux rangées d'hommes d'équipes visiblement très remontés.

— Allons, ma puce, il est toujours préférable de savoir Reilly dans la voiture du shérif plutôt que dans l'ambulance.

Hannah se passa la main dans les cheveux.

— Vous allez encore crier à l'illogisme des femmes, Delbert, mais à présent que je sais Reilly non coupable, j'aurais presque préféré le savoir blessé, emporté dans cette ambulance, plutôt que de nouveau accusé de je ne sais quoi.

Delbert grogna.

— En tout cas, la victime n'est pas non plus Vera Van Geisen. Regardez là-bas. On dirait qu'elle donne du fil à retordre à ce pauvre Jimmy Wayne McBride.

Dans sa tunique à paillettes violettes, vertes, safran et cramoisi, Vera évoquait une tourbillonnante aurore boréale. Acculé, McBride hochait la tête, les mains levées en signe d'apaisement, tout en reculant au fur et à mesure que la furie moulinait l'air de ses bras.

Plus loin, Marlin recueillait le témoignage de Gina Zandonatti. Son mari, Vincente, portait la petite Francesca pendant qu'Arlise Fromme faisait des câlins à Nicky. David était pour sa part en discussion avec Johnny Perdue. Tels des gardes du corps, les autres clowns veillaient sur leur leader. Sans connaître tous les membres du cirque, Hannah s'aperçut rapidement que Frank Van Geisen manquait à l'appel.

Après avoir éteint le gyrophare ventousé sur le dessus du tableau de bord, Delbert coupa le contact. Par un effet de persistance rétinienne, une brume écarlate obscurcissait encore le champ de vision de Hannah. Elle n'aurait pas repéré King Kong à cinq mètres, et encore moins un patron de cirque au physique passe-partout.

— Vera participe à un des numéros du cirque ? demanda Delbert.

— Non, elle s'occupe des finances et de la vente des billets, lui expliqua Hannah.

— Elle est drôlement attifée, dans ce cas.

Expert en la matière, Delbert portait un pantalon écossais à carreaux marron et noir rappelant le plumage d'une sarcelle, avec une chemise bleu marine à manches longues et à col montant affichant d'insolites rayures verticales orange vif. Un coupe-vent estampillé « Valhalla Springs » complétait cette tenue de séducteur dans le plus pur style Delbert.

— Dites, ma puce, s'enquit-il, vous comptez rester dans mon Edsel et essayer de deviner ce qui s'est passé ? Ou vous préférez m'accompagner sur le terrain pour tirer les choses au clair ?

Hannah sortit de sa torpeur tandis que Delbert lui ouvrait la portière. Elle le suivit. Pas très loin, puisqu'ils butèrent contre une bonne âme d'un mètre quatre-vingt-dix disposée à satisfaire leur curiosité.

David, car c'était lui, considéra d'un œil soupçonneux les cheveux verts du seigneur de Valhalla Springs. Il ne semblait pas très heureux de les voir tous les deux.

— Que se passe-t-il ? demanda Hannah. Pourquoi Reilly a-t-il été arrêté ?

David hésita.

343

— Ecoute, je n'ai pas le temps de faire dans la dentelle ni de me disputer avec toi, ce soir.

Il ne mâchait pas ses mots, mais gardait la mesure. Autrement dit, Hannah devait s'attendre au pire. A l'évidence, Reilly allait avoir besoin des services d'un avocat.

— Frank Van Geisen a été poignardé en pleine gorge alors qu'il comptait la recette du jour dans la caravane guichet. Un témoin a vu Reilly tenant ce qui semblait être un couteau à la main et quittant la caravane pour s'enfuir en courant vers le parking. Plusieurs employés du cirque se sont lancés à ses trousses. Ils ont perdu sa trace, puis l'ont retrouvée. Nous sommes arrivés alors qu'ils le maîtrisaient. L'adjoint Eustace a découvert un coupe-papier ensanglanté sur le sol, entre la caravane et le champ où Reilly a été capturé.

Hannah sentit un goût de bile dans sa bouche. Reilly avait lui aussi compris qui était responsable de la mort d'AnnaLeigh et décidé d'appliquer la sentence biblique : « Œil pour œil et dent pour dent ».

— Van Geisen est-il mort ? demanda Delbert.

— Il était en vie quand l'équipe de secours l'a sorti de la caravane, expliqua David. Je ne saurais dire la gravité de sa blessure, mais il a perdu beaucoup de sang. Vera est devenue hystérique en voyant son mari. Elle le croyait mort et s'est jetée sur le brancard.

— Tiens, tiens, fit Delbert.

— Qui est le témoin ? s'enquit Hannah.

— Gina Zandonatti, et bien contre son gré.

Oubliant le devoir de réserve et son étoile de shérif, David prit affectueusement Hannah par les épaules.

— Je suis désolé, mais l'opérateur m'a fourni le signalement du suspect. Il ne pouvait s'agir que de Reilly.

— Etonnant qu'une telle description ait pu être donnée par radio, avant même que vous soyez arrivés ici, observa Delbert.

— Celui qui a appelé Police Secours pour signaler l'agression a aussi donné une description de l'agresseur en fuite, répliqua David en jetant un coup d'œil à sa voiture.

La voix de Vera s'éleva de l'allée centrale, entre les stands et les attractions de la foire.

— J'exige d'être immédiatement conduite à l'hôpital où ils ont emmené mon mari. Il est peut-être en train de mourir. Ou même déjà mort ! Mais vous vous en fichez bien. Personne ne peut m'interdire d'aller le voir.

Hannah sortit de son sac les deux feuillets découverts dans la maison de poupée. Une heure ! Soixante malheureuses minutes. Si seulement elle avait trouvé ces documents plus tôt, Reilly aurait été innocenté des charges de meurtre qui pesaient sur lui. Si seulement elle avait écouté son instinct et insisté avec force pour l'accompagner…

— Hé ! la rouquine, que tenez-vous à la main ? demanda Marlin en remarquant son air catastrophé. Un contrat de location auto exceptionnel signé de qui-vous-savez ?

Devant son air ahuri, il montra du pouce la voiture de Delbert.

— Je parle de ce carrosse immatriculé QE II. Même le garagiste n'a pas le droit d'y toucher sans avoir souscrit une assurance spéciale.

— Je ne l'ai pas empruntée. Delbert m'a conduite ici, répondit Hannah en cherchant fébrilement du regard le propriétaire du carrosse en question.

— Ne t'en fais pas, rétorqua David avec une certaine sécheresse de ton, il ne s'est sûrement pas perdu.

Hannah lui tendit les deux feuillets du billet à ordre.

— En attendant, j'ai trouvé ceci. Voilà pourquoi AnnaLeigh a été assassinée. Et pourquoi Delbert et moi sommes venus ici en quatrième vitesse. Ces papiers étaient dissimulés dans l'un des accessoires de scène de la remorque de matériel.

— Ah ouais ? grogna Marlin en coulant un regard torve en direction de David. Phelps est supposé avoir fouillé cette remorque… Je vais me débrouiller pour le faire muter quelques mois à Alcatraz. Peut-être même à vie.

Ignorant l'éclat de l'inspecteur principal, Hannah poursuivit :

— Si j'avais déniché ces papiers plus tôt, nous ne serions pas tous ici.

Après avoir parcouru les documents, David secoua la tête.

— Voilà pourquoi Reilly a essayé de tuer Frank ! Il a dû comprendre que Van Geisen avait chargé le fusil à l'avance pour qu'il le débarrasse d'AnnaLeigh juste avant l'échéance de ce billet à ordre. Frank devait lui rembourser deux cent mille dollars. En cas de non-respect de cet engagement, Van Geisen perdait cinquante et un pour cent de son cirque au profit d'AnnaLeigh.

— Cela explique aussi ce trou de deux cent mille dollars sur le compte d'AnnaLeigh. Logique, puisqu'elle avait prêté la somme à Van Geisen.

— Sauf que Reilly l'ignorait, compléta David. Sa signature ne figure pas sur le billet à ordre. Il s'agit d'un contrat entre AnnaLeigh et Van Geisen.

Marlin fit jaillir une cigarette de son paquet et réussit à la happer au vol entre ses lèvres.

— Merci, la rouquine, merci beaucoup. J'ai maintenant deux affaires du genre tordu sur les bras : meurtre et tentative de meurtre…

Il ponctua sa phrase en allumant sa cigarette avec son briquet. Hannah frémit. Elle avait pensé que les deux feuillets du billet à ordre sonneraient le glas des accusations pesant sur Reilly. Ce n'était plus aussi simple. S'il était tiré d'affaire pour le meurtre d'AnnaLeigh, il risquait de se retrouver au centre de la souricière dans l'éventualité où Frank mourrait. Hannah gardait pourtant un brin d'espoir. David et Marlin semblaient considérer la culpabilité de l'illusionniste avec une certaine prudence.

Ils rejoignirent la Crown Victoria. Hannah se pencha et aperçut le profil de Reilly, déformé par la courbure du verre des vitres de la Crown Victoria.

— A quelle heure Frank a-t-il été attaqué ? demanda-t-elle.

— Environ 21 heures, répondit David.

— Sois plus précis. Cinq minutes avant, dix minutes après ?

— 21 heures, à plus ou moins une minute.

— Selon Gina Zandonatti, remarqua Hannah.

Marlin fit tomber la cendre de sa cigarette.

— Oui. Et plusieurs autres témoins ont entendu Gina crier.

— Reilly n'est pas parti de chez moi avant 20 h 45, Marlin. Il n'aurait pas pu faire le trajet depuis Valhalla Springs jusqu'ici et poignarder Frank en quinze minutes.

— Tu es certaine qu'il est parti de chez toi à 20 h 45 ? demanda David.

— A une minute près, oui. J'en suis absolument sûre. Il est sorti sur le porche à 20 h 40. Il s'en voulait d'avoir dormi si longtemps. Vera lui avait téléphoné pour lui fixer rendez-vous au cirque. Il a insisté pour m'emprunter le Blazer. Nous nous sommes presque disputés.

D'un geste rapide, l'inspecteur principal Andrik saisit les poignets de Hannah et vérifia qu'elle ne portait pas de montre.

— Je sais, soupira-t-elle. Et même si j'en avais porté une, je ne l'aurais sans doute pas consultée quand Reilly s'est réveillé.

David contempla pensivement la sienne, du moins celle qu'il mettait avec son uniforme, un cadran compact en plastique noir hérissé de gadgets. On aurait dit qu'il comptait les secondes.

— Je sais à quoi tu penses, murmura Hannah. Et tu as mille fois raison. Si Reilly a annoncé lui-même l'heure qu'il était, cela n'a pas de valeur et ne constitue pas un alibi.

— Pas pour un flic, en tout cas, souligna Marlin. D'un autre côté, Reilly était-il assez malin pour tenter un tel coup ?

Il tira sur sa cigarette et évacua la fumée par un coin de sa bouche, afin de ne pas incommoder Hannah.

— Le fait est que nous autres flics, on arrête assez rarement des Einstein…

— D'accord, admit Hannah. Mais expliquez-moi pourquoi il m'aurait utilisée comme alibi pour tuer Frank, à l'heure précise où il m'avait dit avoir un rendez-vous avec Vera ?

David intervint.

— Vera prétend que c'est Reilly qui a fixé l'heure de la rencontre. Il aurait appelé Frank dans l'après-midi pour lui réclamer son cachet en souffrance.

— Bien sûr ! s'exclama Hannah. Là encore, c'est elle qui le dit.

Du doigt, elle désigna la caravane.

— Si j'étais vous, j'irais poser des questions à Vera concernant ce prêt lié au billet à ordre. Si Reilly n'est en effet pas Einstein, vous l'imaginez forger ces documents de toutes pièces, histoire d'offrir un cirque à AnnaLeigh pour son Noël ?

L'éclat de Hannah ne parut surprendre aucun des deux hommes. Ils étaient désormais habitués à ses sorties parfois musclées.

David donna les deux feuillets du billet à ordre à Marlin.

— Tu te charges de l'interroger. Mme Van Geisen te déteste quand même moins qu'elle me déteste.

— Tu parles !

Jetant son mégot encore incandescent dans l'herbe, l'inspecteur principal l'écrasa sous sa semelle en crêpe.

— Au fait, reprit-il, j'étais venu te dire qu'Eustace a conduit Vera à l'hôpital, sur mon ordre.

David réagit violemment.

— Comment ça ? Alors que ni toi ni Jimmy Wayne n'avez eu le temps d'examiner en détail la caravane où s'est produite l'agression ?

— Hé ! du calme, shérif ! Si j'ai favorisé l'évacuation de Vera, c'est qu'elle n'arrêtait pas d'importuner Jimmy Wayne et l'empêchait de faire son boulot. Impossible de se débarrasser d'elle. Et avec ses cris, elle rendait les employés du cirque nerveux, si tu vois ce que je veux dire : ils pensaient qu'on empêchait leur patronne d'aller assister son mari blessé.

Un garçonnet approcha. Il s'agissait d'un des jeunes acrobates sur vélo, à peine âgé de douze ans. Du doigt, il montra le terrain s'étendant à l'arrière du chapiteau.

— Monsieur… euh, et madame, excusez-moi, mais M. Bisbee il m'a dit de venir vous chercher.

Marlin se fâcha.

— Tu peux dire à ce M. Bisbee que…

Le garçonnet le coupa.

— Il veut vous montrer quelque chose, monsieur. Il dit que c'est très important.

Hannah prit l'initiative.

— Conduis-nous jusqu'à lui.

Puis, s'adressant aux autres :

— Delbert a ses bizarreries, mais jamais il n'aurait envoyé ce garçon si ce n'était pas important.

Tous suivirent le jeune équilibriste à travers un dédale de stands, puis dans le campement, jusqu'à l'aire de pique-nique, avec ses tables, près de la rivière. Gesticulant autour d'une haute poubelle, Delbert, Johnny Perdue et ses sbires agitaient des torches électriques qui faisaient naître sur leurs visages des reflets orange dignes d'un film d'épouvante.

— Vous avez intérêt à nous en donner pour notre argent, Bisbee ! prévint Marlin.

— Regardez !

David et Marlin jouèrent des coudes pour s'approcher de la poubelle. Delbert remua les détritus à l'aide d'une branche, tandis que Johnny l'éclairait avec sa lampe.

— Bon sang ! s'exclama David, qui inspira longuement, puis chassa l'air de ses poumons.

Il se redressa d'un bloc.

— Vous n'avez touché à rien, j'espère.

— Bien sûr que non ! répondit Delbert d'un ton offensé. Par tous les saints, même le dernier des imbéciles sait qu'il ne faut pas déranger les indices dans le cadre d'une enquête criminelle.

— Messieurs, si vous permettez…

Hannah se fraya un passage entre David et Marlin.

— Bien sûr, la rouquine, à vous le plaisir. Mais attention de..

— Je ne toucherai à rien, promis.

Les mains croisées dans le dos, Hannah se pencha sur le réceptacle cylindrique. Elle se figea en apercevant, jetées sur une couche de boîtes de soda vides, de steaks carbonisés, de paquets de chips vides, une perruque d'un rouge un peu plus clair que les cheveux de Reilly et une paire de gants ensanglantés.

— J'ai pris ce M. Bisbee pour un fou quand il nous a demandé de l'aider à fouiller toutes les poubelles du champ de foire, expliqua Johnny.

— C'est pas à toi qu'il a demandé d'aller vadrouiller à l'intérieur des bennes à ordures, derrière le campement ! lui lança Jazz en gloussant.

Avec un regard compréhensif, Marlin enfila une paire de gants en latex.

— Pour la petite histoire, on peut savoir ce qui vous a donné l'idée ? interrogea-t-il.

Delbert agrippa les revers de son coupe-vent et prit la pose.

— Pour tout vous dire, inspecteur, cette grandiose initiative m'est venue tout à l'heure, pendant que Hannah et le shérif parlaient ensemble. Je surveillais les abords lorsque j'ai remarqué que tous les gens du cirque étaient en tenue de travail — tous sauf Vera. J'ai pensé qu'elle n'avait pas eu le temps de se changer, mais cela n'expliquait pas le choix d'une tenue aussi voyante.

— Je vois, murmura Marlin en sortant de la poche de son manteau un sac en papier brun, dans lequel il glissa les gants, avant de le refermer aussitôt.

— Je me suis aussi demandé par quel sortilège Reilly avait pu boucler la distance séparant Valhalla Springs du cirque en moitié moins de temps que Hannah et moi, alors que ma voiture était équipée d'un gy... enfin, que je circulais à bord d'un véhicule beaucoup plus rapide. Autre chose : la personne qui a prévenu Police Secours a si bien décrit l'assaillant de Frank que le shérif savait, avant même d'arriver sur le champ de foire, qu'il s'agissait de Reilly. Curieux, non ?

David, qui bouillonnait d'impatience, poussa légèrement Hannah du coude. Elle lui adressa une mimique indiquant que les retraités des postes n'étaient pas les seuls orateurs à rendre fou leur auditoire, à force de tourner autour du pot...

— Enfin, acheva Delbert, je suis allé faire un tour près de la voiture du shérif, et j'ai bien regardé Reilly à l'arrière : chemise noire, pantalon noir, exactement la tenue de Vera — à part cette blouse aux couleurs extravagantes qu'on peut repérer à deux kilomètres. Et comme par hasard, personne ici ne porte de chemise noire à manches longues, conclut-il en agitant la main vers Jazz. Regardez ! Ils ont des T-shirts, mais à manches courtes.

Marlin retourna la perruque de façon à en examiner l'intérieur.

— Eclairez-moi bien pendant que je regarde, ordonna-t-il à Johnny.

David s'impatientait.

— Mais quel rapport entre le contenu des poubelles et l'agression dont Frank a été victime ?

Delbert buvait du petit lait.

— Voyons, shérif, va-t-il falloir tout vous expliquer ? Ces poubelles recèlent tout simplement des indices criminels capitaux.

— Bisbee pense que Vera s'est déguisée en Reilly pour que tout le monde le croie coupable à sa place, expliqua Jazz, jouant pour l'occasion les interpètes. Et elle a dissimulé son déguisement pas loin du campement.

Delbert eut brusquement les yeux exorbités, comme s'il s'était électrocuté.

— Dites donc ! C'est à moi que le shérif pose les questions !

Jazz lui adressa son plus beau sourire.

— Sûr, mais le temps presse. On a une représentation à Topeka demain après-midi.

— David ! appela Marlin. Viens voir par ici. J'ai l'impression que ce vieux singe de Bisbee a tapé dans le mille.

— Vieux singe ! ?

Du bout de sa pince brucelles, Marlin venait de happer un cheveu blond et bouclé adhérant à la coiffe de la perruque.

— Qu'en penses-tu ? Cela ressemble fort à l'indice qui nous manquait.

Hannah s'éclaircit la voix.

— Je ne voudrais pas casser l'ambiance, mais pourquoi Vera aurait-elle voulu tuer Frank ?

Delbert poussa un long mugissement.

— Mais parce qu'elle *est* mariée à lui, pardi !

Marlin haussa les épaules avec fatalisme.

— Oui, la rouquine, et c'est une raison amplement suffisante.

Depuis le troisième étage de l'hôpital, on avait une vue imprenable sur le monde. Celui-ci était encore prisonnier d'une brume légère d'un gris lavande annonçant le jour naissant.

Frank Van Geisen était moitié allongé, moitié assis sur son lit. Ses doigts couraient avec rapidité sur le clavier d'un ordinateur portable posé sur ses genoux. Malgré les intraveineuses plantées dans chacun de ses bras, il tapait déjà depuis de longues minutes. Quant à l'épais bandage qui protégeait sa gorge, il ne semblait pas le gêner.

Près de son chevet, une sténographe attachée au greffe du tribunal prenait note du moindre mot qui apparaissait sur l'écran. Si la victime était incapable de prononcer un mot — et ne pourrait d'ailleurs peut-être jamais plus parler —, rien ne lui interdisait de témoigner par écrit.

Marlin et David s'étaient plantés dans le couloir, les bras croisés. Ils baignaient encore dans l'éblouissement des derniers développements de l'enquête.

Marlin rompit le silence.

— Tu sais, je n'en reviens toujours pas que tu aies eu la présence d'esprit de faire de Claudina ton adjointe par téléphone.

— A la guerre comme à la guerre ! Je ne sais même pas si j'en avais le droit.

— Toujours est-il que son témoignage sera capital.

L'inspecteur principal jeta un coup d'œil au bureau des infirmières et baissa la voix.

— Tu ne sais pas tout : Bill Eustace a cru mourir quand Claudina lui a dit qu'elle était pour un temps son équipière.

L'opératrice en chef du bureau du shérif s'était présentée à l'hôpital, vêtue d'un paréo phosphorescent et chaussée de tongs mauve. Peu importait. Que Dieu la bénisse ! Elle avait répondu « présente » au S.O.S. du shérif, et c'était cela qui comptait. Claudina aurait pu venir en chemise de nuit et en chaussons ornés de l'effigie de Bugs Bunny, ou même coiffée d'une forêt de bigoudis : David s'en moquait. Il lui vouait une reconnaissance éternelle.

— Je n'ai pas eu le choix, expliqua-t-il. Les responsables du recrutement des adjoints au shérif semblent fâchés avec le beau sexe. Or, Eustace ne pouvait pourtant pas suivre Vera dans les toilettes réservées aux femmes…

— Si Claudina accepte de se mettre à la diète et de perdre une cinquantaine de kilos, j'accepte sa candidature à un poste d'inspecteur.

— Quel tact, Marlin ! Figure-toi que je lui ai fait la même proposition — un peu plus en douceur. Elle affirme avoir maigri d'au moins cent kilos depuis qu'elle a divorcé de l'individu méprisable qu'elle avait épousé.

— Et la rouquine ? Tu crois qu'elle serait intéressée par une place d'inspecteur ? demanda Marlin en penchant la tête, pensif.

— Apprends que Mlle Garvey a un vrai prénom. Et sache pour ta gouverne que Hannah Garvey n'a pas l'intention de faire carrière dans la police.

— Tu lui as demandé ?

David sourit.

— A compter d'aujourd'hui, Claudina va entreprendre un régime d'enfer. Quand elle s'est précipitée dans les toilettes où Vera tentait d'effacer les taches de sang sur son chemisier, j'ai cru voir en action un agent du FBI — et encore, un vieux de la vieille qui aurait déjà arrêté des centaines de criminels endurcis.

Marlin se fendit d'un regard malicieux, montrant qu'il n'était pas dupe du changement de sujet. Il n'insista pas, mais, le connaissant, David savait qu'à la première occasion il évoquerait avec Hannah la possibilité d'une carrière dans la police. Elle prendrait d'abord la chose à la plaisanterie, puis, comprenant qu'il était sérieux, rougirait de plaisir avant de se déclarer trop prise par son job de gérante.

Dans la chambre, Frank continuait de taper sur les touches du clavier, en un lancinant cliquetis. Son témoignage remplirait bien vingt pages dactylographiées en double interligne — soit le double du rapport rédigé par Marlin.

David ne pouvait pas en vouloir à Frank de prendre tant de temps. Chaque mot comptait, notamment le passage où il rapportait les cris de Vera — « Personne ne peut m'arracher Van Geisen. Ni AnnaLeigh, ni vous, ni aucun autre individu ! » — tandis qu'elle plongeait le coupe-papier dans la gorge de son mari.

Rien que d'y repenser, David frissonna.

Frank respirait toujours, quand les secours l'avaient sorti de la caravane. Vera avait joué les hystériques en espérant retarder autant que possible les soins et aggraver l'hémorragie de son mari en se jetant sur le brancard.

— Je ne peux m'empêcher d'être un peu désolé pour lui, admit Marlin.

— Moi aussi, même s'il faut être borné pour ne rien entendre, ne rien comprendre, ne rien voir quand on a une femme qui enchaîne coup tordu sur coup tordu. Dire qu'il aura fallu un meurtre pour que Frank y voie clair et se pose des problèmes de conscience.

— Tu crois qu'il s'est soucié de morale ?

— C'est fort possible, puisqu'il a imprudemment confié à Vera son intention de m'appeler au téléphone pour confesser toute l'histoire, une fois le chapiteau démonté. S'il n'avait pas eu d'états d'âme, Vera n'aurait eu aucun motif de le tuer afin de lui clouer le bec, puis de faire porter en prime le chapeau à Reilly.

Ils se serrèrent contre le mur, pour laisser passer une infirmière qui poussait un appareil à électroencéphalogramme monté sur roulettes. Elle reconnut Marlin et le salua d'un mouvement du menton, mais David eut droit à un long battement de cils. L'inspecteur principal laissa échapper un grognement en levant les yeux au ciel.

David enchaîna.

— Je suis convaincu que Mack Doniphan va mitonner pour Frank une douzaine de chefs d'accusation. Et il en abandonnera la plupart si Frank accepte de témoigner à charge contre Vera.

— Pour cela, il devra d'abord divorcer, non ?

— Pas sûr. Mais, dans tous les cas, il n'aura pas de mal à démontrer des problèmes de carence affective entre eux.

— Ou des différences inconciliables, conclut Marlin en grattant sa barbe naissante. Cruella De Vil et M. Clampin. Ou plutôt, Cruella et Clampin De Vil. Aussi incroyable que ce soit, le pauvre type ne se rappelait même plus son vrai nom !

Frank avait troqué son patronyme — De Vil —, pour celui de Van Geisen quand il avait rencontré et épousé Vera, prenant du même coup le contrôle du cirque alors sous la coupe de ses beaux-parents et d'un oncle de son épouse. Les aînés des Van Geisen étaient partis s'établir pour leur retraite en Autriche, leur pays d'origine, où ils étaient morts quelques années plus tard. C'était grâce à un de ses cousins, là-bas, que Vera était approvisionnée en Rohypnol, le seul médicament qui vienne à bout de ses insomnies.

— Je ne jette pas la pierre à la victime, nota Marlin, mais AnnaLeigh n'aurait pas dû jouer avec le feu.

— C'est certain. Renflouer financièrement Vera en lui prêtant de l'argent à un taux usuraire pour mettre la main sur son cirque n'était pas plus malin que de trafiquer les relevés bancaires afin de ne pas éveiller la méfiance de Reilly. Cela explique peut-être que la signature d'AnnaLeigh ait semblé changée, sur la fiche d'identification bancaire, par rapport à sa signature habituelle sur les chèques. Elle était tellement excitée à l'idée de flouer Vera que sa main écrivait d'une autre manière.

Marlin grogna.

— Une chose est sûre : Reilly n'aurait jamais trempé dans cette combine. Raison pour laquelle AnnaLeigh ne lui a rien dit.

David lui asséna une tape dans le dos.

— Tu vois où mènent les cachotteries conjugales !

— Ouais, tu parles bien comme un foutu célibataire !

Andrik tressaillit et jeta des regards alentour pour s'assurer que personne n'avait pu entendre ses propos. Tranquillisé, il redressa le menton.

— L'essentiel, dans cette affaire, c'est que tout est bien qui finit bien...

— De quoi parles-tu ?

— De Reilly et de Frank, devenus compagnons d'infortune.

— L'enfer est pavé de bonnes intentions, observa David d'un ton sentencieux.

— Le paradis aussi, bien que je préfère l'image de dame Justice juchée sur l'aile de la Destinée... Eh oui, réfléchis. Reilly pressentait qu'AnnaLeigh voulait se débarrasser de lui. Il était bien plus âgé qu'elle et sans avenir professionnel à cause de ses maudits rhumatismes. Il ne se doutait pas que le destin allait redistribuer les cartes.

Marlin changea de posture et continua.

— Il ignorait qu'AnnaLeigh raflerait une part de la société Van Geisen, dont il hérite aujourd'hui.

— Vera emprisonnée à vie — c'est ce qu'on peut espérer —, Frank va avoir besoin d'un organisateur de tournée pendant sa convalescence. Reilly semble être l'homme idéal, d'autant qu'il serait également capable d'endosser son costume de Monsieur Loyal.

Marlin fit claquer sa langue contre ses dents.

— N'oublions pas les funérailles d'AnnaLeigh.

Au vu de sa mine, David comprit qu'il aurait tout à gagner à éviter le sujet. C'était évidemment impensable.

— Je t'écoute, dit-il d'un ton résigné.

— Junior Duckworth est embarrassé, commença Marlin en haussant les épaules. Il se voit déjà raconter sa mésaventure à la prochaine convention des pompes funèbres et jure que personne ne le croira… Pour commencer, AnnaLeigh sera habillée dans son cercueil avec sa tunique de scène ultra sexy et ultra courte. Bon, ça encore, ça passe — Duckworth en a vu d'autres. Mais là où il tique, c'est qu'on doit mettre le corps au frais pendant six mois en attendant la cérémonie.

— Congelé, tu veux dire ? Mais pourquoi ?

— Parce qu'il n'est pas question que les funérailles aient lieu maintenant. La saison du cirque bat son plein. Reilly veut donc passer AnnaLeigh au congélateur et la faire expédier tel un vulgaire paquet à Molalla, où elle sera gardée au frais en attendant que tous les professionnels du cirque aient le temps d'aller se recueillir sur sa dépouille.

Ce fut à David de hausser les épaules. Pour lui, un mort n'était rien de plus qu'un mort, un corps sans vie dont l'âme s'élevait vers un monde meilleur. Il trouvait tout de même un rien macabre qu'on pût ainsi congeler un défunt.

— Je n'ai pas eu le courage de prévenir Junior qu'il est courant d'enterrer des artistes dans leur costume de scène, reprit Marlin. Et si le fait qu'AnnaLeigh soit une femme donne du piment à ce cas particulier, d'autres avant elle ont été congelés. Le médecin légiste de Springfield m'a ainsi confié que le cirque Carden avait frigorifié un dresseur d'éléphants, il y a quelque temps, afin de laisser à la troupe le temps de lui offrir de vraies funérailles.

— Du berceau à la tombe, les gens du cirque sont une race à part et ont leurs propres lois, observa sentencieusement David.

— Tu peux le dire ! Vera est au frais dans la prison du comté et AnnaLeigh dans la glace pour un bon moment. Le rideau peut tomber sur un vieil illusionniste chevauchant aux côtés d'un Monsieur Loyal-qui-a-perdu-sa-voix, sur fond de soleil couchant.

Andrik laissa échapper un ricanement.

— La Justice et la Destinée en route, quel beau chromo allégorique !

A la réflexion, David se dit que Marlin était dans le vrai. Si Reilly et Frank s'associaient, le cirque Van Geisen retrouverait peut-être sa gloire passée. Fallait-il pour autant oublier qu'AnnaLeigh et Vera avaient saccagé la vie d'autrui ?

19.

Hannah s'éveilla exceptionnellement à 16 heures. Les rares fois dans sa vie où elle avait traîné au lit, c'était à cause d'une forte fièvre ou d'un sommeil sous somnifère. Aujourd'hui, la fatigue était responsable de son réveil tardif ; Reilly l'avait quittée un peu avant l'aube.

Et avant d'aller se coucher, elle avait oublié de reconnecter la sonnerie du téléphone et la sonnette de l'entrée.

Encore somnolente, elle se dit qu'un licenciement en bonne et due forme lui pendait au nez. Jack Clancy ne tolérerait pas longtemps que sa gérante paresse ainsi dans la belle maison de fonction qu'il lui avait octroyée.

Et alors, qu'adviendrait-il d'elle ?

— Je pourrais plier bagage et suivre le cirque, proposa Hannah à Malcolm, qui approchait. Je pourrais aussi me présenter au concours de recrutement de la police.

Deux grands yeux brun chocolat la dévisagèrent avec adoration. *Ouaf !* Ce qui signifiait à peu de chose près : « Si tu n'as pas fait tes preuves comme manager de Valhalla Springs, tu réussiras sûrement mieux avec ton costume de clown ou ton uniforme de fliquette ».

— Ah oui ? s'irrita Hannah en nouant plus serrée la ceinture de sa robe de chambre favorite, une véritable horreur en tissu

360

chenille. Eh bien, sache qu'après de tels propos, je n'aurai aucun scrupule à t'enfermer dans le garage le moment venu.

Jusqu'à présent, Malcolm n'avait jamais joué les chiens errants, mais la cérémonie de mariage devait avoir lieu sur les bords du lac de Valhalla Springs, donc non loin de la maison de Hannah, ce qui pouvait l'induire en tentation. En outre, il y aurait sans nul doute Itsy et Bitsy. Or, les deux boules de poils d'IdaClare s'arrangeaient toujours pour le mettre en difficulté.

— Mais si je le fais, lui rappela-t-elle, c'est pour ton bien. Et de ta part, il s'agit d'un noble sacrifice.

Une barre chocolatée dans la poche de sa robe de chambre en guise d'appât, Hannah charria un jerrycan d'eau et un bol rempli à ras bord de croquettes jusqu'aux marches conduisant au garage. Malcolm s'immobilisa à quelques pas du seuil, se demandant sans doute pourquoi son dîner et sa boisson coutumière émigraient de l'office vers ce lieu réservé aux engins motorisés. Sa pose et son regard signifiaient clairement : « Non, ma chère, tu ne me feras pas entrer dans ce piège ».

Hannah contre-attaqua en dépiautant la barre chocolatée, puis en la reniflant comme s'il s'agissait d'un grand cru bordelais. Malcolm se mit à saliver. Hannah s'accroupit et le taquina en déclinant des « miam-miam » sur tous les tons. Séduit, l'animal posa un pied devant l'autre et, la truffe palpitante, suivit sa maîtresse dans le garage. Hannah agita la barre chocolatée et attira le chien vers le fond du local. Quand Malcolm rappliqua, elle s'esquiva vers la sortie et claqua la porte derrière elle.

Cela lui fit drôle d'être seule. Elle refusa de jeter un coup d'œil vers l'endroit où se trouvaient encore voilà peu le camping-car et la remorque de Reilly. Chaque chose en son temps. Elle devait d'abord se débarrasser du cafard qui l'envahissait face à la maison soudain trop grande. Reilly lui manquait.

— Je ne peux pas rester, ma fille, lui avait-il dit. C'est la pleine saison pour le cirque. Mais je reviendrai dès que nous aurons bouclé la tournée. Je te le promets.

Quand il lui avait murmuré ces mots à l'oreille, en l'étreignant fort, elle avait ressenti exactement la même chose que le jour où, petite fille, Reilly lui avait offert une crème glacée dans ce parc de jeux.

— Croix de bois, croix de fer ? avait dit la fillette de neuf ou dix ans qu'elle était.

La veille, la femme de quarante-trois ans avait prononcé les mêmes mots. Le visage de Reilly s'était éclairé. Il semblait heureux. Du doigt, il avait tracé une croix sur le T-shirt de Hannah, avant de lever la main en jurant de revenir.

Cette fois encore, Hannah l'avait cru.

Dans une brume de pensées où passé et présent se mêlaient, elle enfila sa robe bleu nuit, moulante et sans bretelles. Cendrillon le temps d'une soirée à Chicago, elle l'avait portée pour séduire Jack, son Prince charmant, qui lui avait fait essayer une pantoufle dans laquelle son pied n'entrait pas.

Elle virevolta devant sa psyché et dut reconnaître que la robe, en plus d'être toujours aussi belle, lui allait merveilleusement bien. Elle caressa avec volupté la matière qui lui faisait comme une seconde peau. Souriant à son reflet, elle avança un genou coquin et s'encouragea d'un signe de la main.

— Que tu le veuilles ou non, ma cocotte, autant admettre que tu es plus sexy qu'un bataillon de starlettes.

Elle eut un regard inquiet vers la porte de sa chambre. Qui sait si David, ou Delbert, et une équipe de la *Caméra invisible*, n'allaient pas faire irruption en riant à gorge déployée de sa prestation devant le miroir.

Un repli prudent s'imposait. Hannah gagna la commode, près du lit. Elle ouvrit le tiroir inférieur de sa boîte à bijoux pour y prendre le camée assorti au décolleté de sa robe. Mais son cœur s'emballa. Elle sut qu'il n'y était plus. L'avait-elle donné, vendu, perdu ? Aucun souvenir. Elle aurait dû avoir la sagesse d'y faire davantage attention. Comme disait le proverbe : « On regrette toujours ce que l'on n'a plus ».

Chassant sa déception, elle noua autour de son cou les deux extrémités du ruban du décolleté. Puis, d'un mouvement de tête, elle libéra sa chevelure qui cascada sur ses épaules. Pas de doute : Cendrillon Garvey était de retour.

Superstitieuse, elle adressa un avertissement à l'élu de son cœur.

— Shérif Hendrickson, je le jure devant Dieu, si tu me fais faux bond au mariage alors que je suis belle et tout et tout, tes jours sont comptés.

Elle se saisit de la photo de Caroline sur la commode.

— N'est-ce pas, maman, qu'il viendra ?

Et celle qui était, selon Reilly, le portrait craché de Hannah, lui sourit en retour. C'est vrai qu'elles se ressemblaient.

Sur la commode trônait désormais une photo publicitaire sur papier glacé de l'Incroyable Aurélius. Hannah l'avait dénichée la veille dans un vieux carnet, durant la fouille du camping-car.

Reilly lui en aurait sûrement fait cadeau, mais elle avait préféré se l'approprier secrètement, de même qu'il cachait dans son portefeuille des instantanés de Hannah petite fille. De quoi alimenter la thèse de doctorat d'un psychologue…

Le carillon à trois tons de l'entrée la fit sursauter. Elle reposa la photo de Caroline près de celle de Reilly et leur adressa un clin d'œil.

— Soyez sages pendant que je vais au bal. Mon carrosse est avancé.

En la voyant, Delbert en resta bouche bée et recula de trois pas. Puis il s'humecta les lèvres pour lancer un long sifflement admiratif.

— J'ai toujours su que vous étiez jolie, ma puce, mais ce soir, je vous trouve tout simplement *renversante*.

Elle l'observa à son tour de la tête aux pieds. Ses cheveux verts étaient devenus couleur d'écume, une teinte assortie aux motifs pastel de la ceinture de son smoking.

— Et vous, monsieur Bisbee, vous êtes le plus chic des garçons d'honneur.

— Hum ! Ma foi, pour qui apprécie les déguisements de croque-mort, je ne dois pas être si mal.

Il l'invita à s'asseoir dans sa voiturette de golf décorée de fleurs et veilla à ce que le bas de sa robe ne traîne pas sur le sol. Puis, en trois enjambées, il rejoignit le volant, passa la marche arrière pour virer de bord et la marche avant pour sortir de chez Hannah. En filant dans l'allée, la roue avant du véhicule électrique accrocha un petit buisson ornemental.

— Vous me paraissez nerveux, Delbert.

— C'est peu de le dire. Je suis aussi tendu qu'une corde de violon !

— Pourtant, c'est Leo qui se marie, pas vous.

— Réflexe conditionné, Hannah. Je me suis marié cinq fois. Les autels me font peur.

— Une sixième tentative serait peut-être la bonne ?

Cette fois, Delbert perdit le contrôle de la voiturette, dont les roues mordirent le bas-côté herbeux.

— Ecoutez bien, mon petit : si je devais replonger, ce serait parce que le père de ma promise pointerait une escopette sur mes parties viriles.

Le gloussement de Hannah se transforma en hoquet de surprise.

Sur la berge du lac, deux grandes tentes d'un blanc immaculé étaient dressées de part et d'autre d'un long tapis de cérémonie bleu aboutissant à une estrade ceinte d'un dais. Protégés par des pare-vent, des candélabres en bronze aux motifs entrelacés s'échelonnaient sur les côtés. Plus haut, se dressait une tonnelle dont le treillis mêlait lierre, *Gypsophila paniculata*, *Iris germanica* aux longs filaments bleus, mais aussi des rubans et de la dentelle.

De nombreux invités étaient déjà assis sur les chaises pliantes disposées en demi-cercle devant l'estrade. David ne figurait pas parmi eux. Un désagréable pressentiment traversa Hannah comme un frisson. Elle lui avait pourtant parlé plusieurs fois de ce mariage ; mais, si elle y réfléchissait bien, lui n'avait jamais fait le moindre commentaire à ce sujet.

Elle voulut être rassurée.

— David a été invité, au moins ?

Delbert haussa les sourcils.

— Je n'étais pas dans le secret, mais cela m'étonnerait que la fine équipe l'ait oublié.

Le « du moins, pas délibérément » qu'il pensait très fort ne franchit pas ses lèvres et il ajouta :

— Si David ne vient pas, vous vous consolerez, mon petit. La terre continuera de tourner. Et puis, ce n'est pas vous qui convolez, mais Rosemary et Leo.

Cachant tant bien que mal sa déception, Hannah fit mine d'admirer le décor.

— Ces candélabres, ces fleurs… je ne crois pas avoir vu quelque chose de plus beau dans ma vie. Comment Rosemary a-t-elle pu accomplir une telle merveille en seulement trois jours ?

— Mais cela a pris bien plus longtemps ! rétorqua Delbert en s'arrêtant devant la tente située sur la gauche. Voilà cinquante ans que Rosemary Marchetti rêvait d'une telle cérémonie.

— Quel romantique vous faites, Delbert !

Il souleva un pan de la tente pour lui permettre de passer.

— Je n'ai jamais dit le contraire, ma puce.

IdaClare, Marge et Rosemary poussèrent des cris aigus en apercevant Hannah.

— Enfin, la voilà !

Rosemary portait un ensemble discret mais élégant, en satin mat de couleur crème, avec col droit et étroit, assorti à une jupe évasée munie de godets. Cette tenue gracieuse et chic l'amincissait nettement. Elle feignit l'écœurement.

— Personne ne m'accordera la moindre attention car votre robe, Hannah, va aimanter tous les regards.

Hannah la rassura.

— Sûrement pas, Rosemary. La vôtre est ravissante, croyez-moi. Un vrai trésor ! Je n'ai jamais vu une mariée aussi adorable.

A son tour, IdaClare se fit admirer dans son ensemble pervenche. Sa veste courte à pans asymétriques était bordée d'un galon de satin rose. Quelques rangées de perles de cristal et des boucles d'oreilles, aux chauds coloris assortis, complétaient l'ensemble. Sans oublier sa coiffure d'un beau rose pastel.

— Qu'en pensez-vous, Hannah ?

— C'est parfait !

— Exactement ce que je me tue à lui dire ! fulmina Rosemary. IdaClare a peur de ressembler à une grand-mère conviée à la fête du petit dernier, et non à une dame d'honneur.

Marge intervint.

— IdaClare sait qu'elle est fabuleuse… mais cela ne l'empêche pas de quêter les compliments.

— Elle n'est pas la seule à être fabuleuse, affirma Hannah en admirant Marge. Quand je vous vois si belle, je comprends que vous me précédiez dans le cortège.

Marge s'empourpra et virevolta dans son ensemble bleu ardoise. La veste, serrée à la taille à l'aide d'une ceinture, avait des revers et des manchettes ornés de petits diamants. La jupe coupée en A majuscule s'ouvrait d'une fente médiane dévoilant ses jolies jambes.

Hannah approuva.

— C'est très chic. Et les chaussures me plaisent beaucoup.

Marge remonta un peu sa robe afin d'exhiber l'un de ses pieds. Le talon aiguille à contrefort et à lanières était teint pour être assorti à l'ensemble.

— Je ne suis pas très à l'aise, avoua-t-elle. Seules mes chaussures de golf ont des pointes. Sur ces échasses, l'erreur n'est pas permise.

— IdaClare ! lança Rosemary en faisant claquer ses doigts. Je ne te le répéterai pas : rabats cette toile de tente et cesse donc d'épier les invités.

— Mais je n'épie personne ! rétorqua l'intéressée. J'ai simplement besoin d'une bonne goulée d'air frais ! Il fait si chaud, sous la toile.

— Non, il ne fait pas si chaud, mentit Rosemary en s'épongeant le front à l'aide d'un mouchoir en papier.

— Et moi je te dis qu'on fond, ici. Si jamais mon cœur s'arrête de battre à cause de ta stupide lubie, eh bien…

Rosemary prit Hannah à témoin.

— Une lubie ? Mais chacun sait que le futur marié ne doit pas apercevoir sa promise avant de marcher vers l'autel. N'est-ce pas, Hannah ?

— Voyons, il me semble bien que…

IdaClare haussa les épaules.

— Peuh ! Cette coutume est censée symboliser la chasteté des futurs époux. Or, chacun sait ici que Leo et toi êtes comme de vrais lapins depuis des semaines.

Hannah tiqua. Fallait-il que chaque résident du comté de Kinderhook âgé de moins de quatre-vingt-douze ans — exception faite de David et elle, qui étaient voués au célibat éternel — imite sans cesse ce sympathique rongeur aux glandes impatientes ?

— Tu es jalouse, voilà tout, observa Rosemary.

IdaClare allait répliquer par une salve bien sentie quand, soudain, elle hésita puis baissa piteusement la tête.

— Oui, Rosemary, c'est vrai.

Le regard fixé par terre, elle se tordait nerveusement les mains.

— Mais je suis jalouse de Patrick, pas de Leo.

Elle leva les yeux et ses lèvres esquissèrent un pâle sourire.

— Tu sais, Patrick m'a fait promettre de me remarier le jour où je rencontrerais la bonne personne. Un cadeau empoisonné digne de l'Irlandais qu'il était. Difficile de trouver quelqu'un qui lui arrive à la cheville, lui qui me traitait comme une reine.

— IdaClare, je suis désolée.

— Oublie tout ça et pardonne-moi, d'accord ? Je suis si heureuse pour Leo et toi que j'ai envie d'exploser. Oui, je suis jalouse et cela me rend irritable et mélancolique. Mais tu sais quoi ? Si je n'avais jamais connu le bonheur d'aimer Patrick, je ne saurais pas ce que signifie la jalousie.

Elle émit un petit sifflement de dérision.

— Dieu tout-puissant, je n'échangerais pas une année de vie commune avec lui, contre une vie entière passée avec Cary Grant !

Rosemary vint lui déposer un baiser sur la joue.

— Patrick devait être quelqu'un de formidable.

Les premières mesures de la *Marche Nuptiale* filtrèrent à l'intérieur de la tente. IdaClare haussa le ton.

— Patrick *est* toujours formidable, autant que Leo l'est pour toi.

Puis, redressant le menton, ses yeux vifs pétillant de défi, elle ajouta :

— Allons-y, avant que Leo se croie abandonné devant l'autel !

Et, en parfaite dame d'honneur, IdaClare donna ses instructions.

— Hannah, soulevez un coin de la tente et dites-moi quand le pasteur sera en place. Silence, les filles ! Rosemary, rassure-toi, personne ne peut te voir. Marge, redonne du gonflant à tes franges : avec cette chaleur, elles ressemblent à des baguettes de tambour ! Vous trouverez les bouquets sur la table. Chacune attend son cavalier à l'extérieur de la tente. Attention à ne pas vous prendre les pieds dans le tapis de cérémonie — mais inutile de lever les jambes jusqu'au ciel...

Pendant ce temps, Hannah examinait la foule des invités déjà assis. La plupart lorgnaient vers l'entrée, afin de guetter les nouveaux arrivants. Les retardataires étaient condamnés à rester debout, juste derrière la dernière rangée de chaises. Au grand dam de Hannah, aucun shérif brun et baraqué ne se tenait parmi eux.

Pourquoi ne pas solliciter des éclaircissements auprès de Rosemary ? Lui demander si David avait bien été invité ? Non, décida-t-elle. Car si Rosemary avait, par accident, omis son nom sur la liste, elle en mourrait de honte.

Avait-il été trop occupé, toute la journée, pour l'appeler ou pour laisser un message sur son répondeur ? Hannah en doutait. Dans ce cas, était-ce leur conversation d'hier après-midi ? Cette confiance considérable qu'elle avait osé placer en lui ? Ces révélations intimes qui avaient dû éprouver ce grand gaillard autant qu'elle ?

Si longtemps privée de père, elle avait deviné la vérité et cette vérité, loin de lui faire mal, la soulageait. Mais qu'en pensait David ? C'était quelqu'un de bien. Le meilleur ami qu'elle ait jamais eu, mais aussi un être humain avec ses faiblesses...

Qu'on le cache ou qu'on le mette en pleine lumière, un secret pouvait se révéler aussi destructeur qu'une armée en marche.

— Hannah, apercevez-vous le révérend Lang ?

— Euh, oui, parfaitement, IdaClare. Il est arrivé.

La dame d'honneur rajusta une bretelle de son soutien-gorge et sortit pour se diriger vers l'autel. Rosemary traversa la tente et rejoignit Hannah.

— Alignez-vous derrière Marge, Hannah ! lança-t-elle. Je vous dirai quand vous mettre en route.

— Vous n'avez pas peur que Leo vous aperçoive ?

— Je refermerai le rabat de la tente tout de suite après. Leo sera déjà en train de marcher vers l'autel, pour rejoindre les garçons d'honneur. Ensuite, ajouta Rosemary avec un clin d'œil, ce sera à la reine de cette cérémonie de gagner toute seule l'autel.

Elle risqua un œil par une fente de la tente.

— Oh ! regardez, Hannah, comme IdaClare et Delbert sont bien assortis ! Un amour de couple, ne trouvez-vous pas ?

Hannah tempéra intérieurement cet enthousiasme naïf. Sinon un « amour » de couple, ils formaient du moins un tandem charmant.

— C'est à toi d'y aller, indiqua Rosemary, tout en adressant un signe rassurant à Hannah.

Cette dernière respirait les fragrances mêlées de son bouquet en se reprochant sa soudaine nervosité. C'était ridicule. Que redoutait-elle ? Eternelle célibataire aux services des heureux élus, elle jouait pour la dixième fois au moins les demoiselles d'honneur. Pas de quoi s'affoler.

Par-dessus son épaule, elle lança un coup d'œil à Rosemary.

— Quel chanceux aura l'honneur d'être mon cavalier ?

— Walt Wagonner, Hannah. Vous l'avez déjà rencontré, je crois.

Une réponse qui la fit frissonner. Walt Wagonner, avec un « g » et deux « n », avait l'étrange habitude de se présenter en épelant son nom, comme s'il voyait son interlocuteur pour la première fois. Ancien éditeur, aujourd'hui retraité, de l'*Encyclopaedia Britannica*, l'homme présentait en outre une grande ressemblance avec Lurch, le butler de la famille Addam, dans le feuilleton culte.

Lorsque Rosemary lui donna le signal, elle souleva le pan de toile et s'avança de deux pas… pour reculer vivement de trois.

— Surprise ! s'écria Rosemary.

Un homme, grand et large d'épaules, né pour porter avec élégance le smoking noir à revers satiné, lui faisait face. Une chemise blanche en plissés mettait en valeur son teint hâlé et faisait ressortir le bleu de ses yeux. L'homme était aussi séduisant que le péché, fort et entêté, gentil et protecteur, et elle en serait tombée raide amoureuse… si ce n'était déjà fait.

Ils n'échangèrent pas un mot. A quoi bon ? Hannah prit le bras que David lui offrait et tous deux avancèrent vers l'autel. Un rêve ! Un vrai conte de fées. Pourvu que le beau carrosse ne se transforme pas en citrouille ! Mais Hannah avait confiance en elle, en David. Cette fois, la pantoufle était à sa pointure.

Quand ils arrivèrent devant l'autel, la main de David s'empara un court instant de la sienne. Puis ils furent contraints de se séparer, du moins provisoirement. Marge, escortée de Walt Wagonner, son cavalier, murmura à l'oreille de Hannah :

— Tu ne t'y attendais pas, hein ? Mais Rose et Leo vont être encore plus surpris.

En réponse au regard interrogateur de Hannah, Marge montra deux jeunes gens assis dans la seconde rangée, des portraits crachés de Leo, et trois femmes et un homme visiblement apparentés à Rosemary Marchetti. Ces invités-surprise avaient pris la précaution de se cacher derrière d'autres convives, afin de garder secrète leur présence jusqu'à ce que les futurs époux aient prononcé le « oui » de circonstance.

Hannah vit Leo sortir d'un air affairé de la tente réservée aux hommes, passer en coup de vent devant David, puis venir se placer face à l'autel.

La musique caressait de notes chaudes le soleil couchant qui déclinait derrière les collines. Le lac avait pris une teinte cuivrée, et sa surface se ridait de vaguelettes dorées. Dans cette lumière féerique, la mariée approcha et le promis, le visage inondé de grosses larmes, murmura :

— Rosemary, ma chérie adorée !

Quand le pasteur Lang les eut déclarés mari et femme, tous les participants avaient les yeux humides. Leo embrassa si fort sa nouvelle épouse que ses lunettes s'embuèrent ; il ne voyait sans doute plus rien, car elle dut l'aider à descendre de l'estrade. Les jeunes Schnur et la tribu Marchetti convergèrent vers les mariés, les bras levés, la mine joyeuse, visiblement ravis de les voir unis. Au comble de la joie, Rosemary et Leo poussèrent des exclamations à n'en plus finir.

Comme Rosemary l'avait souhaité, Leo et elle prirent la tête du cortège en direction de la salle des fêtes, où avait lieu la réception. Hannah se pendit au bras de David.

— J'imagine que tout le monde, déjà, t'a dit combien tu es belle, dans cette robe, murmura-t-il. Mais d'après moi…

Il marqua une pause, le temps de piquer un baiser sur la tempe de Hannah. Puis il ajouta :

— Ce n'est pas la robe qui te rend belle, c'est toi qui l'embellis.

Hannah déglutit avec peine, crut même s'étrangler, et trouva enfin la force de balbutier :

— Quoi ? Tu veux parler de ce vieux machin ?

David pencha la tête de côté et lui offrit un de ses sourires mi-charmeur, mi-ironique, dont il avait le secret.

— Si nous étions seuls, tu aurais déjà fait glisser cette robe sur tes hanches, n'est-ce pas ?

— Hmm.

— Tu vois, j'ai deviné juste.

Son doigt traça des volutes sur le cou de Hannah.

— Cette veine que tu as là, si délicate, à fleur de peau, ne ment jamais. Ses palpitations trahissent tes pensées.

— Hendrickson, au nom du ciel ! Tu n'es qu'un…

Hannah se mit à rire, étouffant dans sa gorge le mot « idiot », qui allait franchir ses lèvres. Oui, c'était le plus merveilleux des idiots, capable de la faire rire quand et comme il fallait. Hannah s'amusait toujours de la plaisanterie de David lorsqu'ils entrèrent dans la salle des fêtes, totalement transformée pour l'occasion.

Le plafond était décoré de filets bleus mollement suspendus au-dessus des têtes. Une brume blanche, légère, obtenue en ventilant des blocs de glace, flottait au niveau du sol. De minuscules ampoules ambrées posaient des taches lumineuses aux branches de palmiers et de ficus à fleurs roses garnies de filaments.

— Superbe ! s'exclama David en guidant Hannah vers une table de style bistrot, à plateau de marbre. C'est IdaClare, qui a fait tout ça ?

Hannah se sentit coupable.

— Oui, avec l'aide dévouée de ses fidèles amis — moi non comptée. Je n'ai rien apporté de concret dans la préparation de ce mariage.

— Tu n'as pas à te sentir coupable. Rosemary était à bout de nerfs avant la cérémonie, tant elle craignait que tu ne découvres leur surprise. Si tu l'avais vue ! Elle était presque aussi heureuse et excitée de te surprendre que de se marier.

Hannah lissa de la paume un faux pli imaginaire sur la nappe.

— Eh bien… je… j'avoue que je me suis posé des questions en ne te voyant pas parmi les invités.

— Et tu as imaginé Dieu sait quoi, n'est-ce pas ?

— C'est vrai, oui.

David hocha légèrement la tête.

— J'ai envie d'effacer à jamais ce mauvais moment.

Hannah se pencha pour respirer de plus près le délicieux parfum des fleurs d'été qui composaient la couronne porte-bonheur décorant le centre de la table. Tout ce qu'elle aimait ! Elle jeta un regard alentour, nota que les autres tables, plus grandes, prévues pour six à huit invités, arboraient des bougies blanc crème.

— Crois-tu que nous nous isolons un peu trop ? demanda-t-elle à David.

Mais ce dernier ne l'entendit pas. Le petit orchestre engagé pour la soirée entamait les premières mesures du standard d'Anne Murray : *May I Have This Dance for the Rest Of My Life*. Rosemary et Leo, Delbert et IdaClare, Marge et Walt investirent la piste et firent signe à Hannah et David de venir les rejoindre.

Hannah fit non de la tête. David se leva et lui tendit la main.

— M'accorderez-vous cette danse, mademoiselle ?

— Co… comment ? Tu sais valser ?

Elle n'aurait pas été plus surprise si David lui avait annoncé sa participation à un championnat de crochet ou de couture.

— Fais-moi confiance, c'est très facile.

— Mais je ne sais…

David l'interrompit, l'aida à se lever et la prit dans ses bras.

— Regarde-moi. Approche-toi encore, serre-toi. Voilà, ta position est bonne.

D'abord crispée, Hannah se détendit rapidement et eut l'impression de flotter sur un nuage. Les yeux rivés à ceux de David, elle savourait la chaleur de sa main sur sa taille tandis qu'ils tournoyaient harmonieusement au rythme de la musique.

David se pencha et l'embrassa de ses lèvres douces et chaudes. Les autres danseurs, la centaine d'invités bavardant autour d'eux, les serveurs faisant circuler des plateaux chargés de flûtes de champagne… tout disparut soudainement. Ne restait plus que la brûlure de cet interminable baiser. Et quand leurs lèvres se quittèrent à regret, David dévora Hannah du regard.

— Nous ne nous connaissons pas depuis longtemps, mais j'ai l'impression que tu fais partie de ma vie depuis toujours. Nous avons partagé déjà tant de péripéties…

Hannah sourit.

— Entre toi et moi, pas de danger que l'ennui s'installe.

374

— Il faut te dire, Hannah, que je suis plutôt partisan des traditions.

— Continue…

— J'ai eu une petite conversation avec Reilly, ce matin, avant son départ.

— Tant mieux. Il est rude aux entournures, mais c'est quelqu'un de bien.

— J'ai également présenté mes respects à Delbert, cet après-midi.

— Tiens, tiens !

Hannah se sentait fondre.

— Tu sais, ce qui nous est arrivé, à ma première femme Cynthia et à moi, cela arrive assez fréquemment. C'est un échec de taille. Tant mieux, car aujourd'hui je peux… enfin, tu seras la seule à qui j'aurai vraiment demandé…

Hannah suspendit sa respiration, hypnotisée par l'intensité du regard de David, par le ton rauque de sa voix.

— Je t'aime, mon cœur. C'est toi que j'attendais, toi qui manquais à ma vie.

Sans bouger d'un centimètre, David serra Hannah plus fort dans ses bras. Leurs cœurs battaient à l'unisson.

— Veux-tu m'épouser ?

Carla Neggers

Piège
invisible

Mike Parisi est mort. Noyé dans sa piscine. Chargée de lui succéder au poste de gouverneur du Connecticut, Allyson Stockwell reçoit bientôt des appels anonymes, où on la menace de divulguer un secret peu glorieux de son passé sentimental.

De toute évidence, on cherche à la déstabiliser. Son ami Parisi a-t-il fait l'objet d'un ignoble chantage, lui aussi ? Sa mort est-elle vraiment accidentelle ?

Le danger se confirme avec une nouvelle alarmante : ses deux enfants, de onze et douze ans, ont quitté leur camp de vacances pour aller se réfugier chez sa meilleure amie, avocate au Texas.

Ils savent quelque chose, ou alors ont été eux aussi menacés. Une menace en rapport avec son passé ou son nouveau mandat. Sinon ils ne seraient pas allés chercher une protection loin d'elle… Mais impossible d'en savoir plus : ses enfants sont plongés dans un mutisme terrifié. Poursuivie par un ennemi invisible, Allyson n'a d'autre choix que de partir au-devant de la vérité, pour sa survie et celle des gens qu'elle aime. Un parcours qui s'annonce aussi risqué que délicat car, dans le brouillard épais où elle est obligée de naviguer à vue, elle ne sait à qui faire confiance…

BEST-SELLERS N°1

À PARAÎTRE LE 1ᴱᴿ MARS 2004

Rachel Lee

Neige
de septembre

Sa fille a fugué…

Depuis la disparition de l'adolescente, Meg a l'impression de se réveiller d'une longue torpeur. Le choc de la mort accidentelle de son mari, huit mois plus tôt, lui a masqué la détresse de sa fille.

Et en regardant autour d'elle, Meg peut presque comprendre pourquoi Allie s'est enfuie. L'atmosphère de la maison est empoisonnée par les sous-entendus et les reproches muets. Sa propre mère, qui vit sous le même toit, lui fait porter une faute d'avant son mariage, un crime ignoble dont elle se sait innocente…

A présent, Meg ne sait où chercher sa fille. Ne peut même pas se confier à son meilleur ami, qui fut celui de son mari et ne supporterait pas d'affronter certaines vérités. Elle est seule face à son drame, qui est aussi le prix des mensonges et des secrets.

Et si Meg était coupable d'une faute qu'elle-même ne soupçonne pas ?

BEST-SELLERS N°2

À PARAÎTRE LE 1ᴱᴿ MARS 2004

Charlotte Hughes

ARMES SECRÈTES

Une mutation forcée...

Flic de choc à Atlanta, Frankie Daniels se voit mutée dans un trou perdu de Caroline du Sud pour avoir eu la mauvaise idée de coucher avec son co-équipier — un homme marié, père de trois enfants, et... gendre du commissaire.

Une citadine à la campagne

Arrivée sur place, elle entreprend de montrer à ses collègues de la campagne l'étendue de ses talents, persuadée qu'un flic des villes vaut mieux qu'un flic des champs. Quelle n'est pas sa surprise de constater qu'elle se distingue surtout par ses maladresses et ses faux pas.

Un allié inattendu...

Son supérieur lui-même finirait par la traiter avec condescendance s'il ne lui faisait l'honneur de lui trouver du charme... Une lame à double tranchant. Succomber à la tentation lui vaudrait peut-être un bagne plus reculé encore !

Le défi de sa vie

Non, décidément, elle n'est pas faite pour la campagne. Ou alors, il lui faudrait être carrément différente — moins soupe au lait, plus accessible. Concilier une poigne de flic et un cœur de femme. Une transformation radicale. Autant dire impossible. La voilà confrontée au défi de sa vie...

BEST-SELLERS N°3

À PARAÎTRE LE 1ER MARS 2004

Ann Major

Le prix du scandale

Une passion impossible…
Entre Ritz Keller et Roque Moya-Blackstone, la passion est
foudroyante. Impossible, aussi. Car la rivalité qui oppose leurs
familles de grands propriétaires texans condamne d'avance
toute union. Et de toute façon, Roque n'a pas les atouts du
mari idéal, avec sa dégaine de Latino rebelle héritée d'une mère
mexicaine…

Un destin implacable…
Pour tenter de contrer le destin, Ritz a pour allié le demi-frère
de Roque, Caleb, avec qui elle œuvre pour la réconciliation
des Keller et des Blackstone. Hélas, un soir, Caleb meurt dans
un accident de voiture et Ritz, accusée de ce drame par les
Blackstone, voit tous ses espoirs s'envoler.

Le prix du scandale…
Ritz et Roque font leur vie, chacun de son côté, et ne se
retrouvent que lorsque le hasard les pousse dans les bras l'un
de l'autre. Entre contraintes conjugales et malentendus, leur
passion a du mal à se frayer un chemin. Jusqu'au jour où Roque
décide de s'installer durablement dans la vie de Ritz. Mais un
amour scandaleux peut-il rimer avec toujours ?

BEST-SELLERS N°4

À PARAÎTRE LE 1ER MARS 2004

CHRISTIANE HEGGAN

L'impossible vérité

Justice.

Pour Kate Logan, ce mot a encore un sens. En tant qu'avocate, elle s'efforce de défendre ses clients contre un monde dur et cruel, sans pitié pour les plus faibles. Une véritable croisade qui la laisse parfois désemparée, l'amène à douter de ses convictions, de son métier, d'elle-même.

Or voilà que, coup sur coup, deux affaires réclament sa vigilance, son intégrité. Deux meurtres, deux suspects. Deux innocents accusés à tort, Kate en a l'intime conviction. Certes tout les dénonce, et les preuves contre eux sont accablantes. Mais justement, il y en a trop, et Kate décide de mener sa propre enquête, délicate en tout point : non seulement l'un des accusés n'est autre que son ex-mari, mais le policier en charge des deux affaires la déstabilise au plus haut point — furieux de la voir multiplier les initiatives, il se montre l'instant d'après le plus prévenant des hommes.

Peu à peu, cependant, il apparaît que les deux meurtres sont liés. Les indices se recoupent, formant un puzzle inquiétant. Les vrais coupables sont là, tapis dans l'ombre, prêts à tout pour empêcher la vérité d'éclater.

Une vérité qui est désormais pour Kate une arme de survie. La seule.

BEST-SELLERS N°5

À PARAÎTRE LE 1ER MARS 2004

Composé et édité
PAR LES ÉDITIONS HARLEQUIN
Achevé d'imprimer en décembre 2003

BUSSIÈRE
GROUPE CPI

à Saint-Amand-Montrond (Cher)
Dépôt légal : janvier 2004
N° d'imprimeur : 37258 — N° d'éditeur : 10335

Imprimé en France